Gisa Pauly

Der Mann ist das Problem

Gisa Pauly

Der MANN ist das PROBLEM

Roman

PENDO
München Berlin Zürich

Mehr über unsere Autoren und Bücher:
www.pendo.de

ISBN 978-3-86612-380-9

Satz: Uhl + Massopust, Aalen
Druck und Bindung: CPI books GmbH, Leck
Printed in Germany

Siegfrieds Stimme war leise, sehr leise. Nur deshalb wurde ich auf sein Telefongespräch aufmerksam. Normalerweise redete mein Mann laut, mit volltönender, meist sogar dröhnender Stimme. Hätte er sie erhoben, hätte er seine Stimme donnern lassen, dann wären die Worte hinter der Tür seines Arbeitszimmers an meinem Ohr vorbeigerauscht. Ich wäre davon ausgegangen, dass er die Praktikantin seiner Rechtsanwaltskanzlei zur Schnecke machte, einem gegnerischen Anwalt die Meinung sagte oder einen aufmüpfigen Mandanten in seine Schranken wies. All das interessierte mich nicht. Ich wäre in die Küche gegangen, hätte mich um belegte Brote und nicht um Siegfrieds Worte gekümmert. Aber als ich ihn flüstern hörte, war ich alarmiert. Vorsichtig stellte ich den Einkaufskorb ab, mit dem ich gerade das Haus betreten hatte, und lauschte.

»Ich habe alles vorbereitet, es kann nichts schiefgehen. Die Zeit ist zwar knapp, aber es wird gehen. Morgen hat meine Frau Geburtstag, am Nachmittag kann ich das Ding abholen.«

Eine Geburtstagsüberraschung also! Natürlich wollte ich

meinem Mann und auch mir selbst die Überraschung nicht verderben, aber… meine Neugier war einfach stärker. Was mochte Siegfried sich ausgedacht haben? Hoffentlich nichts Teures. Die Party, die wir in einem angesagten Restaurant feiern wollten, würde schon Unsummen verschlingen. Aber Siegfried hatte gesagt: »Ganz oder gar nicht! Wenn wir feiern, dann richtig. Oder sollen unsere Freunde denken, dass wir pleite sind?«

Nein, pleite waren wir nicht. Aber so vermögend, wie alle glaubten, waren wir längst nicht mehr. Wenn jemandem in den letzten Monaten ein entsprechender Verdacht gekommen war, sollte er morgen widerlegt werden!

»Ich regle das schon«, hörte ich Siegfried sagen. »Es kann nichts mehr schiefgehen. Nach der Geburtstagsparty ist Zeit genug, um die Sache zum Abschluss zu bringen.«

Was konnte er damit meinen? Eine Reise, die er erst buchen wollte, wenn er sicher war, dass mir das Reiseziel gefiel? Oder ein Schmuckstück, bei dessen Wahl er seinem eigenen Geschmack nicht traute?

Er schwieg eine Weile, hörte wohl seinem Gesprächspartner zu. Dann lachte er, auch das sehr leise, und sagte: »Ich werde es sein, der den Kurs vorgibt, ist ja wohl klar. Und ich bestimme auch, wann es losgeht.«

Ich! Er hatte so eine Art, dieses Ich zu betonen. Als ich ihn kennenlernte, war ich sicher, dass es männlich war, sich für alles zuständig zu erklären, alles Wichtige selbst zu erledigen, als Einziger etwas Schwieriges zu schaffen und dafür natürlich dem Ich eine große Bedeutung zu geben. Mir selbst wäre das nie gelungen. »Sei immer hübsch bescheiden, dann mag dich jeder leiden.« Dieses Sprichwort hatte ich mehr als einmal von meiner Mutter gehört und auf ihr Anraten in jedes Poesiealbum geschrieben. Nur gelegentlich hatte ich protestiert, indem ich mich für einen anderen Spruch entschied:

»Komm, lass uns träumen im Mondenschein von Liebe und Glück und Seligsein.« Ich fand den Reim äußerst gelungen und konnte den missbilligenden Blick meiner Mutter nicht verstehen.

»Unsinn!«, sagte Siegfried nun, und seine Stimme klang spöttisch. »Von so was hat meine Frau keine Ahnung.«

Ärgerlich nahm ich den Einkaufskorb wieder auf und machte mir nicht die Mühe, zur Küchentür zu schleichen. Ich ließ meine Pfennigabsätze knallen und warf die Tür hinter mir ins Schloss. Klar, ich hatte von nichts eine Ahnung. Ich war ja nur eine Hausfrau, hatte nichts Unwichtigeres getan, als drei Kinder großzuziehen, das Haus in Schuss und den Garten in Ordnung zu halten. Aber gut, ich verdiente kein eigenes Geld, ich wusste nicht, wie die Welt der Erwerbstätigen sich drehte, hatte mich nie gegen konkurrierende Kollegen durchsetzen und mich nie einem Vorgesetzten beugen müssen. Ich gab das Geld meines Mannes aus, nie mein eigenes, und hatte nicht einmal daran gedacht, mir eine Kontovollmacht ausstellen zu lassen. Ich war ein Anhängsel! Mehr nicht!

Mein Selbstbewusstsein wand sich mal wieder am Boden. Ich hatte es Franziska genannt, weil das ein stolzer Name war, mit kräftigen Konsonanten und drei ausdrucksvollen Silben. Die männliche Form Franz war ein Abklatsch von Franziska, eine jämmerliche Silbe, kurz und deftig, ohne jede Eleganz, gleichgültig, welche Herrscher diesen Namen getragen hatten. Königlich war nicht Franz, sondern Franziska. Und ihre Majestät, mein Selbstbewusstsein, redete mir seit Jahren ein, mir die Krone nicht ständig vom Kopf nehmen zu lassen.

Ich packte meine Einkäufe aus und warf, was keinen Schaden nehmen konnte, zornig auf den Tisch. Siegfried wollte also mal wieder den Kurs vorgeben und mir etwas aufdrücken, von dem ich keine Ahnung hatte. War er etwa auf die Idee gekommen, mir einen Segeltörn zu schenken? Na, dann wusste ich nun Bescheid. Er würde das Steuer in der Hand halten, er würde bestimmen, wie die Segel gesetzt wurden, wie das Ziel hieß und wann wir ablegen würden. Dabei war ich bisher jedes Mal seekrank geworden, wenn Siegfried mich zu einem Wochenende auf einem Segelboot überredet hatte. Ich sollte damit überrascht werden, demnächst über der Reling hängen und kotzen zu dürfen?

Franziska war außer sich. *Wie kannst du dir das bieten lassen? Siegfried will mal wieder segeln gehen, und du sollst dich darüber freuen und darfst nicht mal bestimmen, wohin es gehen wird. Wehr dich!*

Aber wie? Erneut drückte mich das Gefühl nieder, dass es auf mich nicht ankam, dass andere bestimmten, worüber ich mich zu freuen hatte, dass es in diesem Hause nichts gab, was nur für mich war, was mir ganz allein gehörte, worauf ich Anspruch hatte. Kein schönes Gefühl! Wie eine Versagerin kam ich mir vor, wie eine Frau ohne etwas Eigenes, nicht mal mit einem Jodel-Diplom, eine, die später einmal zurückblicken und sich fragen würde, was sie eigentlich aus ihrem Leben gemacht hatte, was sie zurückließ. Eine Frau, mit der man machen konnte, was man wollte! Ich fühlte mich schlagartig mies, total mies. Dabei war das Wetter so schön. Ein milder Frühsommertag mit vielen weißen Schäfchenwolken, hinter denen die Sonne den Tag neckte. Ein Wetter, das Hochstimmung erzeugte. Eigentlich …

Ich konnte ja nicht ahnen, dass sich in diesem Augenblick mein Leben veränderte. Von Grund auf! Dass ich beschloss, am nächsten Abend eine schwarze Netzstrumpfhose zu tragen, die Siegfried garantiert nicht gefallen würde, konnte keine Änderung bewirken, aber trotzdem kam sie auf mich zu, diese Verwandlung, ich sah sie nur noch nicht. Am nächsten Tag würde Franziska es endlich schaffen, mir die Krone aufs Haupt zu drücken. Ausgerechnet an meinem fünfzigsten Geburtstag! Nein, darauf wäre ich wirklich nicht gekommen …

Kurz vor Mitternacht war es so weit: Ich hatte diese Party satt. Zu viele Leute, zu viele Reden, zu viel Lobhudelei. Das hatte ich mir alles ganz anders vorgestellt. Leichter, fröhlicher, ungezwungener! Nun wollte ich nur noch weg. Notfalls durch die Hintertür. So tun, als ginge ich mir die Nase pudern, und dann einfach nicht wiederkommen. Wenn dies der fünfzigste Geburtstag eines anderen gewesen wäre, hätte ich es getan.

Was machst du hier noch?, nörgelte Franziska. *Dein Ehrentag? Dass ich nicht lache! Du hast dir mal wieder das Zepter aus der Hand nehmen lassen. Wann lernst du es endlich?*

Meine Nachbarin Kathy spürte anscheinend, dass hier etwas aus dem Ruder lief. Hatte sie vielleicht sogar erkannt, wo das Problem lag? Dann würde ich sie in Zukunft meine allerbeste Freundin nennen, eine Auszeichnung, die ich seit der Schulzeit nicht mehr vergeben hatte.

Kathy war blond, mollig, ein Jahr jünger als ich und der Meinung, dass keine Frau blond, mollig und fünfzig Jahre alt sein wollte. Komischerweise hatte sie sich mit dem abgefunden, was notfalls zu ändern gewesen wäre, aber fünfzig wollte sie auf keinen Fall werden. Die Frage, ob sie vorher von einer Brücke springen oder sich einen falschen Pass besorgen wolle, beantwortete sie nicht. Bisher stand nur fest, dass sie ihren nächsten Geburtstag auf keinen Fall feiern wollte. Als hoffte sie, dem Schicksal damit ein Schnippchen zu schlagen.

Sie ließ sich neben mir auf einem Barhocker nieder, stöhnte, weil es ihrer Meinung nach keine Frau schaffte, auf so einem Ding mit Anmut Platz zu nehmen, stöhnte noch einmal, weil sie zugenommen hatte, und ein weiteres Mal, weil ihr Friseur versagt hatte und ihre Haare nicht saßen. Besser, man ließ

Kathy reden und unterbrach sie nicht, sonst würde es noch länger dauern, bis sie endlich zum Wesentlichen kam.

»Gräm dich nicht«, tuschelte sie mir zu. »Ich weiß, es ist schrecklich. Du musst dir einfach sagen, dass du immerhin noch gesund bist. Das ist das Wichtigste. Gesundheit wird von jetzt an immer wichtiger. Deine Netzstrumpfhose kannst du in den Müll werfen, die hilft dir nun auch nicht mehr weiter.«

Ich steckte die Medaille mit der Aufschrift »allerbeste Freundin« wieder zurück. Kathy war lustig und nett, mit ihr konnte man über die Liebhaber reden, die wir beide nie gehabt hatten, über die Erziehungsprobleme anderer, die finanziellen Schwierigkeiten in den Nachbarhäusern, und man konnte mit ihr in aller Ausführlichkeit und mit größtem Unterhaltungswert erörtern, was wir tun würden, wenn sich unsere Männer beim Seitensprung ertappen ließen. Die Befürchtung, dass Kathy nur mit Rat und nicht auch mit Tat aufwarten würde, wenn die Probleme realistisch wurden und dem Konjunktiv nicht mehr standhielten, bestätigte sich in diesem Moment mal wieder.

»Ist doch süß von Siegfried, dass er deinetwegen beruflich zurückstecken will. Er möchte dir helfen, jetzt, wo du fünfzig geworden bist.«

Ich kippte einen großen Schluck Sekt hinunter, zerrte meinen ohnehin kurzen Rock ein Stück in die Höhe und öffnete mit einem Handgriff meine Haare, die auf meinem Hinterkopf zu einem kunstvollen Gebilde zusammengesteckt waren. So, wie Siegfried es liebte. Der Friseur hatte eine knappe Stunde dafür gebraucht. Wenn er gesehen hätte, wie schnell sein Werk zu vernichten war, würde er sich vermutlich in seine Effilierschere stürzen.

Recht so!, zischte Franziska, die Königliche.

Kathy schwante Unheil, und ich bestätigte ihre Sorge, indem ich ihr auseinandersetzte, dass ich erstens keine Hilfe nötig hatte, nur weil ich fünfzig geworden war, dass Siegfried zweitens nie auf die Idee kommen würde, mir deswegen zu helfen, und sie drittens eigentlich wissen müsste, dass ich nichts weniger wollte, als dass mein Mann beruflich zurücksteckte. Nach der Heirat hatte ich mich darauf eingelassen, auf meinen Beruf zu verzichten, jetzt wollte ich mich nicht auch noch darauf einlassen, mein Leben von einem Mann boykottieren zu lassen, der keine Ahnung hatte, wie ich meine Tage verbrachte. Feindliche Übernahme! Etwas anderes fiel mir dazu nicht ein.

Ja, ja! Franziskas Stimme war mal wieder viel zu laut. *Reden kannst du! Aber wenn es darum geht, etwas zu tun, kann man lange warten. Wetten, dass du nichts gegen die feindliche Übernahme unternehmen wirst?*

»Und dann noch Friederikes Geschenk! Entzückend!« Jetzt unterstand sich Kathy, feuchte Augen zu bekommen. Aber aus ihrer Rührung wurde schon im nächsten Moment wieder das Mitleid, mit dem sie mich betrachtete, seit ich sie an diesem Abend begrüßt hatte. »Fünfzig Jahre und Oma! Das Leben ist vorbei, Helene.«

»Ich habe nichts dagegen, Oma zu werden!«, zischte ich sie an.

Das stimmte. Trotzdem war mir nicht wohl gewesen, als Friederike ans Mikrofon getreten war und um Ruhe gebeten hatte. In einer bezaubernden kleinen Rede hatte sie rührende Worte des Dankes an mich gerichtet, die mein Herz antasteten, es aber nicht voll und ganz eroberten, weil ich spürte, dass etwas auf mich zukam, das über die Dankesrede des ältesten Kindes hinausging. Und da kam es auch schon. Friederikes Rede lief schnell auf den Höhepunkt zu. Während die Ahnung bereits um sich griff und viele anwesenden Damen zum Taschentuch griffen, holte Friederike zum Schlag mit der Emotionskeule aus. »Ich hatte nie ein schöneres Geschenk für dich, liebe Mama! Ein Enkelkind, das ich dir in einem halben Jahr in die Arme legen werde!« Und sie ließ keinen Zweifel daran, was sie in Zukunft von mir erwartete. Für das wunderbare Geschenk sollte ich ihr danken, indem ich mich für die Betreuung meines Enkelkindes zur Verfügung stellte, damit sie selbst sich weiter ihrer beruflichen Verwirklichung widmen konnte. Nein, ich hatte tatsächlich nichts dagegen, Oma zu werden, ich freute mich sogar darüber. Aber dafür, dass Friederike sich vor großem Publikum, einer Geburtstagsgesellschaft von rund hundert Leuten, meines Glücks, Wohlwollens und meiner Zustimmung vergewisserte, fand ich kein besseres Wort als Hinterlist. Ich war gezwungen worden, vor hundert Zeugen zu nicken, die sich gegenseitig versicherten, dass mir das schönste Geschenk gemacht worden war, mit dem eine Frau zum fünfzigsten Geburtstag zu überraschen war.

»Eine neue Aufgabe, Helene!«

»Eine neue Aufgabe, Mama!«, jubelte Friederike.

»Eine neue Aufgabe, Lenchen!«, stimmte Siegfried ein.

Warum hast du denn genickt? Du hättest auch den Kopf schütteln können!

Kathy deutete mein Schweigen und den Wink, mit dem ich ein neues Glas Sekt orderte, natürlich falsch. »Du wirst dich schon daran gewöhnen. Wenn man fünfzig ist, kann man genauso gut noch Oma werden. Auch schon egal!« Sie sah auf meine Netzstrumpfhose, als hätte sie gern meinen Rock bis zum Knie gezogen, und auf meine Haare, die ich so lange mit beiden Händen verwuschelte, bis ich wusste, dass Siegfried mich mit einem Blick auf den Gerichtspräsidenten ermahnen würde, wenn er mich sähe.

Kathy wurde eifriger, als merkte sie, dass ich von meinem Glück noch überzeugt werden musste. »Und ein so großzügiges Geburtstagsgeschenk von Siegfried«, schwärmte sie weiter. »Dafür hat er mindestens zwanzigtausend auf den Tisch gelegt. Du bist wirklich zu beneiden.« Sie warf einen Blick zu ihrem Mann, der steif, mit verschlossenem Gesicht dastand, sein Sektglas in den Händen drehte und so aussah, als machte er sich die Gedanken, die ich mir an seiner Stelle ebenfalls machen würde: Wie komme ich hier weg? Weg von dieser langweiligen Party, auf der nur Statements gesetzt werden, die schon im Wind des nächsten Geschäftsjahres wegfliegen, und Emotionen aufgeblasen werden, die dem Sturm des Alltags sowieso nicht standhalten.

Auch das musste Kathy eigentlich wissen: dass ich etwas zum Geburtstag bekommen hatte, was mein Mann sich seit Langem wünschte, etwas, was in *meinen* Träumen noch nie vorgekommen war. Trotzdem sollte ich mich darüber freuen, dass er zwanzigtausend dafür hingeblättert hatte? Ja, Kathy war anscheinend dieser Meinung. Mit fünfzig musste man wohl froh sein, wenn man dem Ehemann noch so viel Geld wert war. Egal wofür.

Kathy versetzte mir einen kleinen Stoß mit dem Ellbogen. »Ich weiß doch Bescheid.«

Ja, Kathy war die Einzige, die es erfahren hatte. Als Siegfried mich endlich davon in Kenntnis setzte, dass er am Aktienmarkt viel Geld verloren hatte, musste ich mich einfach jemandem anvertrauen, sonst wäre ich geplatzt. Eigentlich sollte es niemand erfahren, und tatsächlich war es Siegfried gelungen, die Fassade zu erhalten und niemanden ahnen zu lassen, dass es uns finanziell nicht mehr so gut ging, wie es den Anschein hatte. Dass die beiden Eigentumswohnungen, unsere Geldanlage, verkauft werden mussten, erfuhr nur Kathy. Dass unsere Ersparnisse draufgingen, bekamen nicht einmal unsere Kinder mit. Zwar wohnten wir noch in unserem schönen Haus, aber nun waren wir gezwungen, vorsichtig mit unserem Geld umzugehen. Diese Geburtstagsfeier konnten wir uns eigentlich gar nicht leisten und mein Geschenk ebenfalls nicht. Wenn es auch aus zweiter Hand war! Gebraucht! Aber das fanden die meisten sehr vernünftig. So was kaufte man nicht neu! Wer kaufmännisch dachte, schob den Wertverlust, der in dem Jahr nach der Neuanschaffung gewaltig war, dem Erstbesitzer in die Schuhe. Dass mir das Herz in die Netzstrumpfhose rutschte, als Siegfried endlich damit herausrückte, was er mir zum Fünfzigsten schenkte, bekam niemand mit, meine Entgeisterung hielt jeder für unbändige Freude.

Als Siegfried sich – mit dem Autoschlüssel in der rechten Hand, den er hochhielt wie eine Trophäe – vor mir aufbaute, fiel mein Blick zufällig auf Martin. Ich sah, dass er einen interessierten Blick aufsetzte. Kathys Mann, der Filialleiter unserer Hausbank, wusste natürlich ebenfalls Bescheid über die Veränderung unserer finanziellen Verhältnisse. Hatte Siegfried den Kredit für mein Geburtstagsgeschenk etwa bei einer anderen Bank aufgenommen? Sah Martin deswegen so nachdenklich aus? Er reckte den Hals, als wollte er versuchen, über die Köpfe der anderen hinwegzusehen, damit er alles mitbekam, was sich an diesem Abend ereignete. Aber Martin gab es bald auf. Er war klein und schmächtig, alle anderen nahmen ihm die Sicht.

Sämtliche Sympathien waren auf Siegfrieds Seite gewesen, als er in seiner Rede damit begann, sein ganz persönliches Geburtstagsgeschenk an sein liebes Lenchen sei, dass er ihr fortan mehr Zeit widmen wolle. Er sah nicht mich an, sondern die Geburtstagsgäste, ein geübter Redner, mit sparsamen, aber eindrucksvollen Gesten, einem Lächeln, das seine Gegner fürchteten und alle anderen dazu brachte, sich seiner Meinung anzuschließen, ohne dass sie es merkten. Siegfried, der Drachentöter, der Unverwundbare. Groß und breit stand er da, der Macher, der Erfolgreiche, der bereit war, beruflich zurückzustecken und einem Jüngeren mehr Verantwortung zu übertragen. Er selbst wolle sich in Zukunft nur noch um die Notariatsgeschäfte kümmern, verkündete er, die Anwaltskanzlei sollten andere führen. Viel Applaus war ihm sicher.

Dann erst wandte er sich seiner Frau zu, sein Lächeln galt von da an mir allein. »Ein neuer Lebensabschnitt soll für uns beginnen, mein liebes Lenchen.«

Sein Lächeln war fremd. Selbstbewusst und siegessicher wie immer, aber doch durch eine kleine Frage geschwächt. Er wusste also, dass er eine Rechnung ohne mich machte und sein Geschenk nicht besser war als die vielen davor, die seine Sekretärin für mich ausgesucht hatte, die einen sehr schlechten Geschmack besaß. Er wusste es und hatte es trotzdem getan!

Kein Wunder, dass ich starr vor Schreck war. Später hörte ich jedoch, dass ich ausgesehen hätte, als sei ich atemlos vor Glück gewesen. Davon waren meine Gäste und wohl auch Siegfried überzeugt. Um die große Überraschung, das Geschenk, mit dem sein Lenchen nicht rechnete, machte er zunächst ein großes Geheimnis. Wie dieses Geschenk mit den künftigen Großmutterpflichten zu vereinbaren sei, müsse man noch gemeinsam überlegen, aber es würde sich schon eine Lösung finden. Er jedenfalls freue sich für sein Lenchen, dass sie vor der Leere bewahrt würde, die sich für viele Frauen in ihrem Alter auftat, wenn die Kinder flügge geworden waren. Sein Lenchen dagegen dürfe sich glücklich schätzen, bald als Oma gebraucht zu werden und den Rest ihrer – zugegeben demnächst knappen – Zeit mit ihrem Mann zu verbringen.

Ich weiß nicht, ob jemand merkte, dass ich in das freundliche Lachen nicht einstimmte. Auch nicht in die vielen anerkennenden Rufe, als die Überraschung endlich beim Namen genannt wurde. Das überaus großzügige Geschenk, für das Siegfried – Kathy wurde nicht müde, es zu betonen – so viel Geld hingeblättert hatte.

In der folgenden Nacht konnte ich nicht schlafen. Zu viel ging mir im Kopf herum. Siegfried dagegen war gleich nach dem Zubettgehen in einen komatösen Zustand gefallen, schnarchte nun leise und sah so zufrieden aus, als hätte er ein gutes Geschäft gemacht. Ich ermahnte mich, dass man keinem Menschen vorwerfen konnte, wie er im Schlaf aussah, und dachte an das schlimme Foto, das meine Söhne vor vielen Jahren von mir gemacht hatten, als ich am Strand eingeschlafen war und aussah, als ruhte ich mich vom Niedermetzeln und anschließendem Verzehr neugeborener Kätzchen aus. Nein, ich durfte Siegfried seine zufriedene Miene nicht vorwerfen, aber nach einem Abend, wie ich ihn gerade erlebt hatte, konnte niemand objektiv sein.

Ich erhob mich leise, doch Siegfried wäre vermutlich nicht einmal geweckt worden, wenn ich mit der Marseillaise auf den Lippen aus dem Zimmer getrampelt wäre. Darauf ankommen lassen wollte ich es jedoch nicht und verließ das Schlafzimmer auf Zehenspitzen. Von der dritten Stufe der Treppe aus, die ins Erdgeschoss führte, konnte ich durch ein kleines Fenster einen Blick auf die Garagenauffahrt werfen. Und da sah ich es stehen: den Inbegriff meines Scheiterns, das Ausrufezeichen hinter dem Leben, das ich bisher geführt hatte, das Sinnbild meiner Ehe! So empfand ich es in diesem Augenblick jedenfalls, in dieser Stunde, in der ich mich so allein fühlte, dass ich mich zum ersten Mal fragte, ob mir dieser Zustand eigentlich gefiel oder ob er mir Angst machte. Ich entschied mich weder für das eine noch das andere, weil mir klar wurde, dass ich sowieso keine Wahl hatte. Allein oder nicht? Das war in meinem Fall immer davon abhängig gewesen, ob mich jemand brauchte oder alle etwas Besseres zu tun hatten. Siegfried und sogar die Kinder hatten sich entscheiden können, ich nie.

Ich schüttelte die Gedanken ab. Nein, ich wollte eine Antwort auf eine ganz andere Frage haben. Solange die Kinder zugegen gewesen waren, hatte ich sie nicht stellen wollen, aber nachdem ich nicht in den Schlaf gefunden hatte, wollte ich nicht mehr bis zum Morgen warten. Ich musste wissen, ob ich mich geirrt hatte oder ob Siegfrieds Herablassung wirklich so weit ging, dass er nicht einmal versuchte, mir etwas vorzumachen. Er war sich meiner ja so sicher!

Ich schlich zur Haustür, öffnete sie und wartete, bis mich die Nachtluft erreichte und ich entscheiden konnte, dass es warm genug war, im Nachthemd ins Freie zu treten. In keinem der Nachbarhäuser brannte Licht, auch die Nachbarn, die mit mir meinen fünfzigsten Geburtstag gefeiert hatten, schliefen längst.

Der Autoschlüssel lag auf dem Tisch neben der Tür. Er klimperte nur ganz leise, als ich ihn an mich nahm und die Haustür so weit zuzog, dass sich die Katze des Nachbarn keinen Zutritt verschaffen konnte, um den Rest der Nacht vor der Speisekammertür zu verbringen.

Das Wohnmobil besaß neben der Fahrer- und Beifahrertür eine dritte Tür hinten rechts, die in den Wohnbereich führte. Gleich links neben dem Einstieg befand sich die Küchenzeile vor dem rückwärtigen Fenster, gegenüber die Tür zu der kleinen Nasszelle, rechts die Sitzgruppe, die sich nachts in breite Betten verwandeln ließ. Siegfried hatte es mir noch in der Nacht mit stolzer Miene demonstriert, und meine Söhne, Friederike und ihr Mann Udo hatten sich auf die Polster gelegt und mir versichert, dass sie sehr bequem seien.

Bei dieser Gelegenheit hatte ich es bemerkt: unter einer der beiden Polsterbänke, wo es Stauraum für Fahrradhelme, Wasserbälle, Golf- oder Tennisschläger gab. Der Deckel hatte sich nur kurz und unbeabsichtigt angehoben, was sich darunter befand, war nur für einen winzigen Augenblick zu sehen gewesen. Nun wollte ich sicher sein. Und wenn ich recht hatte, würde ich Siegfried bei nächster Gelegenheit den Beweis um die Ohren hauen, dass er nicht mir, sondern sich selbst ein Geschenk gemacht hatte, für das er sich während des vergangenen Abends ausgiebig feiern ließ. Mit einem Mal war ich ganz sicher, dass es der Zorn gewesen war, der mich um meine Nachtruhe gebracht hatte.

Verblüfft zog ich den Schlüssel wieder aus dem Schloss. Siegfried hatte die Tür nicht abgeschlossen! Kopfschüttelnd öffnete ich sie und stieg in das Wohnmobil, in dem es kälter und dunkler als draußen war. Der Geruch war nicht angenehm, eine Mischung aus Putzmitteln, erst kürzlich entfernten Abfällen und Alkohol. Die beiden Sektflaschen, die wir vor dem Schlafengehen hier mit den Kindern geleert hatten, um das großzügige Geschenk im engsten Familienkreis noch besonders zu würdigen, standen auf der Anrichte. Die Gläser hatte ich zum Spülen mit ins Haus genommen, als endlich alle aus dem Wagen gesprungen und mir ein weiteres Mal versichert hatten, wie großartig es sei, dass ich nun ein Wohnmobil besaß. Stolz hatte Siegfried seine Söhne mit der Technik vertraut, Friederike und mich auf die raffinierten Unterbringungsmöglichkeiten von Kosmetik im Bad aufmerksam gemacht und mit Udo erörtert, wo das Wohnmobil zukünftig stehen sollte, wenn wir gerade nicht auf Reisen waren. Zum Beispiel, weil meine Großmutterpflichten mich von einer Spritztour abhielten. Gleichzeitig ließ Siegfried sich jedoch von seiner Tochter versichern, dass die liebe Mama garantiert nichts dagegen haben würde, wenn er sich mal ein paar Tage allein auf Reisen begab. Nur mein Schwiegersohn war sehr schweigsam gewesen. Immer wieder hatte ich seinen aufmerksamen Blick aufgefangen und wusste, dass er der Einzige war, der eine Ahnung davon hatte, wie ich mich fühlte.

Ich hob das Sitzpolster an und brauchte den Deckel darunter nur ein wenig zu lüften, da sah ich trotz der Dunkelheit, dass ich mich nicht getäuscht hatte. Der Beweis! Siegfried hatte schon seine Angelausrüstung mitsamt der Gummistiefel in dem Wohnmobil verstaut und sogar sein Handy zum Aufladen an die Autobatterie angeschlossen. *Mein* Wohnmobil? *Mein* Geschenk zum fünfzigsten Geburtstag? Ich hätte gern gelacht, aber dazu war ich zu wütend und zu traurig.

Ich hockte mich auf die Polsterbank, starrte aus dem Fenster und lauschte auf die Stille davor. In dieser Gegend gab es nur Eigenheime, die ersten Geräusche des Tages waren das Moped des Zeitungsboten und das Quietschen des Garagentors, wenn die junge Ärztin aufbrach, die ihren Dienst im Krankenhaus schon sehr früh antrat.

Zu dieser Zeit war noch alles still. Still und dunkel. Eine Laterne am Ende der Straße gab etwas Licht und ließ Büsche und Hecken aus den grünen Wänden hervortreten, die jedes Grundstück vor fremden Blicken schützten. Darüber jedoch veränderte sich etwas. Der Himmel, der nie ganz dunkel war, weil Düsseldorf auch während der Nacht nicht ohne elektrische Beleuchtung auskam, nahm das Grau an, das das künstliche Licht vom Tageslicht unterschied. Eine Ahnung nur, aber bald würde der Tag anbrechen, das Morgengrau würde die Nacht vom Himmel wischen.

Gerade als ich mich fragte, wie spät es sein mochte, fiel mir eine Bewegung auf. Ein schlagender Zweig in den Büschen eines Nachbarn, zu heftig, um von einem aufsteigenden Vogel zu stammen, und dann das Auseinanderdrücken von nachgiebigem Geäst. Hände waren nicht zu sehen, auch keine Füße, die sich durchs Gebüsch schoben, nur diese Bewegungen, erst weiter hinten, dann auch vorne, in der Nähe der Straße, als bemühte sich jemand um behutsames Vorankommen. Um zu fliehen, sobald er die Straße erreicht hatte? Ich wartete mit angehaltenem Atem darauf, dass ein Sack mit Beute auf den Bürgersteig geworfen wurde, ein

Mann zum Vorschein kam, der ihn schulterte und das Weite suchte …

Aber alles kam ganz anders. Tatsächlich konnte ich kurz darauf ganz schwach eine Gestalt ausmachen, nicht groß, sehr schlank, in dunkler Kleidung, mit einer schwarzen Mütze auf dem Kopf, die tief in die Stirn gezogen worden war. Auf den Sack mit der Beute wartete ich vergeblich. Der Mann hatte die Hände in die Taschen seiner Jacke gesteckt, hielt sich geduckt und sah aufmerksam die Straße hinauf und hinab. Dann setzte er sich in Bewegung und kam direkt auf mich zu.

Ich blieb wie gelähmt hocken, die Gedanken rasten durch meinen Kopf, die Kälte, die mich vorher nicht angetastet hatte, griff nun nach meinem dünnen Nachthemd. Sollte ich schreien? Um Hilfe rufen? Aufspringen, die Tür aufreißen und den Kerl davor warnen, sich mir zu nähern? Ich brachte nichts von alldem fertig, saß nur da und starrte auf die Bewegung, die auf das Wohnmobil zukam. Lautlos! Kein Schritt war zu hören, nur ein kleines Schwanken des Schimmers vor dem Fenster zu erkennen, mehr nicht. Dann aber ein Schaben an der Tür, das Tasten von Fingerspitzen, die die Klinke suchten, und schließlich ihr Anschlag …

Entsetzt sprang ich auf, ohne zu wissen, was ich tun wollte. Aber stillsitzen und einem Mann entgegenblicken, der in dieses Wohnmobil eindrang, mich womöglich zwingen wollte, ihm die Schlüssel auszuhändigen oder … Weiter kam ich nicht mit meinen Gedanken. Vor der Tür veränderte sich etwas, ich konnte spüren, dass der Mann einen Schritt zurückgewichen war. Er musste ein Geräusch gehört, vielleicht sogar das kurze Schwanken der Karosserie bemerkt haben.

Nun war mir, als hätte ich ihn zurückgedrängt, ich fühlte mich stärker und machte einen Schritt auf die Tür zu. Dann aber blieb ich stehen und lauschte. Waren Schritte zu hören? Flüchtete der Kerl? Er musste jetzt wissen, dass er dieses

Wohnmobil nicht aufbrechen und dort nach Wertgegenständen suchen konnte. Doch nichts war zu hören. Kein Schritt, keine Bewegung.

Ich schloss die Augen, um besser hören zu können, und da vernahm ich tatsächlich ein Scharren, etwas, was die Tür berührte. Und dann ein Flüstern: »Sind Sie das?«

Wen konnte er meinen? Ich merkte, dass ich den Kopf schüttelte. Ein Missverständnis! Es war wohl besser, ein Wagnis einzugehen, damit er merkte, dass er sich geirrt hatte. Hier gab es niemanden, der mit ihm verabredet war!

»Sind Sie das?« Noch einmal dieses Flüstern, so leise, dass ich nicht feststellen konnte, ob mir die Stimme bekannt war. Schon sicherer klang sie nun, als ob es nicht anders sein könnte, als müsste derjenige, den der Mann erwartete, in diesem Wohnmobil sein.

Die Angst, dass er die Tür öffnen könnte, machte mich unvorsichtig. Laut und deutlich räusperte ich mich. Wie jemand, der aus dem Schlaf geschreckt war und sich nicht nur mit den Augen, sondern auch mit der Stimme zu orientieren versuchte. Aber ob es sich um eine weibliche oder männliche Stimme handelte, merkte man auch, wenn ein Mensch sich räusperte. Als mir diese Erkenntnis kam, durchfuhr mich ein weiterer Schreck. Was hatte der Kerl da draußen vor? Hatte ich es womöglich gar nicht mit einem Dieb, sondern mit einem Sexualtäter zu tun? Dann war es ganz falsch gewesen, ihm zu zeigen, dass er auf eine Frau stoßen würde, wenn er die Tür öffnete.

Die Stille, die nun entstand, war so eisig und derart komprimiert und gewaltvoll, dass ich zu keiner Bewegung fähig war. Wenn der Mann jetzt versuchen sollte, mich zu überwältigen, wäre ich womöglich nicht einmal in der Lage, mich zu wehren.

Doch es blieb so lange ruhig, bis die Stille an Gewalt und

Kälte verlor und schließlich von mir abrückte. Ich schaffte es, mich zu bewegen und mich so weit vorzubeugen, dass ich aus dem Fenster blicken konnte. Vor dem Wohnmobil war niemand zu sehen, kein Mensch, der sich an der Tür zu schaffen machte. Ich sprang ans rückwärtige Fenster, auch dort erblickte ich keine Menschenseele. Und dann wagte ich es, mich zwischen die beiden Vordersitze zu drängen, damit ich die Straße hinabblicken konnte. An ihrem Ende, kurz vor der Kurve, war tatsächlich eine Bewegung auszumachen. Aber konnte ich mir sicher sein? Nein, sicher war ich mir nicht, dass die Bewegung von dem Mann stammte, der gefragt hatte: »Sind Sie das?«

Dennoch hatte ich nun die Hoffnung, mich außer Gefahr bringen zu können. Ohne lange zu überlegen, griff ich nach der Klinke, riss die Tür auf, sprang aus dem Wohnmobil und lief, ohne die Tür hinter mir zuzuwerfen, zur Haustür. Darüber, dass ich im Nachthemd war, machte ich mir keine Gedanken. Ich griff nach dem großen quadratischen Knauf, wollte die Tür aufstoßen… doch sie war verschlossen. War sie ins Schloss gefallen? Hatte jemand sie zugezogen? Der Weg ins Haus war mir versperrt.

Nun meldete sich auch Franziska wieder, die sich bisher feige irgendwo versteckt hatte, während ich vor Angst wahnsinnig wurde. *Klingeln, an die Tür schlagen, rufen! Los, mach schon!*

Doch ich klingelte und pochte vergebens…

Wenn ich mich weit über die Balkonbrüstung beuge, kann ich den gegenüberliegenden Hügel erkennen. Die Altstadt von Chianciano schmiegt sich an die Felskante, das Fundament für die steil aufragenden Häuser. Unzählige braune Rechtecke, die sich aneinanderklammern und mit ihren schmucklosen Fenstern ins Tal blicken. Direkt unter der engen Altstadt setzt dann schon die Weite der toskanischen Landschaft ein. Welliges Gelände, mit stämmigem Grün überzogen, aus denen einige Zypressen wachsen.

Adams Haus steht ganz allein auf seinem Hügel. Aber obwohl die milchige Sonne es einhüllt, kann ich erkennen, dass kein Rauch aus dem Kamin steigt. Also ist Adam noch nicht zurück. Wann wird er kommen? Ich spüre das Unbehagen unter dem Rippenbogen. Angst? Nein, keine Angst. Wenn Deutschland ihm schweres Gepäck mitgegeben hat, wird er für die Reise vielleicht mehr Zeit brauchen. Ich werde nicht auf ihn warten. Nein, warten auf keinen Fall! Genauso wenig, wie ich auf Cora warten will. Beide werden nach Chianciano zurückkommen, irgendwann, und dann bleiben oder wieder gehen. So, wie ich selber bleiben oder wieder gehen werde.

Mein Blick geht von der Altstadt weg ins Tal, fliegt über die Landschaft bis zu den weiter entfernten Hügelketten. Es hat bereits einige heiße Tage gegeben. Von den vielen grünen Flächen werden die ersten schon braun. Laubbäume, einzelne, in Gruppen oder lichten Gehölzen, nehmen sie in ihre grünen Arme und hätscheln jedes Kornfeld so lange, bis es wie die Häuser mit ihnen eine harmonische Einheit bildet. Ich mag diese Anmut genauso wie die Ernsthaftigkeit der Rebstockreihen, die das Bild trotz aller Lieblichkeit solide gestalten. Ebenso wie die mahnenden Zypressen, die in Deutschland auf Friedhöfen und in der Nähe von Gedenkstätten an die Vergänglichkeit erinnern und auch hier dafür sorgen, dass die Leichtigkeit der Landschaft nicht zur Oberflächlichkeit wird.

Der Hof der »Locanda Tedesca« liegt verlassen da. Ein großes, kiesbestreutes Entree vor einem alten, frisch verputzten Haus. Töpfe mit roten Geranien schmücken den Hof, Oleander wuchert in der Nähe des Hühnerstalls, Bougainvillea leuchtet in den Terrakottatrögen, die den Kies von der Rasenfläche trennen, auf der einige Liegestühle stehen. Die Sonne senkt sich, die stille Stunde beginnt, die mir am liebsten ist. Am Ende des Tages, am Anfang des Sommers. Dennoch freue ich mich auch auf sein Ende. Wenn die süße Schwere aufplatzt wie überreife Trauben, sich dann manchmal ganz unerwartet öffnet in einem Dutzend feigengroßer Regentropfen, und sich die Wolken noch tiefer übers Tal senken. Und darunter die Hitze, die nicht entweichen kann …

Der frühe Juni ist noch leicht. Die Wärme seiner Tage fliegt schnell davon, die Kühle der Abende flattert herbei wie ein Schmetterling, der nicht lange bleiben wird. Wie war eigentlich das deutsche Wetter vor einem Jahr? Ich glaube, milde und freundlich. Ja, sogar ziemlich warm! Der Tag nach meinem fünfzigsten Geburtstag jedoch war verhangen und trübe, das weiß ich genau. Eigentlich kein Wetter, um sein Leben zu ändern.

Kurz vor meinem fünfzigsten Geburtstag dachte ich mal wieder an Mary, meine alte Freundin. Schade, dass wir uns mittlerweile nur noch anriefen, wenn eine von uns Geburtstag hatte. In den Monaten dazwischen waren wir uns so fremd – sie in diesem Leben, das mir so aufregend erschien, ich in meinem, von dem ich ihr nichts erzählen mochte, weil ich sicher war, dass es sie langweilen würde. Sie war meine Kommilitonin und nicht so dumm gewesen, ihr Studium abzubrechen, um zu heiraten. Sie hatte ihr Examen gemacht, eine Stelle in Frankreich angenommen, hatte dann eine Weile in England gearbeitet und schließlich Karriere in den USA gemacht. Dort heiratete sie einen Amerikaner, lebte seitdem in Miami und hieß nicht mehr Maria, sondern Mary. Sie hatte noch während des Studiums meinen Geburtstag falsch im Kalender eingetragen und rief seitdem Jahr für Jahr einen Tag zu spät an, um mir zu gratulieren. Jedes Mal wunderte sie sich dann, dass mein Geburtstag schon vorbei war, und schwor, den Eintrag nun endlich zu korrigieren. Was jedoch nie geschah.

Sie merkte sofort, dass mit mir etwas nicht stimmte. Und sie vermutete nicht wie Kathy, dass ich aufgrund meines neuen Alters depressiv geworden war, und nahm auch nicht wie Siegfried an, dass ich unter Kopfschmerzen litt, weil ich zu viel Sekt getrunken hatte. Nein, sie legte gleich den Finger in die Wunde. »Stress mit der Familie?«

Und plötzlich sprudelte es aus mir heraus: »Friederike will, dass ich ihr Kind großziehe, Siegfried will beruflich kürzertreten und mehr Zeit mit mir verbringen. Und verreisen will er mit mir! In einem Wohnmobil, das er mir geschenkt hat. Als große Überraschung zum fünfzigsten Geburtstag. Ein Wohnmobil, das er sich selbst schon lange wünscht, das ich aber niemals haben wollte! Gleichzeitig sagt er, dass ich womöglich gar nicht die Zeit haben werde, mit ihm auf Reisen zu gehen, weil ich ja für mein Enkelkind da sein soll. Und ob ich überhaupt Lust dazu habe – auf Reisen im Wohnmobil und auf die Aufzucht eines weiteren Kindes –, das fragt mich niemand!« Mir kamen mit einem Mal die Tränen, was nicht nur Mary erschütterte, sondern vor allem mich selbst. »Seit fast dreißig Jahren bestimmen andere über mein Leben. Meine Wünsche interessieren niemanden. Hört das denn nie auf?«

Dass sich mein Selbstbewusstsein prompt einmischte, konnte ich nicht ertragen. Ich verbot Franziska schlichtweg den Mund, als sie mich daran erinnerte, dass sie mich schon vor der Hochzeit gewarnt hatte.

Es war eine Weile still geblieben in der Leitung, dann hatte Mary gefragt: »Das Wohnmobil gehört also dir?«

Ich schluchzte ein letztes Mal, schämte mich dann meiner Tränen und wischte sie ärgerlich ab. »Sag ich doch.« Dass ich Siegfrieds Handy und seine Angelausrüstung darin gefunden hatte, ließ ich unerwähnt. Dieser Beweis, dass ich für dumm verkauft werden sollte, war mir regelrecht unangenehm.

»Dann setz dich rein und gib Gas.«

Yippie! Franziska war begeistert und beschämt zugleich. *Warum bin ich nicht selbst auf diese grandiose Idee gekommen?*

Tatsächlich war dieser Satz wie eine Offenbarung. Wie das letzte Wort einer Prüfungskommission: »Bestanden!«, wie das Urteil des Hohen Gerichts: »Unschuldig!«, oder das Ergebnis einer langwierigen ärztlichen Untersuchung: »Kerngesund!«. Vorsichtshalber jedoch wollte ich Mary noch nicht verstehen, ich musste erst sicher sein. »Ich kann doch nicht einfach …«

»Natürlich kannst du. Es gehört dir.«

»Aber … wo soll ich denn hin?«

»Gen Süden! Dorthin, wo es dir gefällt.«

»Und wie lange?«

»So lange du willst.«

»Und meine Familie?«

»Lass ihnen eine Nachricht da. Damit sie sich keine Sorgen machen müssen.«

Mach zu, stichelte Franziska, die wusste, dass ich manchmal so lange überlegte, bis mir mein ganzer Mut abhandengekommen war. *Frag nicht lange! Tu's!*

Während Siegfried meine Geburtstagsparty bezahlte und dem Wirt versicherte, dass der Abend zu unserer Zufriedenheit verlaufen sei, packte ich meine Sachen. Und noch bevor mein Mann zurückkam, schrieb ich einen Zettel und legte ihn auf den Küchentisch.

»Bin unterwegs! Weiß nicht, wann ich zurückkomme!«

Gerade rechtzeitig hatte Franziska mich daran erinnert, was Siegfried am Telefon gesagt hatte. Er wolle das Ziel ansteuern und auch bestimmen, wann es losgehe. Die Empörung darüber gab mir den Mut, den ich bitter nötig hatte. Wenn es hier um mein Geschenk ging, dann würde ich es sein, die über das Ziel entschied. Und ich würde auch bestimmen, wann ich es tun wollte, wann es losgehen sollte. Ich! Hatte ich jemals dieses Wort so ausgesprochen wie Siegfried?

Wurde auch Zeit! Franziska schubste und drängelte noch immer. *Los, mach zu!*

Nur wenige Stunden nach meinem Telefonat mit Mary saß ich tatsächlich in einem Wohnmobil, dessen Technik mir ein Buch mit sieben Siegeln war, und traute mir zu, irgendwie damit klarzukommen. Nach den ersten hundert Kilometern wagte ich noch nicht, an die große Freiheit zu glauben, nahm oft den Fuß vom Gas, trat dann aber doch nicht auf die Bremse. Ich fuhr weiter, manchmal sehr langsam, gelegentlich im Zickzackkurs, aber die Richtung »gen Süden« behielt ich bei. Es gab Abstecher nach Westen und Osten, zu Orten, mit denen ich eine Erinnerung verband, als könnte es mir eher gelingen, mit dem Unvertrauten klarzukommen, nachdem ich auf dem Ortsschild einen vertrauten Namen gesehen hatte. Ein Dorf, in das meine beste Freundin gezogen war, als ich vierzehn war, eine Kleinstadt, in der meine Patentante bis zu ihrem Tod gelebt hatte, die Stadt, in der mein Opa einen Autounfall hatte.

Aber zum Glück durchschaute Franziska mich schnell und gab mir die strikte Anweisung, nach München zu fahren, weil ich dort noch nie gewesen war, nur auf einer Autobahn, die an der Stadt vorbeiführte, oder auf dem Flughafen, wenn wir den Flieger wechselten. Siegfried konnte die Stadt nicht leiden, er verband die Erinnerung an München mit der Erinnerung an eine Frau, die ihn sehr enttäuscht hatte.

Als ich vor den Toren von München einen Campingplatz fand und beschloss, mir die Stadt genauer anzusehen, war ich mir zum ersten Mal sicher, dass ich nicht einfach ausgerissen war, sondern die Freiheit gesucht und sogar gefunden hatte. Anfangs hatte ich mich nicht getraut, die Chemietoilette zu benutzen, weil ich nicht wusste, wie sie zu entsorgen war, und nicht gewagt, Abwasser zu produzieren, weil ich nicht wusste, wohin damit. Die Stromversorgung war mir äußerst suspekt, und die Gasheizung wollte ich nicht anrühren, obwohl es in den ersten beiden Nächten ziemlich kalt war. Ich war über die Autobahn gefahren und hatte mich bei jeder Ausfahrt gefragt, ob ich kehrtmachen und nach Hause zurückfahren sollte. Aber ich war dann doch weitergefahren, immer weiter, weil Franziska mir damit drohte, in Streik zu treten, wenn ich jetzt aus meinem kleinen Mut erneut eine große Feigheit machen sollte.

Dann bist du mich ein für alle Mal los. Du kannst dir ja mal überlegen, wie es sein wird, wenn du dein Selbstbewusstsein komplett vergrault hast.

Auf dem Münchner Campingplatz lernte ich ein junges Mädchen kennen, das mit seinem Freund dort gelandet war, sich aber mit ihm gestritten hatte und nun per Anhalter weiterfahren wollte. Janine war ganze siebzehn Jahre alt und hatte im Gegensatz zu mir vor nichts Angst. Sie führte mich in die Geheimnisse der Wohnmobiltechnik ein, schaffte es, den Tisch und die Sitzbänke in ein Bett zu verwandeln, fand heraus, dass der Kühlschrank während der Fahrt über die Autobatterie versorgt wurde und dann, wenn der Wagen stand, mit Gas betrieben werden musste. Ich selbst hätte niemals gewagt, eine Nacht neben einem zündelnden Flämmchen zu verbringen, aber Janine hatte damit kein Problem und schien an die Möglichkeit, samt der zwei gut gefüllten Gasflaschen in die Luft zu fliegen, nicht einmal zu denken. Als sie ausstieg, weil sie nach Hause zurückfahren wollte, fühlte ich mich gut gerüstet für den Weg nach Süden. Ich saß hinterm Steuer, sang »Time to say good bye« und fuhr und fuhr…

Die Pensionsgäste der »Locanda Tedesca« kehren langsam zurück, fußmüde und verschwitzt, voll von den Eindrücken, die sie in Pienza, Montepulciano oder Siena gewonnen haben, mit Bildern in ihren Kameras und vielen Ratschlägen auf der Zunge für alle anderen, die noch nicht den Dom von Pienza, das Portal von Santa Maria in Montepulciano gesehen und noch nie auf der Piazza del Campo in Siena in der Sonne gesessen haben. Tipps werden gern gegeben, aber weniger gern angenommen. Ich selbst habe mir längst abgewöhnt, Ratschläge zu erteilen. Da ich Deutsche bin und erst seit einem Jahr in der Toskana lebe, gelte ich sowieso nicht als kompetent.

Schnell drehe ich mich um, damit niemand zu mir heraufrufen kann. Ich möchte jetzt nicht darüber reden, ob Gabriella die Betten sorgfältig gemacht hat, auch nichts von Sonderwünschen fürs Frühstück hören oder erfahren, wie unruhig der Gast mit der Hausstauballergie geschlafen hat. Ich will bereit sein, wenn Adam zurückkehrt, meine Vorfreude soll ein großes Ziel haben. Diese Erwartung ist wie eine wichtige Aufgabe. Ich darf nicht unterbrochen werden, sonst gelingt sie nicht.

Mein Blick fällt in die gläserne Balkontür. Sieht man mir meine Unruhe an? Es kann doch nicht sein, dass das Vibrieren unter meiner Haut ohne Wirkung auf mein Äußeres geblieben ist!

Habe ich dir nicht schon an deinem vierzigsten Geburts-

tag gesagt, dass es nicht auf das Alter ankommt? Noch immer mischt Franziska sich ein, wenn ich von ihrem Rat nichts hören will.

Ich bin nicht mal sicher, ob sie recht hat. Möglich, dass sie mir etwas einreden will. Aber tatsächlich sehe ich so aus wie immer. Und das ist natürlich wunderbar. Die Feststellung, dass sich mein Äußeres nicht verändert hat, ist für eine Frau meines Alters das Beste, was passieren kann! Da kann Franziska noch so oft behaupten, das Alter spiele keine Rolle. Tatsächlich sind meine Beine noch lang und schlank, sodass mein kurzer Jeansrock keinerlei Zugeständnisse machen muss, und mein Körper ist nach wie vor gut proportioniert. Die Hüften etwas stärker, die Taille aber noch schmal und die Brust fest genug, um auf eine Umpanzerung in irgendeiner Körbchengröße zu verzichten. Und wenn man begriffen hat, dass Lachfalten nur der Beweis für eine lange Zeit der Lebensfreude sind, kann man sich auch mit ihnen leicht abfinden. Ich kann meinem Spiegelbild sogar zulächeln.

Aber natürlich weiß ich auch, dass ich mich verändert habe. Doch das ist nichts, was ich dem Alter zu verdanken habe, das unterliegt meinem freien Willen, den ich noch immer genießen kann wie ein überraschendes Geschenk.

Von mir hast du ihn bekommen! Ohne mich hättest du dieses Geschenk nicht mal gesehen.

Aus der langhaarigen Helene, die häufig eine damenhafte Hochsteckfrisur trug, ist die kurzhaarige, ponygefranste Elena geworden. Diese Haare werden nicht mehr mit hundert Bürstenstrichen täglich zum Glänzen gebracht, sondern mit Haarwachs, das außerdem dafür sorgt, dass sämtliche Fransen etwas tun, was die Natur nicht für sie vorgesehen hat: Sie zeigen in alle Richtungen! Ich muss nicht mehr aussehen wie die Frau des Rechtsanwalts und Notars Siegfried Mertens, ich kann aussehen, wie ich will.

Das Klingeln meines Mobiltelefons reißt mich aus meinen Gedanken. Ich stürze ins Zimmer und beginne hastig zu suchen. Siegfried legte ja immer großen Wert darauf, dass ein Handy sofort greifbar war, bei mir ist das eher selten der Fall. Als es zum zehnten Mal klingelt, ahne ich, dass Kathy am anderen Ende ist, die als Einzige so hartnäckig ist. Nach dem zwölften Klingeln finde ich das Handy schließlich in der Tasche meines Pyjamas. Und ich hatte recht, Kathy ist am anderen Ende.

»Helene!« Neuerdings spricht sie meinen Namen so aus, als ginge es darum, mir zu kondolieren. Die zweite Silbe dehnt sie, als sollte sie geweint und nicht gesprochen werden. »Morgen rufe ich natürlich noch einmal an, um dir zu gratulieren, aber ich bin gerade so fertig mit den Nerven. Ich brauche jemanden, der mich versteht.«

»Schon wieder Martin? Oder … noch immer Martin?«

»Es wird nicht besser mit ihm. Nun hat er beschlossen, die Besuche beim Psychologen einzustellen. Angeblich will der sich nur an ihm bereichern. Hilfe findet er dort jedenfalls nicht, sagt er. Was soll ich nur tun?«

Ich habe keine Ahnung, wie man mit einem Traumatisierten umgeht. Außer Martin ist mir nie einer begegnet. »Vielleicht braucht er mehr Zeit, um das schreckliche Erlebnis zu verarbeiten?«

Kathy reagiert, als hätte ich etwas wahnsinnig Gedankenschweres geäußert, etwas, worauf vor mir noch keiner gekommen war. »Genau! Das ist es! Aber er will nicht mehr. Er findet seinen Lebensmut einfach nicht zurück.«

Ich versuche, mich an Martins Gesicht zu erinnern, als er auf der Party zu meinem fünfzigsten Geburtstag dastand wie jemand, dem ein Besuch beim Zahnarzt bevorsteht. Der Banküberfall, der ihn so aus der Bahn geworfen hat, ist nun schon fast zwei Jahre her. Martin war von dem Räuber eingesperrt und stundenlang mit der Waffe bedroht worden. An diesem Tag hat ihn jegliche Heiterkeit, jeder Optimismus, die ganze Freude am Leben verlassen. Aber der Arzt hat ihn gesundgeschrieben, er muss nun wieder täglich an den Ort des Verbrechens zurückkehren. Jeden Morgen steht er auf, um einen schweren Gang anzutreten, der am nächsten Morgen noch schwerer sein wird. Armer Kerl!

»Manchmal denke ich, wir sollten wegziehen«, stöhnt Kathy.

Ich weiß, was sie meint. »Würde es helfen, wenn er Siegfried nicht mehr täglich über den Weg laufen muss?« Mein Mann hatte die Verteidigung des mutmaßlichen Bankräubers gerade übernommen, als Kathy und ihr Mann in unsere Nachbarschaft zogen. »Siegfried hätte das Mandat abgelehnt, wenn wir damals schon befreundet gewesen wären.«

»Natürlich. Wir machen ihm keine Vorwürfe. Auch Martin nicht. Siegfried hat nur getan, was jeder andere Anwalt auch getan hätte. Er hat bewiesen, dass er ein guter Anwalt ist.«

Ja, Siegfried hat dafür gesorgt, dass der Mann, den Martin für den Täter hielt, aus Mangel an Beweisen freigesprochen wurde. Als ich mich mit Kathy anfreundete, war von Anfang an klar, dass Martin und Siegfried niemals Freunde werden konnten. »Martin muss einsehen, dass nur ein Urteil gesprochen werden kann, wenn die Schuld bewiesen ist. In diesem Fall war es nicht so. Im Zweifel für den Angeklagten!«

Das ist nicht das, was Kathy zur Antwort haben will, aber sie sieht ein, dass sie von mir nichts anderes zu hören bekommen kann. Trotzdem fleht sie weiterhin um mein Mitgefühl: »Manchmal läuft Martin sogar nachts draußen herum. Weil er nicht schlafen kann! Schon letztes Jahr nach deiner Geburtstagsfeier hat er damit angefangen. Anstatt mit mir zu Bett zu gehen, hat er einen Spaziergang gemacht.«

Martin? Er ist in der Nacht herumgelaufen? War er etwa an meinem Wohnmobil?

»Mitten in der Nacht! Was meinst du, was ich mir für Sorgen gemacht habe!« Kathy seufzt theatralisch. »Aber inzwischen habe ich mich daran gewöhnt.«

Nein, ich hätte seine Stimme erkannt. »Sind Sie das?«, hat die Stimme geflüstert. Das konnte nicht Martin gewesen sein. Andererseits … erkennt man eine Stimme hundertprozentig wieder, wenn sie flüstert?

Ich schiebe diesen Gedanken beiseite. Prompt fällt mir etwas ein, was bei Kathy für Erheiterung sorgt, denn für sie ist kein Telefonat befriedigend, in dem wir nicht ausgiebig lachen konnten. Ich erzähle ihr, dass ich in der Nacht nach meiner Geburtstagsparty genau wie Martin nicht schlafen konnte und im Nachthemd in das Wohnmobil gestiegen bin, das ich geschenkt bekommen hatte.

Damit ich nicht auf die Idee komme, meinen Ehemann und seine Großzügigkeit zu kritisieren, fällt Kathy gleich ein: »Das kann ich verstehen! Ein so tolles Geschenk muss man sich ja immer wieder ansehen, damit man es glauben kann.«

Ich verschweige also, dass ich mich vergewissern wollte, ob Siegfried sich wirklich unterstanden hatte, schon seine Angelausrüstung und das Handy in dem Wohnmobil zu deponieren, das angeblich mir gehören sollte, sondern schildere ihr nur, dass ich mich von einem Kerl bedroht fühlte, der es anscheinend darauf abgesehen hatte, im Wohnmobil nach Wertsachen zu suchen. »Und stell dir vor … dann stand ich im Nachthemd vor der Tür und kam nicht ins Haus zurück!«

Kathy will sich ausschütten vor Lachen, und genau das habe ich beabsichtigt. »Wie konntest du auch die Tür offen lassen!«

»Das hatte ich doch schon hundertmal vorher getan. Nie ist sie zugeschlagen.« Soll ich ihr verraten, dass ich den Verdacht hatte, der Mann habe sie ins Schloss gezogen? Dass ich sogar schreckliche Angst gehabt hatte, er wäre ins Haus eingedrungen, um dort auf Beutezug zu gehen? Nein, in dem Abstand von einem Jahr kommt mir meine Angst selbst lächerlich vor.

»Ich habe dann im Wohnmobil übernachtet und bin erst ins Haus zurück, als Siegfried die Zeitung hereinholte. Na, der hat vielleicht geguckt!«

Kathy amüsiert sich köstlich. Sie ist die Freundin zum Lachen, nicht eine, der ich ein Problem anvertraue. So erwähne ich auch nicht, dass ich zu feige gewesen war, im Nachthemd bei einem Nachbarn zu klingeln, und mich heute noch frage, was der Mann gewollt hat. Dass er es war, der mich an der Rückkehr ins Haus gehindert hat, davon bin ich nach wie vor überzeugt. Aber hätte Kathy mich gefragt, wie ich auf diese Idee käme… ich hätte ihr keine Antwort geben können.

Als unser Gespräch Gefahr läuft zu versickern, erzähle ich ihr von meiner Kurzhaarfrisur und bringe sie noch einmal zum Lachen, als ich wiedergebe, was kürzlich ein Pensionsgast zu mir gesagt hat: »Ihre Haare sehen aus, als hätte ein hungriger Hamster daran geknabbert.«

Damit habe ich Kathy wieder erreicht. Sie kennt sogar den Namen für diesen Style, und so kann ich mich von ihr verabschieden wie von einer Freundin. Nach wie vor nenne ich sie nicht meine beste Freundin, aber immerhin ist es Kathy, der es gelingt, die Freundschaft nach einem Jahr noch immer wachzuhalten. Es gibt andere, von denen ich seit Monaten nichts gehört habe.

Doch nun wird ihre Stimme plötzlich nervös. »Himmel, ich habe total vergessen, dass ich heute zum Doppel verabredet bin. Es wird Zeit, dass ich mich umziehe.« Sie zögert, ehe sie fragt: »Du spielst wohl kein Tennis mehr?«

Ich antworte nicht, denn ich hatte meine Mitgliedschaft im Tennisclub schon vorher gekündigt. Angeblich wegen Knieproblemen. Kathy aber wusste genau, dass wir die monatlichen Kosten sparen wollten.

»Manchmal frage ich mich, ob ich auch aus dem Tennisclub austreten soll. So selten, wie ich spiele …«

Ich lasse ihre Abschiedsworte in mein Ohr plätschern, sage mehrmals hintereinander »Tschüs« und bin froh, als Kathy auf mein letztes »Tschüs« nichts mehr erwidert. Ich schließe das Handy am Ladekabel an und gehe auf den Balkon zurück. Die Stimmen unter mir sind verklungen, ich wende mich wieder um und lehne mich auf die Balkonbrüstung. Mit voller Absicht, um meine Ungeduld in ihre Schranken zu weisen, fixiere ich zunächst die Altstadt, die Häuser, die von dort oben die Blicke ihrer Fenster ins Tal schicken. Dann erst lasse ich meine Augen wieder zu dem Hügel wandern, auf dem Adams Haus steht. Mir stockt der Atem. Ist es wirklich Rauch? Oder der frühe Abend, der sich im Juni oft nebelhaft ins Tal senkt? Ein Frühsommertag, der seine Kraft schnell verausgabt und am Abend mit dem letzten Licht verdunstet? Schwer zu sagen. Ich kneife die Augen fest zusammen, schüttle den Kopf, dann schaue ich noch einmal hin. Ja, der Nebel über Adams Haus hat sich verdichtet. Tatsächlich! Es ist Rauch, der aus dem Kamin steigt. Er ist zurück! Rechtzeitig zu meinem Geburtstag! Noch einmal konzentriere ich mich auf den dunklen Fleck, der Adams Haus ist, und auf die Rauchsäule, die so schnell höher und dichter wird, dass es unmöglich Nebel sein kann. Nun bin ich ganz sicher!

Jetzt keine Zeit verlieren! Zurück in die Wohnung, ins Schlafzimmer, zum Kleiderschrank! Ein weiter Rock ist besser als mein enger Jeansrock. Ich muss große Schritte machen können, wenn ich loslaufe.

»Frau Mertens?«

Nein, jetzt keine Beschwerden, weil Gabriella mal wieder vergessen hat, unter den Betten staubzusaugen.

»Frau Mertens!«

Verdammt! Die Stimme klingt, als ginge es um etwas Wichtiges.

Und dann eine zweite: »Frau Mertens! Es brennt!«

Schon beuge ich mich wieder übers Balkongeländer. »Was ist los?«

Mehrere Pensionsgäste stehen nun da und weisen zu dem Hügel, auf dem Adams Haus steht. »Da oben! Sollte man die Feuerwehr rufen?«

Jemand zückt bereits sein Handy, kennt aber zum Glück nicht die Nummer der Feuerwehr von Chianciano. »Nein, keine Feuerwehr!«, rufe ich hinunter. »Ich kümmere mich darum.«

Typisch Adam! Aus dem verabredeten Rauchzeichen, das aus dem Terrassenkamin steigen soll, macht er prompt einen Versicherungsschaden. Es ist mir ein Rätsel, wie der bekannte Krimiautor Adam Nocke einen Ermittler erfinden konnte, der in jeder Lebenslage weiß, wo es langgeht, der immer das Richtige tut und für jedes Problem eine Lösung hat, während sein Urheber an den geringfügigsten Alltagsproblemen scheitert.

Ich renne los! Aus meiner Wohnung, die Treppe hinunter, über den Hof, an den Pensionsgästen vorbei, die mir fragend nachblicken. Die Sicherheitskräfte von Chianciano sind schon allzu oft bemüht worden, wenn in Adams Nähe mal wieder ein Unglück geschehen war, das jeder vernünftige Mensch verhindert hätte. Es ist nicht nötig, sie ein weiteres Mal mit der Untüchtigkeit des Schriftstellers zu konfrontieren, der ansonsten als überaus intelligent gilt. Adam wäre es sicherlich nicht recht, wenn ich mitsamt der Feuerwehr bei ihm auftauchte. Der letzte Einsatz – als er für eine Woche nach Rom gefahren war und vergessen hatte, die Haustür ins Schloss zu ziehen, sodass sich eine Meute streunender Hunde dort einnisten konnte – hat ihn jede Menge Rotwein gekostet. Seitdem achtet Signora Curti, die sich in Adams Abwesenheit um sein Eigentum kümmert, auch während seiner Anwesenheit auf ihn und alles, was zu ihm gehört.

Und das ist gut so. Auf diese Weise sind schon einige Katastrophen knapp verhindert worden. Zum Beispiel, als Adam sich ein Spiegelei braten wollte, die Pfanne aufsetzte … und dann derart leidenschaftlich von der Muse geküsst wurde, dass er sich noch im selben Augenblick an sein Manuskript setzen musste und es ihm unmöglich war, die Vorbereitungen auf seine Mahlzeit wieder rückgängig zu machen. Andernfalls wäre ihm die kreativste aller Ideen womöglich abhandengekommen. Dass er sie dann, nach dem Auftauchen von Signora Curtis Schwiegersöhnen, trotzdem verwarf, ist eine andere Sache. Während die nämlich mehrere Wasserschläuche auf Adams Haus hielten, wurde dem Schriftsteller klar, dass sein Geistesblitz einen logischen Fehler enthielt, den er aus dem Manuskript strich, während Signora Curtis Schwiegersöhne sich bemühten, den logischen Fehler aus dem Leben Adam Nockes zu streichen, der ihn beinahe obdachlos gemacht hätte. Anschließend stand Adam fassungslos vor seinem Haus, pitschnass, weil er in den Wasserstrahl geraten war, der sich auf sein Küchenfenster richtete, und sah trotz allem so blendend aus, wie nur ein Mann aussehen kann, der keine Ahnung hat, wie attraktiv er ist.

Meine Beine laufen beinahe von selbst den Berg hinab. Schwierig ist es nur, der harten Fahrrinne und den Steinen auszuweichen. Es hat lange nicht geregnet, der Weg ist trocken und holprig. Ein heftiger Märzregen war es, der tiefe Furchen in die Strada dei Vigliani gespült hat. Sie wird von Regen zu Regen buckeliger, aber in Italien wird keine Straße asphaltiert, wenn dort nicht mindestens das Haus eines entfernten Verwandten irgendeines Politikers steht oder jemand, der bereit ist, die Kosten zur Hälfte oder besser ganz zu übernehmen.

Auf halbem Weg zur Talsohle biegt der Feldweg ab, der zu Adams Haus führt. Nun hilft es nichts, ich muss langsamer werden. An den Rebstöcken von Signora Curtis ältestem Schwiegersohn geht es leicht bergan, mir geht die Puste aus. Dabei würde ich eigentlich gerne noch schneller laufen, denn die Rauchsäule wird immer höher. Aber ich schaffe es nur, mich ihr Schritt für Schritt zu nähern, mehr ist nicht drin. Dabei kann ich es kaum erwarten, Adam endlich wiederzusehen. Meine Sehnsucht ist noch viel dringlicher als die Verhinderung eines Großbrandes. Vier Monate sind vergangen! Vier lange Monate! Zwar war ich stark beschäftigt mit den Renovierungsarbeiten in der Pension, aber als sich auch Cora aufmachte, um mit Ulrich ein ganz neues Leben auszuprobieren, habe ich mich manchmal ziemlich einsam gefühlt. Ich war allein in der »Locanda Tedesca«, für alles verantwortlich, ohne Unterstützung, niemand war an meiner Seite, dem ich etwas vorheulen konnte, wenn mal wieder alles schiefgegangen war, wenn die Handwerker ihre Versprechungen nicht eingehalten hatten und ihre Chefs mit einem Mal mein dürftiges Italienisch nicht mehr verstanden.

Im Stillen verfluche ich mal wieder Adams unzeitgemäße Einstellung zur Kommunikationstechnik und zu modernen Verkehrsmitteln. Wenn er kein so entschiedener Gegner des Telefons wäre, wenn er seinen Festnetzanschluss während seiner Deutschlandtournee nicht abmelden würde und Handys nicht für Teufelszeug hielte, brauchte er heute keine Rauchzeichen zu geben wie die Indianer vor Kolumbus' Reiseantritt. Stattdessen hätten wir uns schon vor Tagen fernmündlich darüber verständigt, dass er heute nach Chianciano zurückkehren würde und mich sofort zu sehen, zu küssen und zu lieben wünscht. Aber Adam bleibt dabei, dass Telefone der Kreativität nicht bekommen, die sich ohne Störungen entfalten muss, und hat daraus eine grundsätzliche Abneigung entwickelt. So akzeptiert er ohne Murren, dass die italienische Telefongesellschaft, nachdem er für vier Monate sein Telefon hat lahmlegen lassen, ungefähr weitere vier Monate brauchen wird, um es wieder zu aktivieren. Dann freut er sich sogar, weil ihm ja niemand einen Vorwurf machen darf, wenn er telefonisch nicht erreichbar ist. Was kann er dafür, dass die italienischen Serviceleister auf jedem Gebiet, auch auf dem kommunikationstechnischen, so langsam sind? Er genießt dann die Stille in seinem Arbeitszimmer und will nicht glauben, dass die Zeit in der Welt der modernen Buchverlage zu knapp für Briefe und lange Postwege geworden ist. Aber da es auch für Adam Nocke gelegentlich von Vorteil sein kann, nicht auf die Post angewiesen zu sein, die in Italien ähnlich unzuverlässig ist wie die Telefongesellschaft, hat er die Rufnummer und die Mail-Adresse der »Locanda Tedesca« bei sämtlichen Geschäftspartnern hinterlegt. Seine eigene Abneigung jedoch ist derart grundsätzlich, dass er mich während der vergangenen Monate kein einziges Mal angerufen hat. Nur gut, dass ich sowieso nicht damit gerechnet hatte.

»Es ist auch für dich wichtig«, hat er beim Abschied gesagt, »dass du dir von Zeit zu Zeit deine Unabhängigkeit vom Telefon beweist.«

Doch die Sache mit dem Telefon ist ja nicht das Einzige. Adam kann sich auch nicht zur Anschaffung eines Autos entschließen. Sonst hätte er auf dem Rückweg vom Flughafen bei mir Station machen und mich begrüßen können. Aber nein! Adam hält das Auto für den Umweltkiller Nummer eins und ist entschlossen, den Beweis zu erbringen, dass das Leben auch ohne vier Räder möglich ist. Und deswegen hat ihn ein Schwiegersohn von Signora Curti vom Flughafen in Florenz abgeholt und ihn auf direktem Wege in sein Haus gebracht.

»Einem Künstler muss die Möglichkeit verwehrt werden, vor der Kreativität zu fliehen, wenn sie ihn bedrängt oder in die Irre leitet«, hat Adam mir erklärt. »Er darf nicht die Chance bekommen, sich in ein Auto zu setzen und die Inspiration woanders zu suchen als in sich selbst.«

Ich bemühe mich, mein zügiges Ausschreiten noch einmal in ein sportliches Lauftempo zu verwandeln, denn meine Sorge, dass Adam das Feuer in seinem Außenkamin längst vergessen und sich selbst überlassen hat, steigt genau wie die Rauchsäule.

Ein Motorengeräusch hinter mir schreckt mich auf. Ein Auto, das durch den Weinberg fährt? Das kann nicht der behäbige Pick-up von Signora Curtis ältestem Schwiegersohn sein und erst recht nicht der Trecker des jüngsten. Es klingt nach einem schnellen Wagen, der noch dazu das Letzte aus seinen Pferdestärken herausholt. Ich drehe mich um und sehe, wie eine Staubwolke an den Rebstöcken entlangwirbelt, die schnell größer wird und schließlich so nah herangekommen ist, dass man ihren Auslöser erkennen kann: den Wagen der Carabinieri.

Sekunden später bin ich eingehüllt in den Staubtaifun, den die scharfe Bremsung erzeugt hat. »Stefano! Bist du wahnsinnig? Wie sehe ich aus?«

Er grinst und öffnet die Beifahrertür. »Sexy wie immer. Avanti, steig ein!«

Stefano ist Mitte fünfzig, mit gelocktem schwarzem Haar, angegrauten Schläfen, einem markanten, braun gebrannten Gesicht, dessen zahlreiche Falten, die beim Lachen aufspringen, seine Jungenhaftigkeit eher verstärken als nehmen. Seine Augen blitzen, seine weißen Zähne sind makellos, sein Eau de Cologne verfliegt nie. Er könnte auch im Smoking nicht besser aussehen als in seiner dunkelblauen Uniform. Im Gegensatz zu Adam weiß er genau, wie attraktiv er ist. Dass er in Chianciano als der Aufreißer alleinreisender deutscher Touristinnen gilt, erfuhr ich erst später. Und dass ich mich selbst nur dadurch von anderen deutschen Touristinnen unterschied, dass ich nicht nach zwei oder drei Wochen wieder abgereist bin, wurde mir ebenfalls erst später klar. Seitdem weiß ich, wie leicht es Stefano gemacht wird, wenn er mit seinem italienischen Charme, seinen deutschen Sprachkenntnissen und dem Clint-Eastwood-Lächeln auf eine Touristin zugeht, die vor lauter Entzücken den Namen der Straße vergisst, nach der sie fragen will. Aber als mir das aufging, hatte ich ihn gottlob schon zu dem gemacht, was die Vernunft mir eingab: zu einem Mann für die eine oder andere Nacht, mehr nicht. Und seit ich Adam kenne, ist Stefano nicht einmal mehr das. Komisch nur, dass er einer Frau schnell überdrüssig wird, wenn sie in Aussicht stellt, ihren Urlaub in der Toskana zu verlängern, aber sehr empfindlich reagiert, seit er einsehen muss, dass er bei mir nicht mehr landen kann.

Dass Stefano dennoch für mich immer etwas Besonderes bleiben wird, liegt daran, dass er es war, der aus der Helene tedesca die Elena italiana machte. Geliebt hatte ich meinen Namen nie, wenn er auch durch Helene Fischer an Aktualität gewonnen hatte, aber der Gipfel war, dass Siegfried aus mir sein Lenchen machte. Nein, nicht der Gipfel! Der war erst erreicht, als aus mir »die Mama« geworden war. Wie es aussah, hatte ich gerade noch rechtzeitig Reißaus genommen, bevor ich »die Oma« wurde.

In unserer ersten gemeinsamen Nacht nannte Stefano mich Elena. Und damit war mein neues Lebensgefühl erwacht. Elena! Nicht mehr die bieder anmutende Helene, die brave, die keusche Helene, sondern die temperamentvolle Elena, eine Frau, die wusste, was sie wollte.

Franziska war hingerissen. *Habe ich dir nicht immer gesagt, du solltest es Siegfried mal so richtig zeigen und ihn Siggi nennen?*

Schon gut zwei Wochen war ich unterwegs, als ich auf einem Campingplatz am Gardasee zum ersten Mal den Wunsch verspürte zu bleiben. Ich hatte einen schönen Stellplatz mit einem herrlichen Blick auf den See ergattert, saß am ersten Abend vor meinem Wohnmobil wie vor einem eigenen Haus, das mir ganz allein gehörte, und beschloss, fürs Erste auf eine Weiterreise zu verzichten. Dass gleich am ersten Abend die Fernsehleute auf mich aufmerksam wurden, stachelte meine Lust am Abenteuer noch weiter an, aber ich merkte schnell, dass es ein Fehler gewesen war, mich für ihre Doku-Soap zur Verfügung zu stellen. Alleinreisende Frauen! Wie konnte ich so dumm sein, mich interviewen zu lassen, vor einer Fernsehkamera meine Geschichte zu erzählen und mir einzubilden, ich sei nun derart unabhängig, dass ich mit meinem Leben machen konnte, was ich wollte? Nur weil ich seit ein paar Tagen allein auf Reisen war? Dass zu Hause mein Mann und meine Kinder vorm Fernseher saßen und mit ansehen mussten, wie die Mama ihr neues Leben genoss, bedachte ich erst, als es zu spät war.

Die Übertragung, die schon eine Woche später gesendet wurde, war in Düsseldorf wie eine Bombe eingeschlagen, Kathy hatte es mir am Telefon in allen Einzelheiten geschildert. Wer bis dahin noch geglaubt hatte, ich probiere für ein paar Tage mein neues Geburtstagsgeschenk aus, wem Siegfried vorgeflunkert hatte, er habe mir geraten, mich der komplizierten Wohnmobiltechnik ganz allein zu stellen, wer fest damit rechnete, das ich in den nächsten Tagen zurückkehren würde, der wusste es nun besser. Mein Handy klingelte ohne Unterlass, die Mailbox platzte vor Nachrichten, die ich nie beantwortete, und sogar Siegfrieds Handy, das noch immer neben seiner Angelausrüstung im Wohnmobil lag, schrillte einen ganzen Abend lang. Ich wusste, warum, ich hatte den Bericht ja selber gesehen. Der verantwortliche Redakteur hatte mir freundlicherweise per SMS mitgeteilt, wann mein allererster Fernsehauftritt zu erwarten sein würde. Und auf dem Campingplatz gab es einen Fernsehraum, in dem ich, weil das Wetter sehr schön war, ganz allein saß und beinahe in Tränen ausbrach, als ich mich selbst im Fernsehen sah und mir klarmachte, wie aufregend mein Leben geworden war. Als mir auffiel, dass in dem Fernsehbericht der Name des Campingplatzes genannt worden war, fiel die Rührung allerdings schlagartig von mir ab. Denn ich bekam plötzlich das ungute Gefühl, dass mein Mann am nächsten Morgen vor meinem Wohnmobil auftauchen könnte, um mich nach Hause zu holen. Nachdem mir dieser Verdacht gekommen war, packte ich meine Sachen und beschloss, am nächsten Tag weiterzureisen. Leider wurde dann jedoch nichts daraus, weil ich der Polizei noch einen Tag zur Verfügung stehen musste …

Ich kehrte gerade aus dem Waschhaus zurück, im Jogginganzug, mit einem Handtuch über der Schulter und einem Waschbeutel unter dem Arm. Ich war gut gelaunt, unternehmungslustig und freute mich darauf, meine Fahrt fortzusetzen.

Franziska war sogar ein bisschen übermütig, tuschelte mir was von Emanzipation und weiblicher Selbstbestimmung zu, fand es nun sogar gut, dass ich ohne Beruf und damit so selbstständig war, dass ich machen konnte, was ich wollte, und redete mir ein, dass ich eine Familie, die aus lauter Erwachsenen bestand, ruhig eine Weile allein lassen dürfe.

Das Wetter war genau richtig. Die Sonne hatte sich hinter einer dichten Wolkendecke versteckt, es war kühl geworden, Regen war aber nicht zu erwarten. Viele der Zelte und Wohnwagen, an denen ich vorbeiging, waren noch geschlossen. Es war früh, und da die Sonne nicht lockte, warteten viele darauf, dass es draußen wärmer wurde, um das Frühstück im Freien einzunehmen.

Ich sah sofort, dass die Tür meines Wohnmobils nicht ganz geschlossen war. Dabei war ich sicher, sie fest ins Schloss gedrückt und außerdem den Schlüssel umgedreht zu haben. Ich hielt ihn in der Hand, gerade aus der Jackentasche gezogen, die Tür konnte also gar nicht offen sein.

Es sei denn … sie war aufgebrochen worden. Ich sah mich um, aber niemand war in der Nähe, den ich um Hilfe hätte bitten können. Keiner der vielen freundlichen Camper, die mir vorher mit ihrer ewigen Hilfsbereitschaft, die viel Ähnlichkeit mit Klugscheißerei hatte, auf die Nerven gegangen waren, ließ sich blicken. Der Gedanke, wegzulaufen oder um Hilfe zu rufen, kam mir komischerweise nicht. Ich wollte den Eindringling weder mit einem Ruf warnen noch ihm Gelegenheit geben, sich ungesehen zu verdrücken. Ich wollte ihn stellen!

Im Wohnmobil rumorte es, das Fahrgestell schaukelte, ich hörte das Knarren der Kleiderschranktür und das Klappern von Kleiderbügeln.

Die Empörung verlieh mir den Mut, die Tür aufzureißen und zu rufen: »Was machen Sie da?«

Eine Antwort auf diese Frage, die ihm später auch die Polizei immer wieder stellte, verweigerte der Kerl hartnäckig. Ich hatte auch nicht wirklich mit einer Erklärung gerechnet. Der kleine, dünne Mann stand vor dem offenen Kleiderschrank. Nun fuhr er herum und sprang auch schon auf mich zu. Er war nicht viel jünger als ich, steckte in einem braunen Trainingsanzug, der wohl der Tarnung dienen sollte, denn nirgendwo vereinen sich so viele Jogginghosen und -jacken wie auf einem Campingplatz. Und nirgendwo fällt man in einem solchen Modell weniger auf als dort.

Rüde stieß er mich zur Seite, ich taumelte zurück, und er war schon aus dem Wohnmobil heraus, ehe ich begriffen hatte, was geschehen war. Mit einem großen Satz nahm er die erste Hürde, einen zusammengeklappten, auf dem Boden liegenden Stuhl. An der niedrigen Buchsbaumhecke, mit denen hier die Stellplätze voneinander getrennt waren, scheiterte er nur knapp. Der Ruf nach Hilfe blieb mir auch jetzt im Halse stecken. Mit offenem Mund starrte ich ihm nach, war wie gelähmt, unfähig zu reagieren.

Aber da sorgte der Kerl schon selbst dafür, dass jeder Hilfeschrei überflüssig wurde. Zwei Stellplätze weiter wurde er von einer Zeltleine zu Fall gebracht und von dem Besitzer des dazugehörigen Vorzeltes in den Schwitzkasten genommen. Ein großer, kräftiger Mann, der gerade aus dem Wohnwagen getreten war und die Arme erhoben hatte, um sich zu recken. Er hatte keine Mühe, sich den Dieb zu schnappen und festzuhalten. Und das, obwohl dieser sich erbittert wehrte. Ich sah, dass er vor keinem noch so unfairen Schlag haltmachte. Er zielte dem kernigen Camper zwischen die Beine und auf den Solar plexus und versuchte sogar einen Kinnhaken, aber alles war vergeblich. Da konnte der Dünne zappeln, wie er wollte, er hatte keine Chance. Der Camper schaffte es, jeden Schlag abzuwehren, hielt sich den kleinen Mann so weit vom Leib, dass er bald nicht mehr verzweifelt, sondern nur noch lächerlich wirkte. Erst recht, als zwei Mitcamper dazukamen, die parat standen, falls dem Ersten die Kräfte ausgehen sollten. Aber der blieb stehen wie eine deutsche Eiche, sodass die Hilfswilligen es bei rhetorischer Unterstützung bewenden lassen konnten.

»Was wollteste klauen? He? Brauchste Kohle? Schöner Feigling! Bei einer alleinreisenden Frau kann man's ja wagen. Die kommt ja gegen ein gestandenes Mannsbild nicht an, haste gedacht! Aber auf so einem Campingplatz ist jeder Kerl ein Gentleman. Das hat sich wohl nicht bis zu dir rumgesprochen?«

»Lassen Sie mich los!« Die Stimme des kleinen Dünnen war erstaunlich tief und sonor. Ich hatte mit hellen Hilfeschreien gerechnet, nicht mit baritonalen Drohungen. »Wenn Sie mich nicht sofort loslassen, dann …«

Mir fiel auf, dass er es vermied, mich anzusehen. Schämte er sich, weil er sich eine Schwächere ausgesucht hatte? Oder wollte er nicht, dass ich mir sein Gesicht einprägte? Ich wollte es sowieso nicht sehen. Demonstrativ drehte ich ihm den Rücken zu und versuchte, ihm damit meine ganze Verächtlichkeit zu zeigen.

Der große, kräftige Camper hielt ohne Probleme so lange durch, bis der Platzwart kam, den eine der Camperfrauen geholt hatte. Der verständigte sofort die Sicherheitskräfte, welche wiederum die Polizei von Lazise alarmierten. Bis dahin wurde der Dieb, der mir immer schwächer und verängstigter erschien, mühelos in Schach gehalten. Als die beiden Polizisten auftauchten und nach ihren Handschellen griffen, kam es mir sogar so vor, als wollte er in Tränen ausbrechen. Vor meinen Augen wurde er verhaftet und abgeführt, und noch heute kann ich dem Gefühl nachspüren, das mich damals ergriff. Ungläubigkeit, Angst und Zorn! Alles gleichzeitig!

Den Namen des Mannes erfuhr ich nicht. »Datenschutz!« Die Beamten zogen wichtige Mienen, als sie mir den Namen des Einbrechers verweigerten, nach dem ich überhaupt nicht gefragt hatte. Was interessierte mich sein Name?

Dann aber wunderten sich die Polizisten ausgiebig, und ohne an den Datenschutz zu denken, darüber, dass der Kerl aus derselben Stadt kam wie ich. »Auch aus Düsseldorf! Der hat vermutlich Ihr Kennzeichen gesehen.«

Warum die Vermutung nahe lag, dass ein Düsseldorfer sich lieber am Eigentum eines anderen Düsseldorfers vergriff als an dem eines Berliners, Hamburgers oder Niederländers, konnten sie mir nicht erklären. Ich fragte sie auch kein zweites Mal. Was die beiden Polizisten nicht weiter bemerkenswert fanden, versetzte mich in Unruhe.

Nicht nur dich, auch mich! Da stimmt was nicht, zischte Franziska mir zu.

Sie schaffte es, mir einen bösen Verdacht ins Herz zu pflanzen. Konnte es wirklich Zufall sein, dass dieser Kerl aus derselben Stadt kam wie ich? Hatte er wirklich nach Bargeld, Handy und einer Kamera gesucht, wie die Polizei vermutete? Weil eben die meisten Diebe auf solche Beute aus waren? Ausgerechnet bei mir? Die Nacht nach meinem fünfzigsten Geburtstag fiel mir wieder ein, der Mann, der sich an das Wohnmobil herangeschlichen und mir dann den Weg zurück ins Haus verwehrt hatte. Gab es da etwa einen Zusammenhang? Verzweifelt versuchte ich, mich zu erinnern. War es dieser Mann gewesen, der nun in mein Wohnmobil eingebrochen war? Aber ich war mir nicht sicher. Schlank und von kleiner Statur war er auch gewesen, aber seine Gesichtszüge hatte ich in der Nacht nicht wahrnehmen können. Vielleicht… vielleicht auch nicht.

Den Polizisten sagte ich nichts von meinen Zweifeln, als sie am nächsten Tag unter meinem Vorzelt erschienen. Sie teilten mir mit, dass der Kerl, dessen Name nach wie vor streng unter den Datenschutz fiel, vorbestraft und zurzeit auf Bewährung in Freiheit sei, nun aber den Weg in ein deutsches Gefängnis angetreten habe.

»Ein Jahr wird er wohl absitzen müssen.«

Meine Frage, was er denn auf dem Kerbholz habe, für welche Tat er mit einer Bewährungsstrafe davongekommen war, fiel natürlich wieder unter den Datenschutz.

»Arrivederci, Signora! Am besten, Sie vergessen den Kerl.«

Dass mir das nicht möglich war, konnten sie nicht ahnen…

Ich fuhr also einen Tag später als ursprünglich geplant am Gardasee ab. Aber erst nachdem ich den Kleiderschrank einer genauen Prüfung unterzogen hatte. Denn dort hatte der Dieb sich zu schaffen gemacht. Und ich konnte nicht glauben, dass er hinter meinen Kleidern, Hosen und Blusen nach leichter Beute gesucht hatte. Nein, dafür hätte der Kerl keinen Schraubenzieher benötigt. Aber genau den hatte ich auf dem Boden des Schrankes gefunden: einen Schraubenzieher, den er bei seiner überstürzten Flucht vergessen hatte. Das musste einen Grund haben.

Ich räumte meine Klamotten aus dem Schrank und entdeckte auf seinem Boden vier kräftige Schrauben. Hatte er die etwa lösen wollen? Ich betrachtete sie eine ganze Weile, dann setzte ich zum ersten Mal in meinem Leben einen Schraubenzieher an und schaffte es tatsächlich, alle vier Schrauben in Bewegung zu bringen. Es war viel leichter als gedacht. Genauso einfach war es, den Boden hochzuheben, der sich nun gelöst hatte. Und schlagartig wurde mir klar, dass der Dieb nicht ohne Grund bei mir eingebrochen war, dass er vielleicht schon länger auf die Gelegenheit gewartet hatte, diese Schrauben zu lösen. Ein Zufall konnte das nicht sein, denn … der Kleiderschrank hatte einen doppelten Boden. Und der Hohlraum, in den ich blickte, war gut gefüllt. Die Augen gingen mir über. Mein Herz raste, die Hände zitterten, sogar Franziska verschlug es die Sprache.

Als ich fragte: »Was soll ich damit tun?«, schwieg sie.

Aber ich spürte, wie mein Selbstbewusstsein mit meiner Angst rang, wie die beiden übereinander herfielen, wie die Angst, die keinen Namen hatte, auf Franziska eindrosch, wie diese sich erbittert wehrte und schließlich den gesunden Menschenverstand an ihre Seite holte. Der wurde mit meiner Angst endlich fertig. Und schon war Franziska wieder obenauf.

Siehst du? Man muss auch mal was wagen. Und vor allem muss man zugreifen, wenn einem das Glück etwas in den Schoß fallen lässt.

Das tat ich. Einen Schein nach dem anderen nahm ich aus

seinem Versteck, zählte gewissenhaft, machte aus jeweils zehntausend Euro kleine Stapel und zählte danach alles noch einmal. Es blieb bei der ungeheuerlichen Summe von achthunderttausend Euro. Nun wusste ich, was der Dieb in meinem Wohnmobil gesucht hatte. Was ich nicht wusste: Wie war das viele Geld da hingekommen?

Mit einem fest verschnürten Päckchen in meiner Wäscheschublade fuhr ich weiter, aber erst, nachdem ich Siegfrieds Handy und seine Angelausrüstung im Müllcontainer des Campingplatzes »La Querzia« entsorgt hatte. Die Fragen, die ich gern aus meinem Kopf gewischt hätte, wiederholte Franziska ein ums andere Mal. Was war passiert? Was hatte es mit diesem Wohnmobil auf sich? Dass mir damit eine Freude zum Geburtstag gemacht werden sollte, hatte ich ja von Anfang an bezweifelt. Aber nun war ich mir nicht einmal mehr sicher, dass Siegfried sich selbst damit einen Wunsch erfüllen wollte.

Ich machte in Parma Station, und mir war schon ein wenig klarer geworden, was sich vor meinem fünfzigsten Geburtstag abgespielt haben mochte. Als ich in Florenz ankam, hatte ich jedes Wenn und Aber ungefähr tausendmal bedacht und war sicher, dass es wirklich nur eine einzige Erklärung geben konnte. Danach versteckte ich das Päckchen erneut in dem doppelten Boden des Kleiderschranks, dort war es am besten aufgehoben. Nun verspürte ich mehr denn je den Drang, weiter gen Süden zu fahren. Möglich, dass ich meinem Schuldgefühl davonfahren wollte, denn ein paar Scheine hatte ich dem unverhofften Vermögen entnommen, um mir sündhaft teure Schuhe zu kaufen, obwohl ich noch gar nicht genau wusste, wie es sich mit dem Geld verhielt. Indem ich dreihundert Euro nahm, um mir Schuhe zu kaufen, hatte ich es zu meinem Eigentum gemacht. Durfte ich das überhaupt? Erst die Familie im Stich lassen und dann auch noch Geld an mich nehmen, das gewiss nicht für mich bestimmt war! Aber mein Schuldgefühl, das sich täglich mehrmals regte, wurde genauso oft von Franziska niedergeschrien.

Was kannst du dafür? Frag dich lieber, warum du nichts davon gewusst hast! Wieso bist du nie um Rat gefragt worden? Was warst du eigentlich all die Jahre? Eine Haushälterin? Ein Dienstmädchen? Eine Partnerin jedenfalls nicht!

Ich hörte einfach nicht auf sie. Diese grundsätzlichen Erörterungen, während derer sich Franziska stets mächtig ereiferte, interessierten mich zurzeit nicht. Ich wollte wissen, ob ich mit meinem Verdacht richtig lag. Und auf der Höhe von Bologna hatte ich endlich eine Idee. Ich steuerte den nächstbesten Parkplatz an und wählte Siegfrieds Nummer in der Kanzlei.

Er war sofort alarmiert. Dass ich anrief, um mich nach seinem Befinden zu erkundigen, glaubte er mir nicht. Recht hatte er! »Was willst du? Hast du eine Panne? Soll ich dich irgendwo abholen? Ist es schon vorbei mit der großen Freiheit?« Er lachte so hässlich, dass mir der letzte Rest von Schuldgefühl und mein Mitleid gänzlich abhandenkamen. Der schreckliche Verdacht, dass Siegfried aus Verzweiflung eine Entscheidung getroffen hatte, tat plötzlich nicht mehr weh. Und dass er nun glauben musste, ein vergebliches Opfer gebracht zu haben, war mir mit einem Mal egal. Gestern hatte ich mir noch Sorgen um ihn gemacht und war trotz der Enttäuschung auch voller Mitgefühl gewesen, jetzt war beides vorbei.

»Wo bist du?«, fragte er.

Ich konnte sogar lächeln, als ich log: »Ich habe mich gerade entschlossen, nach Nizza zu fahren. Ich war lange nicht dort.«

Es blieb still in der Leitung. So still, dass ich schon glaubte, die Verbindung wäre abgebrochen. Dann aber sagte Siegfried: »Mit einem Wohnmobil fährt man zu einem Campingplatz. Nicht zu einem Ferienhaus. Total unlogisch.«

Ich musste ihm recht geben. »Ich werde nur mal nachschauen, ob alles in Ordnung ist. Wir waren ja lange nicht dort. Du hattest in letzter Zeit keine Lust mehr, nach Nizza zu fahren. Warum eigentlich nicht?«

Diese Frage blieb ohne Antwort. »Du hast gar nicht den Schlüssel dabei.«

»Ich hole ihn mir von Madame Duval.«

»Sie hat ihn nicht mehr. Als wir das letzte Mal in Nizza waren, habe ich ihn abgeholt. Wir waren uns einig, dass wir das Haus fürs Erste nicht mehr vermieten wollen.«

»Ich klettere über den Balkon in der ersten Etage. Das haben die Kinder immer so gemacht, wenn sie den Schlüssel vergessen hatten.«

»Mit fünfzig? So sportlich bist du nicht mehr.«

»Du willst also nicht, dass ich nach Nizza fahre.«

»Ich frage mich nur, was du da willst!« Nun brüllte Siegfried, dass es in der ganzen Kanzlei zu hören sein musste. »Das Haus gehört mir. Ich habe es von meinen Eltern geerbt.«

Da war es wieder, das starke Ich, das laute, das akzentuierte Ich. Sein Haus! Er konnte damit machen, was er wollte. Es notfalls auch verkaufen! Was war geschehen, dass Siegfried sich zu diesem Schritt entschlossen hatte? Er liebte das Haus. Nachdem er als Verlierer den Aktienmarkt verlassen hatte, war es dieses Ferienhaus gewesen, das sein Selbstwertgefühl wieder aufgerichtet hatte. »Wir haben ein Haus in Nizza …« – wer so was hört, denkt nicht an finanzielle Schwierigkeiten. Das Haus war Siegfrieds Nagel, an dem sein Image hing! Wenn er es nun aufgegeben hatte, dann musste es ihm sehr schlecht gehen. Warum wusste ich nichts davon? Wofür brauchte er das Geld? Und was würde er noch alles tun, um es zurückzubekommen?

Als ich in der südlichen Toskana ankam, war ich es leid, immer weiterzufahren. Es kam mir mit einem Mal so vor, als wäre ich auf der Flucht statt auf dem Weg zu einem neuen Ziel. Fliehen aber wollte ich nicht mehr. Ich wollte irgendwo bleiben, wenigstens für eine Weile. In einem Ort, der nicht voller Touristen war, so wie San Gimignano oder Lucca, wo ich mehr zu den deutschen Durchreisenden als zu den Einheimischen gehören würde. Aber doch in einem Ort, zu dem der Tourismus gehörte, sodass ich dort nicht die einzige Fremde sein würde. Mir schien, als hätte ich in Chianciano ein sicheres Plätzchen in Aussicht, wo ich eine Weile bleiben konnte. Und ich hatte Geld. Viel Geld!

Chianciano Terme war ein Kurort, nicht eins der engen toskanischen Städtchen, durch die sich die Touristen schoben, weil es überall so lovely, romantic, romantyczny und romántico war. Mir kam es so vor, als wäre Chianciano genau richtig für mich. Unterhalb der engen Altstadt breitete der Kurort, die Therme, sich aus, großzügig, verschwenderisch, mit breiten Straßen und viel Licht. Dort musste es doch irgendwo einen Platz für mein Wohnmobil geben. In Chianciano würde ich mich eine Weile ausruhen können, Zeit zum Überlegen haben. Ich musste wissen, wie ich auf das, was geschehen war, reagieren sollte.

Frag nicht so viel, befahl Franziska. *Nimm, was du kriegen kannst. Siegfried hat es bisher auch immer so gehalten. Jetzt bist du mal dran.*

Die Piazza Italia war der Kern des Ortes, ein großer Platz mit steinernen Bänken, plätschernden Brunnen und einem künstlichen Bachlauf. Das Café Continentale lag im Schatten eines eingeschossigen Gebäudekomplexes mit Geschäften, einem Hotel und einem Bankgebäude. Dort würde ich Erfrischung finden, ein Eis und einen Espresso. Vor der Piazza gab es eine große Kreuzung mit einem aufgemalten Kreisverkehr, um den sich niemand scherte. Platz genug also, um ein Wohnmobil abzustellen! Dieser Kurort war genau richtig nach den vielen winzigen Dörfern, in die ich mich nicht hineingetraut hatte vor lauter Angst, irgendwo nicht weiterzukommen und dann zurücksetzen zu müssen, den Berg hinab, in einer gewundenen Gasse. Dass auf der Piazza Italia das Parken nicht erlaubt war, sah ich natürlich, hatte aber bisher die Erfahrung gemacht, dass in Italien die Verkehrsvorschriften nur eingehalten werden mussten, wenn es nicht zu umgehen war. Ich stand niemandem im Weg und blockierte kein anderes Fahrzeug, damit hatte ich ausreichend Sorgfalt walten lassen.

Während ich mein Eis löffelte, fielen mir die drei Carabinieri am Nachbartisch auf, die dort reinen Gewissens ihren Dienst versahen, indem sie entspannt den Blick auf die Piazza Italia genossen. Warum sollten sie während ihrer Arbeit nicht Espresso trinken und sich unterhalten, wenn sie dabei durchaus ein Auge auf Verkehrssünder haben konnten?

Ich merkte zu spät, warum der älteste und attraktivste von ihnen sich an meinen Tisch setzte und mich mit ernster Miene ermahnte. Als er von mir verlangte, das Wohnmobil wegzufahren, glaubte ich zunächst, dass es ihm wirklich um Recht und Ordnung ging. Als er mich jedoch geradezu nötigte, zunächst in aller Ruhe mein Eis zu essen, und mich anschließend sogar auf einen Prosecco einlud, bekam ich Zweifel. Und sie erwiesen sich als berechtigt. Stefano betonte zwar unermüdlich, dass er zu den Polizisten gehöre, denen die Sicherheit alleinreisender Damen am Herzen lag, und sich speziell für mich verantwortlich fühle, weil er ein Deutsch sprechender Carabiniere war. Aber was er wirklich im Sinn hatte, als er mir erlaubte, das Wohnmobil auf dem Hof der Polizeistation abzustellen, merkte ich, als er einige Stunden später mit einer eisgekühlten Flasche Weißwein vor meiner Tür erschien. In den folgenden Stunden wurde mir klar, wie weit ich mich aus meinem Leben entfernt hatte. Weit genug, um ohne schlechtes

Gewissen meinen Mann zu betrügen. Ich fand sogar, dass es Zeit wurde, mir endlich mal einen Liebhaber zu gönnen.

Am nächsten Tag brachte Stefano mich in die »Locanda Tedesca«, wo es viel Platz für ein Wohnmobil gab. Noch heute denke ich mit Schrecken daran zurück, wie ich hinter dem Polizeiwagen in den steil bergauf führenden Weg einbog. Mittlerweile fahre ich ihn täglich mit dem Bulli, aber mit einem breiten Wohnmobil war es ein Unterfangen, das Optimismus erforderte.

Der Weg war so schmal, dass sich zwei Autos nicht aneinander vorbeizwängen konnten. Ein paar Ausweichmöglichkeiten, die die Anwohner in den Berg gegraben hatten, reichten ohne Weiteres aus, wenn sich zwei kleine Fiats entgegenkamen, die hier wohlweislich von denen gefahren wurden, die täglich mehrmals über diesen Hügel mussten. Und der Bulli drückt heute so bereitwillig seinen zerkratzten Lack in die ausgegrabenen Mulden des Bergs und in das Gestrüpp, dass der Platz immer genügt. Das Wohnmobil hätte mit seinen Außenspiegeln jedoch sogar einen Mopedfahrer von der Straße gefegt.

Dann ging es rechts ab. Der Weg wurde nun nicht nur immer schmaler, sondern führte darüber hinaus auf- und abwärts, manchmal so steil, dass es unterhalb der Kuppe unmöglich zu erkennen war, ob ein entgegenkommendes Fahrzeug den Weg aufwärts nahm.

Nur mit Mühe konnte mein schwerfälliges Wohnmobil dem Polizeiwagen und den vielen Windungen folgen. Es ächzte in allen Fugen und schien ernsthaft zu erwägen, in Streik zu treten oder mit einem raffinierten Achsenbruch Rache zu üben.

Den hellen, staubigen Weg, in den Stefano schließlich einbog, hätte ich für einen Feldweg gehalten. Aber es gab tatsächlich ein Schild mit einer Straßenbezeichnung: Strada dei Vigliani. Und schon bald bog Stefano in eine Grundstückseinfahrt ein, neben der eine große Holztafel stand, in die jemand die Buchstaben »Locanda Tedesca« eingefräst und mit roter Farbe ausgemalt hatte.

Danach ging es wieder ein kurzes Stück bergan, dann in einer scharfen Rechtskurve auf den Hof der Pension. Ein großer Schotterplatz, der sich vor einem Haus ausdehnte, das aussah, als befände es sich mitten in Umbauarbeiten. Es war nur an einigen Stellen verputzt, die Treppengeländer waren provisorisch angebracht, und an verschiedenen Stellen hingen Kabel aus der Wand, denen die Lampen fehlten.

Eine mollige dunkelhaarige Frau in einem weiten geblümten Kleid trat aus dem Haus. Stefano begrüßte Cora Brandstätter freundlich, und sie dankte ihm für die Zuführung eines Gastes, wenn er auch nicht in die Pension einziehen würde. Sie schien über jeden Gast froh zu sein, auch wenn er nur wenig Geld für den Stellplatz eines Wohnmobils zahlte, aber immerhin bereit war, in der Pension das Frühstück einzunehmen.

Der Carabiniere besuchte mich von diesem Tag an regelmäßig, und so wurde Stefano der Mann für die eine oder andere Nacht. Aber nicht lange! Denn bald sollte Adam Nocke in mein Leben treten.

»Avanti«, drängt Stefano. »Der Dichter hat anscheinend statt seiner Zigarette versehentlich sein Haus angezündet. Der Rauch ist bis zur Piazza Italia zu sehen.« Er legt den Gang ein und prescht schon los, noch bevor ich die Tür geschlossen habe. »Wieso muss es dieser Schreiberling sein? Was hat er, was ich nicht habe? Ist er intelligenter als ich?«

»Das auch.« Ich lache und mache mir keinerlei Gedanken darum, ob ich Stefano damit kränke. »Aber vor allem liebt er mich.«

»Ich liebe dich auch«, knurrt Stefano.

Ich lache wieder. »Aber dazu noch ein Dutzend andere.« Beruhigend lege ich eine Hand auf seinen Oberschenkel. »Macht nichts, Stefano, ist okay. Lieb sie ruhig alle ...«

Die Berührung seines Oberschenkels war natürlich gedankenlos. Stefano drückt den Fuß auf die Bremse, während er versucht, mich zu küssen, und der nächste Sandtaifun durch die geöffneten Seitenfenster hereinkommt.

Franziska kichert, aber ich verbiete ihr den Mund, bevor sie mir mit frechen Bemerkungen kommen kann.

»Hör auf, Stefano! Ich will zu Adam! Fahr weiter!«

»Wenn er schon wieder ein Spiegelei auf dem Herd vergessen hat, setze ich ihn mit dem nackten Hintern auf die Gasflamme«, knurrt Stefano, während er erneut Vollgas gibt.

Ich bin drauf und dran, ihm zu erzählen, was ich mit Adam verabredet habe: dass er seine Rückkehr nach Chianciano mit einem Feuer im Terrassenkamin anzeigt. Cora fand diese Idee sehr romantisch, als ich ihr am Telefon davon erzählte. Doch vorsichtshalber halte ich den Mund. Wenn der Brandschaden, der möglicherweise in Adams Haus entstanden ist, in Zusammenhang mit meiner Person steht, wird Stefano diese Fahrlässigkeit vielleicht nicht mehr durchgehen lassen. Dem Dichter ist hier schon viel verziehen worden, ob man mit dem Liebhaber der deutschen Signora auch so nachsichtig umgehen wird, ist fraglich.

»Ecco!« Stefano nimmt den Fuß vom Gas, als wir näher kommen. »Der Qualm kommt nicht aus dem Haus.«

»Nein, von der Terrasse.«

»Was verbrennt er denn da, per amor di Dio? Das stinkt ja zum Himmel!« Stefano bremst, springt aus dem Wagen und läuft durchs Tor, an der Haustür vorbei, in den hinteren Teil des Gartens, wo der Kamin steht und dunkle Wolken in den Himmel spuckt. Adam ist weit und breit nicht zu sehen.

Die Haustür steht offen. »Adam?«

Stefano läuft um den Kamin herum und sucht nach einer Möglichkeit zum Eingreifen, ohne seine Uniform schmutzig zu machen. »Adam?« Ich trete nicht ein. Ich will Stefano und das Feuer im Auge behalten. »Adam!«

Nun höre ich im Haus Rumoren, Gläserklirren, das Schnappen der Kühlschranktür, dann das Tappen eiliger Füße. Adam scheint barfuß herumzulaufen.

Und schon erscheint er in der Küchentür. Schlanker und grauhaariger, als ich ihn in Erinnerung hatte, aber noch mit denselben klugen Augen, die so freundlich auf ihr Gegenüber schauen, dass Adam nur von ganz gewissenlosen Taschendieben bestohlen wird. Alle anderen tragen ihm die Geldbörse hinterher, die er nach dem Bezahlen einzustecken vergisst. Und die Marktfrauen passen auf, dass er jeden Apfel mitnimmt, den er bezahlt hat.

»Amore mio! Da bin ich wieder!«

Ein strahlender Held! So attraktiv mit den eisgrauen Schläfen, den hellen Augen, dem schmalen Gesicht und der markanten Nase. So sympathisch, so umwerfend tolpatschig und hilflos und gleichzeitig so gedankenvoll und klug. Siegreich ist er heimgekehrt aus der Welt der Radio- und Fernsehsender, der PR-Abteilungen, Datenplaner, Social Networks, Mobiltelefonnetze, Internetanschlüsse und Websites. Alle hat er niedergerungen, indem er ihnen den Rücken kehrte und in das Leben zurückkam, in dem er selbst bestimmt, welche Technik sinnvoll ist. Nur hier, in der Toskana, ist er ganz er selbst. Ohne Handy, am liebsten auch ohne Festnetzanschluss und ganz sicher ohne E-Mail-Adresse. Sogar ohne Hose! Er trägt überhaupt nichts am Leibe! Nur den Stolz auf denselben und die Sicherheit, dass er Begehren hervorrufen wird.

»Die Engel, die nennen es Himmelsfreud, die Teufel, die nennen es Höllenleid, die Menschen nennen es Liebe.« Adam lehnt sich mit einer Noblesse, von der er selbst nichts ahnt, in den Türrahmen, hält mit der Rechten eine Flasche Champagner, mit der Linken ein Glas hoch und ergänzt vorsichtshalber: »Heinrich Heine.« Entzückt kehrt er aus der Welt seiner dichterischen Vorbilder zurück und scheint sich nun endlich zu wundern, dass er weder Engel noch Teufel und nicht einmal mich in Bewegung versetzt hat. »Elena, du hast mich wieder!«

Warum sich in meinem Gesicht noch immer keine sexuelle Erregung breitmacht, versteht er erst, als Stefano ums Haus herumkommt. Wie gerne hätte ich mich in Adams nackte Arme geworfen und an seine Brust geschmiegt – schon deswegen, weil ich damit seine Blöße bedeckt hätte. Aber dieser praktische Umstand fällt mir leider zu spät ein. Stattdessen stehe ich immer noch mit offenem Mund da, als Stefano seinen nackten Rivalen bereits kritisch ins Auge fasst.

Es gibt keinen Mann, der das, was er besitzt, gern kritisch ins Auge fassen lässt. So rechne ich es Stefano hoch an, dass er sich um Sachlichkeit bemüht. »Was verbrennen Sie da eigentlich, Signor?«, fragt er. »Il fumo ist meilenweit zu sehen. In Chianciano werden schon die Feuerwehrschläuche ausgerollt.«

Adam findet aus seiner Bestürzung zurück. Während ihm die Frage auf den Lippen liegt, von welchem Qualm hier eigentlich die Rede ist, fällt ihm schon selbst die Antwort ein. Ganz vergessen hat er sein Freudenfeuer also doch nicht. Gott sei Dank! Sein Ruf ist noch nicht total ruiniert.

Er macht kehrt und kommt schon Sekunden später mit einem Handtuch zurück, das er sich um die Hüften geschlungen hat. Den verlangenden Blick, den er mir zuwirft, quittiere ich mit einem Schulterzucken. Das Verlangen muss warten. »Also … was verbrennst du da?«, frage auch ich, während ich ihm folge.

»Verpackungsmaterial«, erklärt Adam und gesellt sich zu Stefano, der den Qualm schon ein Stück weit in seine Schranken verwiesen hat. »Ich habe einen neuen Computer aus Deutschland mitgebracht. Der war in Bergen von Hartschaumplatten verpackt. Die wollte ich loswerden.« Er bedenkt Stefano mit dem sanftmütigen Lächeln, das in jeder Frau den Mutterinstinkt weckt und jedem Mann die Lust auf ein Duell nimmt. Adam kann niemand böse sein, kein Mann und erst recht keine Frau. »Sie geben Entwarnung in Chianciano?«

Stefano nickt friedfertig. »Hoffentlich legen Sie nicht irgendwann den ganzen Ort in Schutt und Asche.« Er sieht mich an, wie es mir in Adams Gegenwart unangenehm ist. »Wenn ich dich später mit dem Auto abholen soll, Elena … ich habe Dienst tutta la notte.« Er wendet sich an Adam. »Oder haben Sie etwa auch ein Auto dalla Germania mitgebracht?«

»Wozu?«, fragt Adam unbefangen zurück. »Elena und ich, wir können uns zu Fuß erreichen. Wenn ich in den Ort will, nehme ich das alte Moped von Signora Curti. Sie benutzt es nur noch selten. Und größere Besorgungen macht Elena für mich. Oder wir benutzen gemeinsam den Bulli der ›Locanda Tedesca‹.«

»Va bene.« Es klingt so, als würde Stefano lieber etwas anderes sagen. »Dann ist ja für alles bestens gesorgt.«

Er fährt davon, und ich warte keinen Moment länger als bis zu dem Augenblick, in dem sein Auto wieder nichts anderes als eine Staubwolke geworden ist. Dann werfe ich mich in Adams Arme. »Endlich! Das war eine lange Zeit! Du hättest ruhig mal anrufen können.«

»Aber wir hatten doch vereinbart …«

»Nicht ich. Nur du!«

Das Handtuch gibt seinen Dienst auf. Aber das macht nichts, weit und breit ist kein Mensch zu sehen.

»Wir wollten testen«, fährt Adam fort, »was wir füreinander empfinden, was wir uns bedeuten, wie es künftig weitergehen soll mit uns...«

»Du hättest trotzdem anrufen können.«

»Trennung frischt die Liebe auf, sagt ein altes Sprichwort.« Endlich greift Adam zu, zieht mich fest an seine Brust und legt seine Wange auf mein Haar.

»Trennung ist der Liebe Tod«, murmle ich in seine Achsel. »Sagt auch ein altes Sprichwort.«

Ich werfe einen letzten kontrollierenden Blick auf die Rauchsäule, die aber gottlob kleiner, dünner und heller wird, dann schließe ich die Augen und genieße Adams Nähe, den Duft seines Körpers, den Geruch seiner Haut, die Brusthaare, die meine Nase kitzeln, das unrasierte Kinn, das meine Stirn kratzt. Ich bin glücklich. Und in diesem Augenblick wird mir klar, dass ich mir nicht so sicher gewesen bin, wie ich mir in den letzten vier Monaten einzureden versucht habe. Jetzt jedoch bin ich es, ganz und gar. Siegfrieds Bild geistert durch meinen Kopf, obwohl Franziska sich Mühe gibt, es unsichtbar zu machen, meine Kinder gesellen sich dazu, das Foto meines Enkelkindes schiebt sich über alle anderen Gesichter, und sogar das große Haus, in dem ich früher wohnte, und den gut gepflegten Garten, auf den ich einmal stolz war, kann ich sehen. Schön, dieser Blick von außen auf mein altes Leben! Ich glaube, es ist das erste Mal, dass Franziska ihn zulässt, ohne mir gleichzeitig zuzureden, dass ich nichts vermisse, dass ich froh bin, hier zu sein, und mich glücklich schätzen kann, weil niemand eine Entscheidung von mir verlangt. Nun ist es wirklich so! Franziska muss mir nichts mehr einreden. Ich vermisse nichts, ich bin glücklich hier, und die Entscheidung, wie die Zukunft aussehen soll, werde ich erst dann treffen, wenn ich es kann. Noch ist meine Zukunft nicht weiter zu überschauen als bis zur nächsten Biegung meines Lebens.

Wenn da nur nicht die spitzen Steine wären, die aus dem Weg herausstechen und mich zu Fall bringen wollen. Steht mir die Entscheidung wirklich noch offen? Von den achthunderttausend Euro habe ich ein Viertel bereits investiert. Aber warum fragt niemand nach dem, was ich im Kleiderschrank des Wohnmobils gefunden habe? Warum bleibe ich unbehelligt? Warum gibt es niemanden, der mich zur Rede stellt, der mir mit Forderungen kommt, der mir droht? Seit meinem Anruf bei Madame Duval in Nizza hatte sich ja wieder einmal alles geändert …

Adam begegnete mir, als ich schon zwei Monate in Chianciano lebte und mir allmählich aufging, dass die Toskana meine Zukunft werden könnte. Ein Gedanke, der noch zu gleichen Teilen mit Glück und Angst gefüllt war. An einem dieser Tage sah ich ihn zum ersten Mal.

Ich war zum Centro storico gefahren, hatte den Bulli auf dem Busparkplatz unterhalb der Stadtmauern abgestellt und war dann zur Porta Rivellini hochgestiegen. Unmittelbar dahinter reihen sich die paar Geschäfte auf, die die Altstadt zu bieten hat. Der Laden von Signora Lappoli ist der vierte auf der linken Seite.

Ich benötigte etwas Wirksames gegen die Mücken, die mich Nacht für Nacht heimsuchten. Und diesmal war ich entschlossen, mir nicht wieder von Signora Lappoli das Spray in die Hand drücken zu lassen, das aus Beständen zu stammen schien, als man noch nicht um den Zustand der Ozonschicht wusste. Ein Spray, das mit Sicherheit für Mücken und Menschen gleichermaßen schädlich war – mit dem einzigen Unterschied, dass die Mücken sofort und die Menschen erst in zehn Jahren umfielen. Signora Lappoli glaubte jedoch entweder nicht daran, oder sie führte jene Lampen nicht, die die Mücken im besten Fall vor Schreck schon an der Gardine wieder kehrtmachen ließen. Das konnte der Grund sein, warum sie mich einfach nicht verstehen wollte. Denn jedes Mal betrachtete sie mich während meiner sprachlichen Bemühungen zunächst schulterzuckend, um dann irgendwann auszurufen: »Zanzare? Si!« Und damit griff sie hinter sich ins Regal zu den unzähligen Spraydosen, die dort aufgereiht waren. Dass ich eine Mückenlampe haben wollte, war ihr einfach nicht begreiflich zu machen.

Wetten, dass du dir doch wieder dieses Spray aufschwatzen lässt? Franziska war an diesem Tag schlecht gelaunt.

Signora Lappolis Laden war so klein, dass mit Anstand nur drei Kunden hineinpassten. Es drängten sich jedoch meist mindestens fünf vor der Theke, was nicht weiter schlimm wäre, wenn Signora Lappoli nicht sorgsam darauf achten würde, dass die Tür stets geschlossen blieb. Der letzte Kunde, der die Klinke noch zaudernd in der Hand hielt, wurde streng aufgefordert, entweder ganz einzutreten oder ganz draußen zu bleiben, sich jedenfalls so zu verhalten, dass die Tür geschlossen werden konnte. Dann wickelte sich Signora Lappoli fröstelnd in ihre Strickjacke, bevor sie Schnüre zentimeterweise abmaß, Schrauben und Knöpfe zählte, Wäscheklammern bündelte und ihren Kunden der Schweiß ausbrach.

An jenem Tag hatte Signora Lappoli nach der Siesta gerade den Laden aufgeschlossen und sich mit verschränkten Armen hinter ihrer Theke aufgebaut, als ich auf die Ladentür zuging. Trotzdem war der Mann schneller als ich. Er hatte bis dahin wartend auf einem Mäuerchen gesessen, nun bugsierte er drei Pakete auf den Armen, die er vermutlich später auf der Poststelle weiter oben hinter dem Brunnen aufgeben wollte, wenn man dort bereit war, die Siesta zu beenden, für die es nur rein theoretisch festgelegte Zeiten gab. Signora Lappolis Tür machte ihm infolgedessen Schwierigkeiten. Er war froh, als er sie endlich mit dem Ellbogen geöffnet hatte, und ließ nicht die Absicht erkennen, sie auf die gleiche Weise wieder schließen zu wollen.

Aber Signora Lappolis strenge Worte drangen bis auf die Straße hinaus. Und noch ehe ich hinzuspringen und ihm die Tür abnehmen konnte, war es schon geschehen. Die Pakete polterten zu Boden, zunächst auf die Blumentöpfe, die Signora Lappoli dekorativ und verkaufsfördernd vor dem Eingang gestapelt hatte, dann vor das Auto des Souvenirhändlers. Dort wurden sie gottlob von den Vorderreifen gestoppt. Leider aber nicht Signora Lappolis Blumentöpfe, die zum Glück aus Plastik waren. Sie rollten vor das Moped des Zeitungsjungen, gegen die Stühle des Cafés, die Verkaufsgondeln des Kindermodeladens und trudelten sogar bis in den Eingang des Wäschegeschäftes. Im Nu war die Straße mit Blumentöpfen in allen Größen übersät.

Franziska hielt sich die Seiten vor Lachen, nannte den Mann einen Tolpatsch, und schlug mir vor, mich nützlich zu machen. *Siegfried wäre so was nie passiert! Nun zeig mal, dass auch eine Frau ein Kavalier sein kann.*

Als wir alle Töpfe eingesammelt hatten und sie wieder ordentlich aufgestapelt vor Signora Lappolis Geschäft standen, drängten sich bereits vier Kunden im Laden. Der Mann wand sich mit hochrotem Kopf als Fünfter hinein, nachdem er auch seine drei Pakete wieder eingesammelt und sich wortreich in deutscher Sprache bedankt hatte. Ich beschloss, den Kauf der Mückenlampe zu verschieben. Nach einem Cappuccino im Café Centrale würde es mir leichter fallen, in dem stickigen Laden zu stehen und auf das Abzählen von Bilderhaken zu warten.

Franziska redete auf mich ein. *Der Mann hat dir einen Blick zugeworfen, der dir zu denken geben sollte. Du musst ihn im Auge behalten! Das ist einer, der dem Selbstbewusstsein guttut. Den können wir beide gebrauchen.*

Das Café Centrale war groß, aber die meisten Gäste hielten sich, jedenfalls wenn das Wetter es zuließ, draußen auf. Direkt vor dem Café standen Tische und Stühle, auf der anderen Straßenseite ebenfalls, nah an der Mauer, hinter der es steil bergab ging. Von dort hatte man einen herrlichen Blick.

Nach dem ersten Schluck Cappuccino kam der Mann mit seinen Paketen aus Signora Lappolis Laden heraus. Sein Haar klebte am Kopf und das Hemd am Körper, was nach einem Einkauf dort kein Wunder war. Er war gerade am Café Centrale vorbeigegangen, als ein Mopedfahrer auf ihn zuschoss, den armen Mann erschreckte und die drei Pakete denselben Weg nahmen wie kurz zuvor. Nur, dass sie diesmal von den steinernen Bänken aufgefangen wurden, die die Tische des Cafés von der Fahrbahn trennten.

Franziska kicherte. *Was habe ich gesagt? An der Seite dieses Mannes kannst du groß und stark sein.*

Obwohl er ein paar Meter entfernt stand, hielt ich eine Hand schützend über meinen Cappuccino, weil es mir schien, als wäre in seiner Nähe alles gefährdet, was nicht fest verschraubt war. Während er die Pakete einsammelte und seinen Weg zum Postamt fortsetzte, blickte ich ihm nach und gestand mir ein, dass ich mich auf seine Rückkehr freute. Als er wieder auftauchte, schien er am Ende seiner Kräfte zu sein, aber als er mich an einem der Tische sitzen sah, hellte sich seine Miene auf. Ohne große Umstände ließ er sich mir gegenüber nieder, behauptete, dass er mir für meine Hilfe einen Prosecco schulde, und stand erst wieder auf, als der Schatten seine Wärme verloren hatte und ein scharfer Wind vom Tal in die Via delle Piane fuhr. Dass ich die Mückenlampe völlig vergaß, als ich gemeinsam mit Adam aufbrach, sagte genug über meinen damaligen Gemütszustand aus. Und die Tatsache, dass Adam ratlos in der Porta Rivellini stand, weil ihm einfiel, dass Signora Curtis Schwiegersohn vor über einer Stunde dort auf ihn gewartet hatte, verriet genauso viel über seine Seelenlage. Und dass ich ihn nach Hause fuhr und erst am nächsten Morgen in die »Locanda Tedesca« zurückkehrte, brauchte nicht kommentiert zu werden. Das taten nicht einmal Cora und Stefano, obwohl beiden eine Menge auf der Zunge lag. Cora war vor Sorge außer sich gewesen und hatte deswegen Stefano in seiner Eigenschaft als Carabiniere alarmiert. Und dessen Sorge war schnell zu rasender Eifersucht geworden, von der er sich nie so ganz erholte …

Nein, dieser Tag wird mir ewig in Erinnerung bleiben. Auch deshalb, weil Siegfried am nächsten Abend anrief, genau in dem Moment, als ich ihn vollkommen vergessen hatte, weil ich an nichts anderes als an Adam denken konnte. Anfangs hatte er täglich angerufen, dann einmal wöchentlich, mittlerweile kamen seine Anrufe unregelmäßig. Wenn ich sie ignorierte, benutzte er ein Handy mit einer Nummer, die ich nicht kannte. So hatte ich gelernt, dass es keinen Sinn hatte, Siegfrieds Anrufen ausweichen zu wollen. Diesmal hätte ich das Klingeln gern ignoriert, weil es mir so vorkam, als könnte Siegfried an meiner Stimme hören, dass ich verliebt war.

»Wo bist du?« Diese Frage stellte er jedes Mal und jedes Mal dringlicher.

Franziska war immer noch derart aufgekratzt, dass ich es schaffte, cool und lässig zu reagieren.

»Warum willst du das wissen?«

»Ich bin dein Mann, ich habe ein Recht darauf.«

»Ich bin im Süden.«

»Wo genau?«

»In einer Pension. Ich lebe hier und helfe bei der Versorgung der Gäste.« Und hinterlistig fügte ich an: »Von dir bekomme ich ja kein Geld. Ich muss arbeiten.«

»Was ist das für eine Pension? Wie heißt sie?«

Aber ich wollte denselben Fehler nicht noch einmal machen. Als ich am Gardasee angekommen war, hatte ich mich verraten, indem ich mich auf die Fragen des Fernsehteams eingelassen hatte. Diesen Bericht hatte jemand gesehen, der das Geld haben wollte, das in meinem Wohnmobil versteckt war. Der kleine Dünne, der bei mir eingebrochen war? Vielleicht war er auch nur geschickt worden, ein kleines Licht, ein Handlanger, der für ein paar Tausender seine Bewährung verspielt hatte.

»Du willst kommen, um mich zurückzuholen?«, fragte ich und ergänzte heimlich: Vermutlich wirst du Maximilian mitbringen, damit er seiner Oma klarmacht, wie sich eine Frau meines Alters zu benehmen hat. »Nein, ich sage dir nicht, wo ich bin. Noch nicht.«

Siegfrieds Wut machte mir zwar zunächst Angst, aber da ich ihr getrotzt hatte, versetzte sie mich schon bald in Euphorie.

Am nächsten Morgen feierte ich mit Franziska ein Fest. Ich tanzte in der Küche herum, sang uralte Schlager und machte so dumme Witze, dass ich mich eigentlich hätte schämen müssen. Tat ich aber nicht!

Eine Stunde nachdem Stefano uns allein gelassen hat, flackert ein Feuer im Kamin. Der Abend ist kühl geworden, und Adam hat bewiesen, dass er in der Lage ist, ein Feuer zu entfachen, ohne seine Wohnzimmereinrichtung in Brand zu stecken. Ich liege auf dem breiten, bequemen Sofa und sehe ihm dabei zu, wie er im Feuer herumstochert und sich schließlich, als er zufrieden ist mit den Flammen, die er der Glut entlockt hat, auf den Knien abstützt, während er sich schwerfällig und mit leichtem Stöhnen in die Senkrechte begibt. Adam ist ein Jahr jünger als ich, ein Altersabstand, der nicht der Rede wert ist. Seine Bauchdecke ist, obwohl er niemals schwanger war, schlaffer als meine, seine Halsfalten sind zahlreicher, zu den Stirnfalten, die sich von einer Schläfe zur anderen ziehen, haben sich sogar senkrechte Furchen hinzugesellt, und sein Haar ist schütterer geworden. Aber hat Adam je einen einzigen Gedanken darauf verschwendet? Nein! Warum sind Frauen nur so dumm, sich diese Gedanken nicht nur zu machen, sondern sich sogar von ihnen quälen zu lassen? Kathy würde an Lifting denken, wenn ihre Stirn und ihr Hals sich in dem Zustand befänden, den Adam nicht einmal zur Kenntnis nimmt.

Er kommt zu mir aufs Sofa zurück und betrachtet mich liebevoll. »Schön'res find ich nicht, wie lang ich wähle, als in der schönen Form die schöne Seele.«

Er würdigt, was er gefunden hat, mit Blicken, Händen und seinen Lippen und nimmt keinerlei Anstoß an dem, was eindeutig fünfzig und nicht mehr zwanzig ist. Um die Schönheit meiner Seele scheint es ihm allerdings zurzeit auch nicht zu gehen. Doch das macht nichts. Um die kann er sich bei anderer Gelegenheit kümmern.

Dabei fällt mir ein, dass Franziska sich schon lange nicht mehr eingemischt hat. Ich hoffe, sie leidet nicht unter akuter Arbeitslosigkeit und ist darüber unaufmerksam geworden.

Ich werde aus meinen Gedanken aufgeschreckt, als in der oberen Etage ein Poltern zu hören ist. »Was war das?«

Adam wehrt hastig ab und drückt mich zurück. »Nichts.«

»Da ist doch jemand!« Ich versuche, mich aus seiner Umarmung zu befreien.

»Die Sorgen sind wie Gespenster«, antwortet Adam lächelnd. »Wer sich nicht vor ihnen fürchtet, dem können sie nichts anhaben.«

Manchmal gehen mir Adams Zitate auf die Nerven. »Vor Gespenstern habe ich keine Angst. Aber du musst doch auch gehört haben …«

Adam unterbricht mich: »Warte einfach ein Stündchen, dann wirst du es erfahren.«

Ich lasse mich zurücksinken. »Du hast daran gedacht?« In einer knappen Stunde habe ich, zusammen mit meinem neuen Leben, Geburtstag. Da oben rüttelt also eine Geburtstagsüberraschung an der Tür? Wenn ich an die Überraschungen zu meinem fünfzigsten Geburtstag denke, bin ich nicht sicher, ob ich mich darauf freuen soll.

»Ich weiß doch, wie wichtig dieser Tag für dich ist. In Deutschland habe ich alle Termine so gelegt, dass ich spätestens heute wieder in Chianciano sein konnte.«

»Ach, Adam! Ich glaube, ich liebe dich.«

»Du glaubst es? Du bist nicht sicher?«

»Doch, ich bin sicher. Nur … so richtig lieben wollte ich eigentlich nicht mehr.«

»Wer nicht mehr liebt und nicht mehr irrt, der lasse sich begraben.«

Adam erhebt sich, sucht im Zeitungsständer herum und befördert eine Zigarettenschachtel zutage. Ich warte ab. Wenn Adam Abstand braucht, ringt er sich gerade zu einer Heldentat durch. So gut kenne ich ihn inzwischen.

»Ich habe mich von Charlot getrennt«, sagt er schließlich, nachdem er so oft an der Zigarette gezogen hat, dass ich um seinen Blutdruck fürchte. Adam ist nur Gelegenheitsraucher, und ich weiß, dass er, wenn er sich Mut anrauchen muss, Magen- und Kreislaufprobleme bekommt.

Verwirrt setze ich mich auf. »Willst du damit sagen, dass du die Zusammenarbeit mit deiner Verlegerin aufgegeben hast?«

»Charlot war ein bisschen mehr als meine Verlegerin«, kommt es mithilfe der Zigarette heraus, während es im Obergeschoss schon wieder rumpelt.

»Du hast ein paarmal mit ihr geschlafen. Meinst du das?«

Adam hat es mir gestanden, bevor er nach Deutschland abreiste, und bei dieser Gelegenheit erfahren, dass Stefano für eine Weile der Mann für die eine oder andere Nacht gewesen war. Es hat uns gefallen, dass wir damit quitt waren.

Die Zigarette hängt zwischen Adams Lippen, als wäre sie sein Sprachrohr. »Sie war etwas mehr als eine Bettgeschichte. In der Presse wurden wir sogar Lebensgefährten genannt.«

»Ach!« Ich starre auf die Zigarette. »Und? Wart ihr Lebensgefährten?«

Die Zigarette nickt, obwohl Adam verneint. »Wir waren gelegentliche Bettgenossen, die aus purer Gewohnheit zum Liebespaar wurden. Mit der Tendenz zu Lebensgefährten.«

»Und jetzt seid ihr das alles nicht mehr?«

»Nein!«

»Und warum nicht?«

»Weil ich dich liebe! Ich will nicht eine Frau in Deutschland und eine in Italien. Ich will nur eine einzige! Das ist mir während der vier Monate klar geworden. Egal, wo du bist, ich will dich.« Er wiederholt »dich!« und scheint von der Wirkung dieser Silbe überzeugt zu sein.

Nun wirft er die Zigarette ins Feuer und traut sich wieder in meine Nähe. Ich vergesse Charlot Kaiser prompt und frage mich nicht mehr, wer im Obergeschoss an der Tür kratzt. Das fällt mir erst wieder ein, nachdem Adam mich mit seinen Lippen, seinen Händen, seinem ganzen Körper davon überzeugt hat, dass er mich wirklich liebt.

Dann aber merke ich, dass er auf die Uhr sieht wie ein Liebhaber, der Angst hat, vom Ehemann seiner Geliebten erwischt zu werden. Ja, die Zeit drängt. Für eine Weile haben wir sie vergessen, aber nun sind es nur noch sieben Minuten bis Mitternacht. Adam verzichtet auf die Erholungsphase, die er nach jedem Höhepunkt dringend nötig hat, springt in die Höhe, läuft in die Küche und wimmert: »Ich glaube, mir wird schlecht, mein Kreislauf…« Aber pünktlich um Mitternacht knallt der Champagnerkorken.

Leider ist Adams Aufschrei und seinem wütenden Gemurmel zu entnehmen, dass mal wieder etwas schiefgelaufen ist. Vermutlich steht er mit den Füßen in einer Champagnerpfütze. Natürlich könnte das durchaus einen erotischen Kick geben, aber meine Verstimmung über die leichtsinnig versprudelte Kostbarkeit lässt die Lust, den Champagner von Adams Zehen zu lutschen, gar nicht erst aufkommen. Doch das ist vergessen, als er sich mit zwei Gläsern neben mir niederlässt, mir eins in die Hand drückt und feierlich sagt: »Herzlichen Glückwunsch zum Geburtstag!«

Wir prosten uns zu, trinken einen Schluck, und ich küsse sein hageres Gesicht, das nach den überstandenen Anstrengungen noch ein bisschen hagerer ist, die Lider, die Stirn… Dann will ich endlich wissen, was es mit dem Poltern im Obergeschoss auf sich hat.

»Eine Überraschung!« Adam erhebt sich und ergänzt verheißungsvoll: »Genau genommen habe ich drei Überraschungen.«

Uiuiui! Franziska ist hochgeschreckt! *Aufpassen!*

Mir wird plötzlich unwohl. Geburtstagsüberraschungen sind aufgrund meiner trüben Erfahrungen nichts, was mich spontan in freudige Erregung versetzt. Und dann noch drei auf einmal! Auch im letzten Jahr waren es drei Geburtstagsüberraschungen, über die ich mich freuen sollte.

»Du wirst dich wundern«, sagt Adam im Rausgehen.

Ja, genau das fürchte ich, während ich auf die merkwürdigen Geräusche vom oberen Treppenabsatz lausche. Es hört sich an, als kämpften dort oben zwei, von denen jeder als Erster bei mir ankommen will. Unruhe auf der Treppe! Wilde Sätze! Das Gepolter, das folgt, kann nur von Adam stammen, dem anscheinend seine Geburtstagsüberraschung abgehauen ist und sich nicht wieder einfangen lässt. Mir reicht die Zeit noch für ein Stoßgebet, die erste Überraschung meines diesjährigen Geburtstages möge nichts sein, was kratzen, beißen oder eine Schusswaffe gebrauchen kann – da kommt etwas ins Zimmer gefegt, fiept und hechelt aufgeregt um sich selbst, gebärdet sich wie ein Drehkreisel und stößt ein Wimmern aus, das wohl ein Kläffen hätte werden sollen. Ein Hund. Jung, ungestüm, neugierig und anscheinend entschlossen, jedem Geheimnis des Lebens sofort auf die Spur zu kommen. Er stürzt sich auf mich, als wäre ich ein besonders leckeres, raffiniert verstecktes Osterei. Kalte Schnauze, nasse Zunge, Hecheln, Fiepen, Gesabber.

»Nimm ihn weg!«

»Cocco, bei Fuß!«

Ob Cocco eine Ahnung hat, was ein Fuß ist, welche Sprache den Hund überhaupt erreicht, das weiß kein Mensch. Ich bin nur froh, dass Cocco ein Halsband trägt und Adam es zu fassen bekommt.

»Na? Überraschung gelungen?«

In der Tat! Diese Überraschung kam noch ein bisschen unerwarteter als die erste des letzten Jahres. Jetzt bin ich richtig dankbar, dass Friederike mein Enkelkind rechtzeitig ankündigte und nicht so lange wartete, bis es seine Oma zu Tode erschrecken konnte.

»Ich habe Cocco am Florenzer Flughafen aufgelesen«, erklärt Adam. »Eine herrenlose Hündin, die um Liebe bettelte.«

Ob Adam die Bitte um Zuwendung von der um Mortadella überhaupt unterscheiden kann? Ich bezweifle es.

»Cocco muss Schreckliches erlebt haben. Sie bellt nämlich nicht. Ist das nicht grausam?«

Ich betrachte das Tier näher, ein hochbeiniger junger Hund mit spitzer Schnauze und schwarz-weißem Fell. Er ist süß, keine Frage.

»Aber … warum schenkst du mir einen Hund?«

»Die Locanda braucht einen Wachhund«, behauptet Adam. Er setzt sich zu mir, und auch Cocco gelangt nun wohl zu der Ansicht, dass sie ihrer Rolle als Geburtstagsüberraschung ausreichend gerecht geworden ist und ausruhen darf. Sie legt sich vors Sofa, den Kopf auf den Vorderpfoten, und betet mich an.

»Leider können wir ja kein gemeinsames Kind haben«, fährt Adam fort.

Dem Himmel sei Dank! Gut, dass Adam nicht hören kann, wie respektlos Franziska kichert.

»Aber etwas Lebendiges soll auch unsere Liebe krönen!« Adam erhebt sich schon wieder. »Nun die nächste Überraschung. Keine Sorge, nichts Lebendiges. Moment, wo habe ich es … ach, ich weiß schon.«

Ich höre ihn in den Küchenschubladen kramen und betrachte Cocco währenddessen lächelnd. Der Hund wedelt prompt aufgeregt, er weiß, dass er mich erobert hat. Kluges Tier! Und eigentlich hat Adam recht. Die Locanda liegt einsam, sie braucht einen Wachhund. Zwar hat Cocco nichts Furchterregendes an sich, was einen potenziellen Gewalttäter in die Flucht schlagen könnte, nicht einmal bellen kann sie, um eine Gefahr anzukündigen und damit dieselbe abzuwehren, aber schaden kann es nicht, wenn ein Hund mir Gesellschaft leistet.

»Da ist es ja!« Adam hat das nächste Geburtstagsgeschenk

aufgespürt und kommt nun mit einem kleinen Päckchen, das in Größe und Form verheißungsvoll aussieht, zurück. Ein Geschenk in der Form eines Brühwürfels und in der Größe einer Fingerhutschachtel kann nicht falsch sein. Viel besser als vor einem Jahr. Kein Lenchen, keine Mama, keine Oma weit und breit. Nur eine Geliebte, die sich von ihrem Liebhaber verwöhnen und beschenken lässt, einen Hund vor dem Sofa, der ihre Füße leckt, ein Päckchen in der Hand, das von einem Juwelier in München stammt. Was will man mehr?

Aber dann Adams Frage, noch bevor ich das Päckchen ausgewickelt habe: »Hast du dich eigentlich während der letzten vier Monate um die Scheidung gekümmert?«

Im selben Moment weiß ich, dass sich in der Schachtel nicht nur ein hübscher Ring befindet, sondern einer, der Symbolkraft besitzen soll. Einer, der aller Welt zeigen soll: Ich bin nicht mehr zu haben.

Er besteht aus einem blassblauen Stein, einem Aquamarin, der von einem Platinreif gefasst wird. Sehr schlicht, sehr schön.

Adam steckt ihn mir auf. »Der Ring macht Ehen – und Ringe sind's, die eine Kette machen.« Er betrachtet erst den Ring und dann mich verliebt. »Schiller. Maria Stuart. Jetzt solltest du dich wirklich um die Scheidung kümmern. Schließlich habe ich mich auch von Charlot getrennt.«

»Darum hatte ich dich nicht gebeten. Ich wusste ja nicht einmal von deiner Beziehung zu ihr.«

»Dann also meine dritte Geburtstagsüberraschung.« Adam bemüht sich um eine bedeutungsvolle Miene, die mindestens so viel Verehrung ausdrückt wie ein Kniefall. »Willst du meine Frau werden, Elena?« Das Bedeutungsvolle vergeht, als er in mein fassungsloses Gesicht blickt. »Natürlich erst, wenn du geschieden bist.«

Stefano erwartet mich auf dem Hof der Locanda. Der Polizeiwagen steht da, vom Mondlicht beschienen, hinter dem Steuer ein Mann in Uniform, der eingeschlafen ist.

Ich spiele mit dem Gedanken, mich vorbeizuschleichen und im Haus zu verschwinden, ehe Stefano mich bemerkt, aber meine knirschenden Schritte haben ihn bereits geweckt.

Schon steht er neben der Fahrertür, unglaublich frisch, obwohl er aus dem Schlaf gerissen wurde, und attraktiv sowieso. Ich weiß ja, dass Stefano sogar blendend aussieht, wenn er erschöpft aus dem Weinberg kommt, wo er seinem Cousin bei der Lese geholfen hat. Ein Geschenk der Natur, das ich nur kurz bewundert habe und das ich sehr schnell äußerst anstrengend fand, weil er auch dann gut aussah, wenn ich mich selbst fade, blass und übernächtigt fand.

»Herzlichen Glückwunsch!« Seine Stimme klingt nicht freundlich, sondern grimmig. Dass Adam zu meinem Geburtstag zurückgekehrt ist, hat anscheinend seine Pläne durcheinandergebracht. »Was ist das für ein Hund?«

»Cocco! Ich habe sie von Adam geschenkt bekommen.«

Mein Selbstbewusstsein streckt die Brust raus und blickt in den Himmel. Weiter so! Die Zeit ist vorbei, in der wir befürchten mussten, nicht mehr geliebt zu werden, wenn wir nicht so funktionierten, wie es erwartet wurde.

»Adam Nocke!« Stefano wirft wütend die Zigarette ins Gras, die er gerade angesteckt hat. »Was ist mit ihm? Willst du ihn heiraten? Mit ihm nach Deutschland gehen?«

»Wie kommst du denn auf diese verrückte Idee?« Woher kann er wissen, dass Adam mir einen Heiratsantrag gemacht hat?

Stefano dreht seinen Fuß so lange hin und her, bis sowohl die Zigarette als auch seine Wut verraucht ist. »Setz dich einen Moment zu mir ins Auto.«

»Ich bin müde.« Und ich trage Adam noch auf meiner

Haut. Ich rieche nach ihm und will diesen Geruch mitnehmen ins Bett. Auf keinen Fall soll er von Stefanos Eau-de-Cologne- und Zigarettengeruch überdeckt werden.

»Per favore!«

»Also gut.«

Stefano schweigt, als wir nebeneinandersitzen, während ich versuche, mich so weit wie möglich von ihm zu entfernen, und seine genau gegenteiligen Absichten vom Schaltknüppel verhindert werden. Cocco hat sich zur Grundstücksbesichtigung aufgemacht und verschwindet gerade im Gemüsegarten.

»Nun sag schon, wie du dir die Beziehung zu Adam vorstellst«, wiederholt Stefano. »Während der letzten Monate hast du gesagt, du kannst das erst entscheiden, wenn er zurück ist. Jetzt ist er zurück.«

»Ja, und ich freue mich darüber.«

»E poi? Was wird nun aus uns beiden? Aus unserer Beziehung?«

»Wir haben keine Beziehung. Wir hatten bestenfalls eine Affäre.«

»Ich bin doch kein Mann per una notte«, fährt Stefano auf.

»Doch! Genau das bist du«, entgegne ich sanft. »Ein Mann für die eine oder andere Nacht. Und wenn du ehrlich bist, willst du auch gar nichts anderes sein.« Ich betrachte amüsiert sein trotziges Gesicht. »Du weißt, dass du in Chianciano der Aufreißer der deutschen Touristinnen genannt wirst. Auf diesem Gebiet bist du wirklich spitze. Also versuch gar nicht erst, auch noch als dauernder Liebhaber oder gar als Lebensgefährte zu Ruhm und Ehre zu kommen. Das klappt sowieso nicht. Außerdem wäre deine angebliche Liebe zu mir in dem Augenblick dahin, in dem ich mich für dich entscheiden würde.« Ich wage jetzt, tröstend eine Hand auf Stefanos Wange zu legen. Er ist viel zu wütend, um diese Geste misszuverstehen.

»Du schätzt mich völlig falsch ein«, behauptet er. »Ich bin ganz anders. Ich liebe die Frauen, d'accordo, aber richtig verliebt bin ich nur in dich, Elena!«

»Ach, Stefano ... du weißt, dass du mir trotzdem viel bedeutest. Du hast mir meinen neuen Namen gegeben, das werde ich nie vergessen.«

Stefano starrt mich an, als wüsste er wirklich, dass ich heute einen Heiratsantrag erhalten habe. »Es ist aus zwischen uns? Finito? Oder können wir ... wenigstens hin und wieder ...?«

»Nein, ich habe mich für Adam entschieden. Als er vor mir stand, war ich mir mit einem Mal ganz sicher.«

Stefano wird nun richtig wütend. »Was soll das für eine Beziehung werden? Der Mann ist nur im Sommer hier, im Winter lebt er in Deutschland. Willst du demnächst die Locanda im Winter allein lassen?«

»Ich weiß es nicht.«

Eine Sommerliebe voller Hitze und süßer Schwere, dann ein paar Wintermonate, in denen Adam seine beruflichen Angelegenheiten in Deutschland regelt, seine Bücher promotet, Lesungen hält, mit Journalisten redet ... warum eigentlich nicht?

Mit einem Mal muss ich lachen, weil Franziska mir zuflüstert, was Stefano meinen könnte. »Du denkst, ich hätte dann einen Wintercarabiniere und einen Sommerschriftsteller? Nein, Stefano! So ganz bestimmt nicht.«

Ein paar Minuten später sehe ich dem Wagen hinterher, mit dem Stefano am liebsten aus der Hofeinfahrt geprescht wäre, wenn die scharfe Kurve und der durchlöcherte Schotterweg es zugelassen hätten. Und mal wieder – so unerwartet, jäh und unwillkommen wie immer – schießt der Gedanke durch meinen Kopf, dass ich hier auf einem Terrain stehe, auf das ich keinen Anspruch habe. Die achthunderttausend Euro hatte ich, wenn nicht mit gutem Gewissen, so doch mit dem

Recht der übervorteilten Ehefrau behalten. Mit großem Erfolg war es mir gelungen, das Bild Siegfrieds aus meinem Kopf zu verdrängen, der mit Tränen in den Augen einem Fremden den Schlüssel des Ferienhauses übergibt, der einen letzten Blick zu dem Haus wirft, in dem er als Kind alle Ferien verbracht hat, zu diesem Teil seines Lebens, mit dem er immer noch Freunden und Bekannten imponieren konnte. »Wir haben ein Haus in Nizza …«

Ich habe mir gesagt, dass Siegfried den Großteil unseres Vermögens zurückbehalten hat, das Haus in Düsseldorf, die Einrichtung, die Autos. Da standen mir die achthunderttausend zu. Und die Frage, warum Siegfried gezwungen gewesen war, das Haus in Nizza zu Geld zu machen, hatte ich erfolgreich verdrängt, weil sie sich einfach nicht beantworten lassen wollte. So lange, bis sich die Zweifel nicht mehr wegschieben ließen. Aber da war der riesige Betrag schon zusammengeschmolzen, da hatte ich Cora schon das Geld gegeben, das sie brauchte, und einen Teil der »Locanda Tedesca« damit gekauft …

Die Woche, in der ich Adam kennenlernte, würde für mich auch deshalb unvergesslich bleiben, weil ich zwei Tage später endlich den Mut aufbrachte, einen Anruf zu tätigen, der schon lange fällig war. Ich brauchte Gewissheit, wenn ich mich auch vor ihr fürchtete. Aus dem Verdacht, dass Siegfried unser Ferienhaus verkauft hatte, weil er schon wieder in finanziellen Nöten war, musste ich endlich einen Tatbestand machen. Die Angst, dass ich mir bis zu diesem Tag etwas eingeredet hatte, mit dem mein Gewissen gut klarkam, war nach wie vor groß, aber ich merkte, dass es so nicht weiterging. Das lag wohl daran, dass ich jetzt in Adam verliebt war und an eine Zukunft dachte, die mit dieser Angst nichts wert war. Ich musste wissen, was geschehen war. Oder … was nicht geschehen war.

Madame Duval war hocherfreut, als ich mich bei ihr meldete. »Madame Mertens!«

Meinen Namen sprach sie immer sehr akzentuiert aus, danach redete sie in einem Tempo, dem ich selten gewachsen war. In meinem Schulfranzösisch konnte ich mich mit ihr unterhalten, wenn wir uns gegenüberstanden, denn was ich nicht verstand, entnahm ich ihrer lebhaften Mimik und Gestik. Am Telefon war es schwieriger. Dennoch konnte ich Madame Duvals Worten entnehmen, dass sie es bedauerte, so lange nichts von mir gehört zu haben. Auch dass wir ihre Dienste seit einer Weile nicht mehr beansprucht hatten, tat ihr leid.

»Aber ich habe gesehen, dass Sie Ihr Haus privat vermietet haben.«

»Privat vermietet?« Ich fragte mich, ob ich irgendwas vergessen hatte, dann aber schüttelte ich den Kopf. »Wir waren länger nicht in Nizza. Aber auch niemand, dem wir das Haus vermietet haben.«

»Oh, dann ist das wohl ein Irrtum! Ich habe irgendwas durcheinandergeworfen. Vielleicht Ihr Nachbar, und ich dachte …« Madame Duval vollendete den Satz nicht.

Sie war Angestellte einer Agentur, die sich um Häuser kümmerte, deren Besitzer sie gelegentlich oder dauerhaft an Touristen vermieteten. In letzter Zeit hatte Siegfried aber davon nichts wissen wollen. Dabei hätten wir das Geld gut gebrauchen können. Doch nachdem die letzten Mieter unser Kaffeeservice um fast die Hälfte dezimiert und deren Kinder eine Wand bemalt hatten, wollte er das Haus nicht mehr vermieten. Siegfried sollte es privat jemandem überlassen haben? Ohne dass ich es wusste? Nein, Madame Duval musste sich irren.

Siegfried und ich waren uns einig gewesen, dass wir den

Vertrag mit der Agentur nicht kündigen wollten, damit es leicht sein würde, sich anders zu entscheiden. Meine Frage, ob noch immer eine Karteikarte für unser Haus existiere, bejahte Madame Duval. »Naturellement!« Sie habe erst kürzlich mit meinem Mann telefoniert, weil es einen Interessenten gegeben habe, der unser Haus mieten wollte. Aber Siegfried habe ihr erklärt, wir nutzten es zurzeit ausschließlich privat.

Das Haus war also noch in unserem Besitz? »Wie lange ist das her?«, fragte ich aufgeregt.

»Zwei, höchstens drei Monate!«

»Und mein Mann hat Sie nie gebeten, stattdessen einen Käufer für das Haus zu finden?«

»Einen Käufer? Mon dieu! Ein so schönes Haus verkauft man doch nicht.«

Franziska stöhnte auf, als ich das Telefonat beendet hatte. *Was nun? Wenn Siegfried das Haus gar nicht verkauft hat, wem gehört dann das Geld, das du einfach an dich genommen hast?*

Siegfried ruft in aller Herrgottsfrühe auf meinem Handy an. Viel Schlaf habe ich nicht bekommen. Ich bin erst gegen zwei zusammen mit Cocco zurückgekehrt und musste danach noch Stefano abwehren. Drei, vier Stunden Bettruhe – danach ging es wieder raus aus den Federn. Mein Selbstbewusstsein schläft dagegen noch tief und fest. Nach den Diskussionen mit Adam, seinen Zweifeln, meinen Beteuerungen und Erklärungen und nach Stefanos Forderungen bin ich genauso hundemüde wie Franziska. Aber natürlich gebe ich mich ausgeschlafen und voller Tatendrang und tu so, als wären wir beide voll auf der Höhe. In Siegfried darf sich kein Verdacht regen. Einen Anflug von Kopfweh würde er gleich als Trennungsschmerz interpretieren, weil jede Frau irgendwann von der Sehnsucht nach ihrer Familie gepackt wird, hinter einem Gähnen würde er eine schlaflose Nacht vermuten, weil ich mich nach dem Enkelkind sehne, das ich noch nie zu Gesicht bekommen habe, und mich außerdem das Schuldgefühl nicht schlafen ließ, das jede Frau irgendwann überfällt, die ihre Familie schnöde im Stich ließ.

»Ich hoffe, ich habe dich nicht aus dem Schlaf geholt, Lenchen. Aber du musst ja jeden Morgen früh raus.« Durch die Leitung wabert die Ergänzung, dass ich es mir an seiner Seite leisten konnte, länger in den Federn zu bleiben. »Und später bist du mit dem Frühstück für die Pensionsgäste beschäftigt. Da dachte ich, dies sei der richtige Zeitpunkt.« Siegfried holt tief Luft, seine Stimme hört sich an, als begänne er mit einem Plädoyer. Aber dann ist sie doch viel freundlicher, geradezu sanft und langmütig. »Herzlichen Glückwunsch, Lenchen! Schade, dass ich diesen Geburtstag nicht mit dir zusammen feiern kann. Seit einem Jahr sind wir nun getrennt. Ich hoffe, diese Zeit hat für eine Entscheidung gereicht. Weißt du jetzt, was du willst?«

Franziska schreckt auf, gähnt und reibt sich die Augen. *Mach jetzt keinen Fehler, Elena!*

Was ich will? Ich werfe den Kopf in den Nacken. Zumindest weiß ich, was ich nicht will. Ich will mich nicht mehr bevormunden lassen wie die dreißig Jahre vorher. Ich will selbstständig sein, mein Leben so führen, wie ich es möchte. Ich will mich nicht mehr unterordnen und nicht mehr anerkennen, dass derjenige das Sagen hat, der das Geld verdient. Ich will kein Anhängsel mehr sein, nicht mehr nur Helene Mertens, die Gattin des Rechtsanwalts und Notars! Vorbei! Jetzt bin ich Elena Mertens, die Mitbesitzerin der »Locanda Tedesca«. Ich spüre, wie meine Müdigkeit verfliegt. Ja, das gefällt mir wesentlich besser! Nur dass Siegfried auf keinen Fall davon wissen darf. Ich könnte ihm nicht erklären, woher ich das Geld für die Teilhaberschaft genommen habe.

»Ich habe so lange gewartet.« Siegfrieds Stimme ist wie seine Persönlichkeit: kraftvoll, gewichtig, dominant, aber an diesem Tag auch bittend und seelenwund. »Vor einem Jahr habe ich mir geschworen, dir Zeit zu geben. Ein ganzes Jahr! Nach zwölf Monaten musst du doch endlich wissen, wie es weitergehen soll.« Er lässt keinen Zweifel daran, dass er sich für generös und außerordentlich tolerant hält, weil er bereit war zu warten und nicht gleich die Scheidung in die Wege geleitet hat. Und ich stimme ihm heimlich zu. Auch ich bin der Meinung, dass die Geduld, mit der er auf meine Entscheidung wartet, bemerkenswert ist. Ich hatte nicht damit gerechnet, dass Siegfried zu einer solchen Langmut fähig ist. Kathy hält mir bei jedem Telefongespräch vor, dass unsere Nachbarn in Düsseldorf ihn heroisch, starkherzig und standhaft finden und dass er auch für meine Freundinnen zum Held geworden ist. Von Kathy bekommt er sowieso täglich einen neuen Heiligenschein aufgesetzt! Ja, ich bin ebenfalls beeindruckt, wenn auch wider Willen. Ich hatte nicht mit dieser Großherzigkeit gerechnet. Geduldiges Warten passt nicht zu Siegfried. Eher vorsichtiges Abwarten, um erst mal zu sehen, wie die Gegenseite taktiert.

Ich lausche auf das Rauschen, das durch die Telefonleitung strömt, und höre, wie dreißig Ehejahre von einem Trennungsjahr überrauscht werden. Worte aus dreißig Jahren strecken vor der Sprachlosigkeit der getrennt verbrachten Zeit die Waffen. Übrig bleiben zwei Menschen, die sich lange nicht gesehen haben und versuchen, die Beziehung am Leben zu erhalten.

»Willst du die Scheidung?«

Vielleicht hätte ich Siegfrieds Frage bejaht, wenn ich nicht fürchten müsste, dass Adam schon am Tag nach dem Scheidungstermin seinen Heiratsantrag wiederholen würde.

Siegfried nimmt zur Kenntnis, dass er kein »Ja!« erntet, und bemerkt mein Zögern mit dem untrüglichen Instinkt des Strafverteidigers. Siegfried, der Drachentöter! So wird er in Gerichtskreisen genannt. Dass er vom Aktienmarkt besiegt worden ist, hat nie jemand erfahren dürfen. Was wäre aus seinem Ruf geworden! Siegfried, der Held, der gelegentlich größenwahnsinnig wird und glaubt, sogar den Dax bezwingen zu können? Nein, wer ihn gut kennt, hat inzwischen erfahren, dass er nur eine einzige verwundbare Stelle hat! Kathy hat mir erzählt, dass ich in dem Vorort von Düsseldorf, in der gepflegten Eigenheimsiedlung, in der unser Haus steht, sein Lindenblatt genannt werde. Dass Siegfried Mertens seiner undankbaren Ehefrau die Chance geben will, zu ihm zurückzukehren, treibt den Nachbarn regelmäßig Tränen der Rührung in die Augen. Wie ich höre, trägt Siegfried neben dem Nimbus des Unbesiegbaren nun auch den des Märtyrers mit der ihm eigenen Selbstherrlichkeit.

»Bist du diesen Job immer noch nicht leid? Arbeiten in einer Pension! Das ist doch kein Lebensinhalt.«

Ich verzichte darauf, meinen jetzigen Lebensinhalt mit meinem früheren zu vergleichen, weil ich weiß, dass es Siegfried in Sekundenschnelle gelingt, unser Eheproblem auf die Frage zu reduzieren, ob das Leben in einem winzigen Zweizimmerapartment ausgefüllter sein kann als in einem geräumigen Eigenheim, nur weil man dort fürs Frühstückmachen nicht bezahlt wird. Gut, dass er nichts von Adam weiß. Von Stefano erst recht nicht. Dann hätte Siegfried eine neue Bühne für seine Selbstdarstellung gefunden, obwohl das Stück, das er dort aufführte, genauso wenig realistisch ist wie das, in dem er jetzt die Hauptrolle spielt.

Mit großer Wahrscheinlichkeit hat Siegfried in den vergangenen Monaten den bekannten Autor der Toskanakrimis in einer Talkshow des deutschen Fernsehens erlebt, ohne zu ahnen, dass dieser während der Life-Show vielleicht schon den Ring in der Tasche trug, den er der Ehefrau des angesehenen, untadeligen Rechtsanwalts Siegfried Mertens nach seiner Rückkehr an den Finger stecken wollte. Dieser Gedanke amüsiert mich, deswegen kann ich gelassen reagieren.

»Wie geht's Maximilian?«, lenke ich ihn bei der ersten Gelegenheit ab, obwohl ich durch die Flut der Fotos, die mich beinahe täglich per E-Mail erreichen, darüber im Bilde bin, wie wohlgenährt und fröhlich mein Enkelkind ist.

»Du ahnst nicht, was dir entgeht, Lenchen«, seufzte Siegfried. »Ein Enkelkind ist etwas Wunderbares. Du tust mir leid, dass du nicht miterleben kannst, wie der Kleine heranwächst.«

Ja, mir tut das auch leid. Niemand ahnt, wie oft ich von dem kleinen Maximilian träume, der die Arme nach mir ausstreckt und nach mir ruft. Mein Enkel, mein Fleisch und Blut! Was bin ich für eine Frau, dass ich diesem Ruf nicht folgen will?

Die Erklärung ist einfach: Ich fürchte, dass ich verloren bin, wenn ich den Kleinen einmal im Arm gehalten habe. Es ist mir einfach zu riskant, einen Besuch in Düsseldorf zu machen. Ich weiß, dass ich nur dorthin zurückkehren darf, wenn ich bleiben will, und dass ich in Chianciano bleiben muss, wenn ich nicht zurückkehren will. Erst wenn ich entschieden habe, wie mein Leben weitergehen soll, kann ich einen Besuch in meinem alten Leben machen oder meine Zeit in Chianciano einen Besuch nennen, der zu Ende gehen wird. Deswegen habe ich Friederike nie ermutigt, mich mit dem Kleinen in der Toskana zu besuchen, obwohl sie es schon des Öfteren angedroht und nach meiner Adresse gefragt hat. Aber das Wagnis ist zu groß. Friederike würde mir meinen Enkel auf den Schoß setzen und ihn mir nicht wieder abnehmen. Sie würde aus Maximilian eine Fußangel machen, in der ich mich nur verheddern kann. Eine Entscheidung, die nur getroffen wird, um nicht zu stolpern und auf die Nase zu fallen, kann keine richtige Entscheidung sein. Ich könnte sie bereuen, sobald ich die Fußangel abgestreift habe, nicht mehr strauchle und keine Angst mehr vor dem Fallen habe. Nein, den Namen der Stadt, in der ich jetzt lebe, wird niemand erfahren, den Namen der Pension erst recht nicht.

»Ich erwarte, dass du endlich eine Entscheidung triffst.« Jetzt wird Siegfried ernst, seine Stimme klingt sogar ein wenig drohend. »Meine Geduld wurde lange genug auf die Probe gestellt. Nach einem Jahr kann ich erwarten, dass du weißt, was du willst.«

So hört sich Siegfrieds Stimme an, wenn er dem gegnerischen Anwalt Angst machen möchte, wenn er ein Geständnis erzwingen will oder einen Zeugen auf seine Aussage vorbereitet. Ich warte mit angehaltenem Atem. Eine Forderung würde zu dieser Stimme passen, eine Drohung auch. Aber Siegfried ist scheinbar nicht mehr der Held mit überschäumender Kraft und dem kampfesfrohen Mut, sondern der Falke, von dem Kriemhild träumte, bevor sie Siegfried traf. Der von zwei Adlern zerrissen wurde. Oder der, der sich eher auf die Tarnkappe Alberichs verließ als auf seinen Balmung.

Ich sitze noch eine Weile mit dem Telefonhörer in der Hand da und spüre dem Gefühl nach, das ich manchmal Triumph nenne, momentan aber eher Unsicherheit. Ich denke wieder an die Nacht voller Angst, die ich in meinem Wohnmobil verbrachte, in einem dünnen Nachthemd, nur in eine Decke gewickelt. Und an Siegfrieds Gesicht, als ich ihm von dem Mann erzählte, der ums Wohnmobil geschlichen war. Kein Wort hatte er mir glauben wollen, die geflüsterten Worte einfach aus der Luft gewischt und dann nur noch davon geredet, dass er vergessen hatte, das Wohnmobil abzuschließen. »Tut mir leid, Lenchen, dass du solche Angst gehabt hast. Wenn man derart in Panik ist, hört man manchmal Worte, die man sich einbildet. Das wird nie wieder vorkommen, versprochen.«

Es war nie wieder vorgekommen, allerdings mangels Gelegenheit. Und nun fällt mir auch wieder ein, was der italienische Polizist am Gardasee gesagt hat: »Der Kerl wird für ein Jahr in den Knast wandern.«

Auch dieses Jahr ist jetzt vorbei.

Kathy gehört zu den ersten Gratulanten, das überrascht mich nicht. Schon in Düsseldorf rief sie noch vor dem Frühstück an oder erschien schon mit Blumen vor der Tür, während ich noch unter der Dusche stand. Sie jubelt mir ihre Glückwünsche ins Ohr, kommt aber sehr schnell, wie immer, auf ihre eigenen Probleme zu sprechen. So ist Kathy! Wenn sie nach meinem Befinden fragt, findet sie es oft nicht mal notwendig, auf eine Antwort zu warten.

Kaum habe ich mich bedankt, kommt der Seufzer, den ich mittlerweile schon zu oft gehört habe: »Dein Siegfried ist wirklich großartig! Ich hoffe, du weißt, was du tust, wenn du diesen Mann warten lässt!«

Ich erinnere sie an meinen fünfzigsten Geburtstag und an die Enttäuschung, die damit verbunden war, aber Kathy redet auch hier lieber von sich selbst. Sie hat von Martin zum fünfzigsten Geburtstag eine Cartier-Uhr bekommen, tut aber so, als hätte sie lieber ein Wohnmobil, in dem schon die Angelausrüstung ihres Ehemannes wartet. Natürlich finde ich auch, dass eine Cartier-Uhr einfallslos ist, aber immerhin hat Martin überhaupt an Kathys fünfzigsten Geburtstag gedacht. Bei seiner derzeitigen Verfassung ein kleines Wunder. Wenn ich Kathy richtig verstehe, verbringt er seine Freizeit am liebsten im Bett, wandert nachts noch immer gerne draußen herum, und wenn er redet, dann über den Banküberfall und darüber, dass der Kerl, der ihm stundenlang Angst gemacht hat, irgendwo ein unbeschwertes Leben mit einem Batzen Geld führt. Diese Ungerechtigkeit macht ihn fertig, aber die Besuche beim Psychologen hat er trotzdem nicht wieder aufgenommen.

Aus unserem Geplauder ist mit einem Mal bitterer Ernst geworden. »Das Allerschlimmste ist«, weint Kathy, »dass er als Opfer zum Verdächtigen gemacht wurde.«

Ja, das ist wirklich unerhört! Dass irgendein Schreiberling das Gerücht in die Welt setzte, Martin hätte mit dem Bankräuber gemeinsame Sache gemacht, geht wirklich zu weit. »Es ist unglaublich, wie die Zeitungsredaktionen ihre Sommerlöcher füllen!«

Kathy fühlt sich verstanden, und ihr fällt wieder ein, dass ich Geburtstag habe und deshalb nur fröhliche Gedanken verdient habe. Sie schaltet schlagartig um, versichert mir ihre Freundschaft, erklärt mir, wie sehr sie mich vermisst und dass es in der Nachbarschaft in Düsseldorf niemanden gibt, der mich ersetzen kann. Ich versichere ihr ebenfalls, dass ich sie vermisse, und schwöre ihr, dass es dort, wo ich jetzt bin, ebenfalls keine Freundin gibt, die sie ersetzen könnte. Dann lasse ich mir noch ausgiebig einen schönen Tag wünschen, mich fragen, ob ich ihn überhaupt genießen kann, und darf das Gespräch beenden, ohne darauf eine Antwort geben zu müssen.

Adam kommt auf den Hof der »Locanda Tedesca« geschlichen, gebeugt, bleich, wie ein Recke, der einen wichtigen Kampf verloren hat, geschlagen, schwer verwundet, aller Hoffnungen beraubt. Wer ihn sieht, denkt eher an eine schwere Krankheit oder an einen Wasserschaden, der ihn obdachlos gemacht hat, als an einen zurückgewiesenen Heiratsantrag. Cocco springt ihm entgegen, fiept aufgeregt und versucht es sogar mit einem Salto, um Adam ein Lächeln abzuringen. Aber beides misslingt, der Salto und das Lächeln.

Die Pensionsgäste tuscheln. »Schauen Sie nur! Adam Nocke! Sie wissen doch…«

Manchmal denke ich, dass die »Locanda Tedesca« weiterempfohlen wird, weil hier die Möglichkeit besteht, dem Autor der berühmten Toskanakrimis zu begegnen.

Ich sehe Adam durch die offene Eingangstür entgegen, die nur nachts oder bei schlechtem Wetter geschlossen wird. Er sieht aus, als hätte er sich nach dem Aufstehen zu kämmen vergessen, wahrscheinlich hat er auch vergessen zu frühstücken und frische Kleidung aus dem Schrank zu holen. Die helle Baumwollhose, die er trägt, sieht jedenfalls so aus, als hätte er sie schon während des Fluges am Leibe gehabt. Und das beige T-Shirt hat, wenn ich mich recht erinnere, gestern an der Türklinke des Holzhäuschens gehangen, in dem die Gartengeräte aufbewahrt werden. Da Adam sich nie ums Rasenmähen, Unkrautjäten und Blumengießen kümmert und vermutlich nicht einmal genau weiß, wo Harke, Spaten und Gießkanne aufbewahrt werden, ist zu vermuten, dass dieses T-Shirt dem Schwiegersohn von Signora Curti gehört, der sich regelmäßig um Adams Anwesen kümmert. Ob Adam durch ein Manuskript am Verlauf eines normalen Alltags gehindert wird oder durch eine emotionale Belastung – das Ergebnis ist das gleiche: Er ist so desorientiert, dass er den Flaschenöffner an die Gasflamme hält, seine Socken im Kühlschrank sucht oder aber sich das nächstbeste T-Shirt überzieht, ohne sich zu fragen, warum es zu groß ist und schlecht riecht.

Adam ist als Einzelkind aufgewachsen, mit einer Mutter, die ihm alles abnahm, die der Genialität ihres Sohnes unbedingt freien Raum verschaffen und jede lästige Pflicht von ihm fernhalten wollte, damit er sich um Wichtigeres kümmern konnte. Adam musste das Abitur machen, weil in seiner Familie alle die Hochschulreife erlangt hatten, er musste studieren, um seiner Mutter zu beweisen, dass er so klug war, wie sie seit seiner Geburt vorausgesehen hatte, musste sich für Jura entscheiden, weil sein Großvater es praktisch fand, einen juristisch gebildeten Enkel zu haben, und sich der Musik zuwenden, weil sein Vater direkt nach seiner Geburt ein Klavier gekauft und den Tag herbeigesehnt hatte, an dem sein Sohn ihm die Impromptus von Schubert vorspielen konnte. Adam musste sich mit Goethes Werken befassen und seine sämtlichen Balladen auswendig hersagen können und, nachdem er im juristischen Staatsexamen durchgefallen war, ein paar Semester Medizin studieren, weil sein Vater an Rheuma erkrankte und keinen Arzt aufsuchen wollte, mit dem er nicht verwandt war. Er musste das Skifahren erlernen, weil eine in Aussicht genommene Ehekandidatin eine hochdekorierte Slalomfahrerin war, und am ersten Tag des Jahres in eiskaltes Wasser springen, weil man in seiner Familie der Ansicht war, dass ein ganzer Kerl beim Neujahrsschwimmen mitzumachen hatte. Mit Lyrik sollte er sich befassen, als zu befürchten stand, dass er beruflich niemals Fuß fassen würde, und zum Aquarellmalen wurde er angehalten, als die Familie die Hoffnung begrub, dass Adam je seinen Lebensunterhalt selbst verdienen würde. Zu dieser Zeit fand man sich endlich damit ab, dass er nur der Nachkomme mit den künstlerischen, aber brotlosen Fähigkeiten werden könne, was ja immer noch besser war, als läge er auf der faulen Haut. Angeblich gab es sogar zwei alte Tanten, die sich zu der Meinung durchrangen, dass ein Mann von derart attraktivem Äußeren nur der richtigen Frau schöne Augen machen müsse, um ausgesorgt zu haben, aber diese Pläne scheiterten nicht nur an der seriösen Einstellung von Adams Eltern, sondern vor allem an ihm selbst. Er und attraktiv? Daran hatte Adam niemals glauben können. In den folgenden Monaten aber wurde er nicht mehr beobachtet und kontrolliert, sodass niemand herausfand, dass Adam nicht den Pinsel schwang, wie die Familie vermutete, wenn er sich in sein Atelier zurückzog, sondern sich dort mit dem Lesen von Kriminalromanen die Zeit vertrieb. Und als seine Eltern und sein Großvater endlich entdeckten, dass er kein einziges Aquarell fertig gemalt hatte, eröffnete er ihnen, dass er Kriminalschriftsteller werden wolle. Die Entgegnung seines Großvaters, dass er es niemals fertigbringen würde, sein Leben zu organisieren, war nicht von der Hand zu weisen, aber es stellte sich bald heraus, dass Adam durchaus ohne die Kontrolle und Bevormundung seiner Familie existieren konnte, ohne zu verhungern und zu verlottern, und dabei sogar erfolgreich sein.

Das alles habe ich mühsam aus ihm herausgefragt, denn Adam redet nicht gern über seine Familie. Aber immerhin weiß ich nun, dass er schon immer so war, wie er ist. Adam schleppt sich über den Hof, dessen Kies Gabriella gerade geharkt hat, seine Schritte knirschen nicht, sie scharren. Ich erwarte ihn an der Rezeption. Neben mir liegt noch mein Handy, das nach Kathys Anruf nicht stillsteht. Gratulationen aus Deutschland! Überschwängliche, die mir zu meinem neuen Leben gratulieren, vorsichtige, die sich nach dem Zustand meines neuen Lebens erkundigen, und missbilligende, die mein neues Leben nicht gutheißen wollen. Nach Siegfried haben auch meine Söhne angerufen. Sie sind angenehm sachlich und vorurteilsfrei, bemühen sich um Neutralität, verlangen nichts von mir, lassen aber durchaus den Wunsch erkennen, dass sie mich wiedersehen möchten. Friederike dagegen macht meist schon aus der Begrüßung eine Forderung.

Heute Morgen jedoch verläuft das Gespräch mit ihr anders. Adam tritt gerade ein, als mein Handy klingelt. Ich lausche angestrengt in den Hörer, während Adam auf dem alten Stuhl Platz nimmt, der neben der Rezeption steht, weil er hübsch aussieht, aber zu morsch ist, um ihn in ein Gästezimmer zu stellen. Adam weiß eigentlich, dass dieser Stuhl nur wegen der schönen verschnörkelten Beine nach der Renovierung bleiben durfte und einen Platz bekommen hat, wo er gerade noch durchgeht, wenn man ihn Antiquität nennt. Wer sich auf ihm niederlässt, bleibt nie lange sitzen. Ich verstehe nicht, dass Adam es trotz der spitzen Sprungfedern und der wackelnden Beine darauf aushält. Als wolle er unbedingt leiden!

Unruhig betrachte ich ihn, während ich darauf warte, dass sich jemand meldet. Eine missglückte Verbindung? Die italienische Telekom zeichnet sich mehrmals täglich durch Fehlschaltungen aus. Aber das Geräusch, das an mein Ohr dringt, ist anders als das gewohnte sphärische Rauschen, es ist näher. Und dann höre ich es flüstern: »Sag Oma: ›vivat, vivat!‹«

Was folgt, hat nicht die geringste Ähnlichkeit mit »vivat, vivat!«, aber das macht nichts. »Maximilian! Bist du das?«

Blöde Frage! Das Kind ist ein halbes Jahr alt. So wenig, wie es »vivat, vivat!« sagen kann, ist es in der Lage, meine Frage zu beantworten. Trotzdem wiederhole ich: »Maximilian! Maxi!«

Adam sieht mich an, als fragte er sich ernsthaft, ob er Grund habe, auf diesen Maximilian eifersüchtig zu sein, denn natürlich hat er den Namen meines Enkels längst vergessen. »Maxi! Maxi!«

Nun betrachtet er mich, als zweifelte er an meinem Verstand. Aber das macht nichts. Denn das Geräusch, das den Verdacht aufkommen lässt, dass Maximilian versucht, den Hörer zu verschlucken, kann ohne Weiteres als Begeisterung ausgelegt werden. Ist das Kind glücklich, weil ich seinen Namen rufe? »Maxi! Maxi!«

Die Falle tut sich erst auf, als Friederikes Stimme ertönt. »Mama?« Sie gratuliert mir mit denselben Worten, mit denen sie mir immer gratuliert, sehr korrekt, ohne jeden Vorwurf, ohne eine einzige scharf formulierte Erwartung, dann fragt sie: »War es nicht entzückend, wie Maximilian versucht hat, dir zu gratulieren? Er ist so süß, Mama. Du ahnst nicht, was dir entgeht.«

Das höre ich heute schon zum zweiten Mal. Und was soll ich darauf sagen? Dass ich es weiß? Dann wird das Angebot auf dem Fuß folgen, das tiefe Loch des Versäumten unverzüglich zu füllen.

Maximilian macht »ma, ma, ma« ins Telefon.

»Hast du gehört, Mama? Er kann schon seinen Namen sagen.«

Ich überlege noch, ob es Sinn macht, diese Behauptung anzuzweifeln, oder ob ich einfach stolz sein soll, dass ich ein so überdurchschnittlich begabtes Enkelkind habe, da ertönt ein Schrei in der ersten Etage. Gabriella, das Zimmermädchen, ist mal wieder einer Spinne begegnet. Das geschieht täglich mehrmals, und selbst die Pensionsgäste, die erst seit drei Tagen in der »Locanda Tedesca« wohnen, blicken nicht einmal mehr auf, wenn Gabriellas Schrei ertönt. Nur Adam denkt jedes Mal wieder an ein großes Unglück und erschrickt zu Tode. Nun merkt er auch, warum der Stuhl, auf dem er sitzt, nur der Dekoration des Raums dienen soll. Das Möbelstück, das keiner Emotion mehr gewachsen ist, bricht aufreizend langsam, ohne jede Theatralik unter Adam zusammen und haucht mit einem hässlichen Knirschen sein Leben aus. Adam sitzt auf der Erde, den gepolsterten Sitz noch immer unter sich und die schönen, verschnörkelten Stuhlbeine so anmutig zur Seite gegrätscht, dass es aussieht, als hätte er vergeblich versucht, auf Stelzen zu tanzen. Adam bleibt schockiert sitzen und weiß nicht, wie ihm geschieht.

Gabriella kommt schreiend die Treppe heruntergelaufen, weil sich die Spinne angeblich in ihrer Schürze verfangen hat, zwei Pensionsgäste stürzen dem armen Adam zu Hilfe und spornen ihn mit derben bayerischen Ermunterungen an, während sie ihm auf die Beine helfen. Der Nachbar, Signor Rondinone, tritt ein, stellt fest, dass er genau zum richtigen Zeitpunkt gekommen ist, und verpasst seiner Tochter Gabriella eine schallende Ohrfeige, die tatsächlich dafür sorgt, dass sie die Spinne vergisst. Ihr Geschrei allerdings steigert sich noch um einige Dezibel, wenn auch aus einem anderen Grund. Vor der Locanda hupt in diesem Moment das Auto der Carabinieri, Cocco rast fiepend hinaus, um ihrer Aufgabe als Wachhund gerecht zu werden, und mir fällt das Telefon aus der Hand, als ich die rote Rose sehe, die Stefano in Händen hält.

Als ich den Hörer wieder ans Ohr nehme, höre ich Friederikes fassungslose Stimme: »Mama, um Gottes willen! Wo lebst du eigentlich?«

Diese Frage scheint sie ohne den Hintergedanken zu stellen, mir könnte in einer Stresssituation wie dieser der Name der Pension über die Lippen kommen, wo ich zu erreichen und notfalls sogar mit einem Besuch zu überfallen bin. Tatsächlich drückt meine Tochter diesmal nur damit aus, wie konsterniert sie ist.

Ich versichere ihr, dass nichts passiert ist, dass ich bei guter Gesundheit bin und überhaupt alles ganz normal ist. Dann lege ich auf und kontrolliere, ob Adam verletzt ist, damit ich Stefano nicht entgegenblicken muss, und weigere mich, die rote Rose zur Kenntnis zu nehmen, indem ich Herrn Rondinone bitte, den Stuhl in seiner Schreinerei zu reparieren.

»Du trägst meinen Ring«, stellt Adam fest, der ebenfalls beschlossen hat, Stefanos Gegenwart zu ignorieren. Kann aber auch sein, dass er tatsächlich weder die rote Rose noch den Mann bemerkt, der sie in Händen hält. Adam kann sich immer nur auf eine einzige Sache konzentrieren.

»Natürlich trage ich deinen Ring«, antworte ich so laut und deutlich, dass Stefano es hören muss. Und leise füge ich an: »Vorausgesetzt, es muss kein Verlobungsring sein.«

Adam sieht aus, als läge ihm ein Zitat auf der Zunge, Stefano lässt die Rose sinken, als überlegte er, ob sein Besuch angesichts eines Ringes noch Sinn mache, tritt dann aber energisch auf mich zu, weil ihm wohl aufgeht, dass ich nicht bereit war, mit Adam Verlobung zu feiern. »Congratulazioni, Elena!«

Ich stürze mich auf das Telefon, das so freundlich ist, gerade in diesem Moment erneut zu klingeln. Das gibt mir die Zeit, mich auf die Konfrontation zwischen Adam und Stefano vorzubereiten. »Pronto!«

Die Stimme zögert, als wüsste sie nicht, was sie sagen sollte, trotzdem erkenne ich, dass sie weiblich ist. Und nachdem sie sich erkundigt hat, ob sie tatsächlich mit der »Locanda Tedesca« verbunden ist, erklärt die Frau am anderen Ende der Leitung, dass Adam Nocke ihr diese Nummer gegeben habe, für den Fall einer dringenden Angelegenheit. »Mein Name ist Charlot Kaiser.«

Das trifft sich gut. Ich drücke der Verlegerin ihren Bestsellerautor ans Ohr und winke Stefano in die Küche, wo ich die rote Rose unter Ausschluss jeglicher Öffentlichkeit in Empfang nehmen kann. Dem Kuss, den Stefano mir aufnötigt, muss ich mich nicht einmal entwinden, seiner Umarmung auch nicht. Trotzdem bin ich froh, mich dem Espressoautomaten zuwenden zu können, der mir Gelegenheit gibt, mich mit der Frage zu beschäftigen, was Charlot Kaiser von Adam will. Geht es um sein neues Buch oder um die Beziehung, die er soeben beendet hat?

Ich erfahre es wenige Minuten später. Adam betritt die Küche, noch schwermütiger als zuvor und ganz und gar niedergeschlagen. Sogar Stefano bleibt die freche Bemerkung, die zweifellos über seine Lippen soll, im Halse stecken. Adam stöhnt so herzzerreißend, als er sich am Tisch niederlässt, dass ich mir ernsthafte Sorgen um ihn mache.

Nachtschwarz ist der Himmel über Chianciano. Nur die Straßenbeleuchtung im Zentrum verleiht ihm helle Ränder und ausgefranste Ecken, da, wo die großen Kurhotels ihre Leuchtreklame verbreiten. Wir stehen auf dem Balkon, Seite an Seite, einer an den anderen gelehnt, und schauen in die lichtbetupfte Nacht. Dem beleuchteten Hof der Locanda wenden wir den Rücken zu, die Lampe, die neben der Eingangstür hin und her schaukelt, wollen wir nicht sehen, auch keinen der Pensionsgäste, die erst spät heimkehren.

Dies ist einer der Momente, in denen ich genau weiß, warum ich Adam liebe. Sein Körper ist mir beinahe so vertraut wie mein eigener, der Geruch seiner Haut zieht mich an, obwohl er kein Eau de Cologne benutzt wie Stefano, in seinem Schweigen fühle ich mich behütet, ich weiß genau, dass seine Worte, wenn er sprechen wird, liebevoll und ehrlich sind. Er weckt in mir ein tiefes Vertrauen, und ich weiß ganz sicher, dass er es nie enttäuschen wird. Ich liebe nicht nur seine Zärtlichkeit, die er mir schenkt, sondern vor allem die, die er in mir weckt. An seiner Seite darf ich stark sein, ohne dass er sich dadurch schwach fühlt, ich darf mit ihm umgehen wie mit einem liebedürftigen Kind, ohne dass es ihn kränkt, er vertraut meiner Liebe, so wie ich seiner. Dass ich den Heiratsantrag nicht angenommen habe, hat nichts mit meinen Gefühlen zu tun, darauf zählt er nun fest. Nur … traurig macht es ihn trotzdem. Noch immer fühlt er sich wie ein geschlagener Krieger, aber es kann ihn nicht von mir trennen.

Außerdem gibt es jetzt wichtigere Dinge. Der Anruf von Charlot Kaiser hat Adam aufgewühlt, er sieht aus, als würde er die Beziehung zu ihr am liebsten aus seiner Biografie streichen. Sie hat es ihm klipp und klar gesagt: »Ich bin an einer Zusammenarbeit nicht mehr interessiert. Ich trete von meiner Option auf dein nächstes Buch zurück, such dir einen anderen Verlag. Du bist ab sofort in allem, was du tust, nicht mehr an den Kaiser-Verlag gebunden. Das wirst du auch noch schriftlich bekommen.«

Adam schüttelt den Kopf, den er an diesem Tag schon tausendmal geschüttelt hat. »Typisch Charlot! Sie war schon immer ein Gefühlsmensch. So was ist schlecht in der Branche. Im Verlagswesen geht es knallhart zu. Heute noch mehr als vor zehn Jahren. Kein Verleger kann es sich leisten, einen Bestsellerautor einfach gehen zu lassen.«

»Sie wird es bereuen«, behaupte ich. »Es ist nicht nur unvernünftig, sondern auch ziemlich armselig, Privates und Berufliches derart zu vermischen.«

»Wehe dem Menschen, durch welchen Ärgernis kommt.« Nun nickt Adam das erste Mal an diesem Tag, als fühlte er sich vom Evangelisten Matthäus bestätigt. »Ich muss mich unbedingt um einen neuen Stoff kümmern, den ich einem Verlag vorlegen kann. Aber … zurzeit ist mein Kopf völlig leer.«

»Du wirst auch ohne Charlot ein gutes Thema finden«, mache ich ihm Mut.

»Wonach schreit der Zeitgeist? Welches Thema brennt den Menschen auf den Nägeln? Rechtsradikalismus? Die sinkende Moral? Arbeitslosigkeit? Die schrumpfende Macht der Kirche?«

»Da hast du schon vier Themen.«

Aber Adam scheint mit keinem einen Fall verknüpfen zu können, den sein deutscher Ermittler mithilfe seines italienischen Kollegen lösen könnte. »Soll Conrad Petersen eine Gruppe Neonazis aufspüren, die die Quelle Acqua Santa unsicher macht? Oder einen italienischen Friseur, der fleißig Haare schneidet, obwohl er Sozialhilfe kassiert? Oder bekommt Arturo Dotta es mit einem arbeitslosen Meuchelmörder zu tun, der alles vernichten will, was pensionsberechtigt ist?« Adam kommt nun so richtig in Fahrt. »Ein verzweifelter Priester, der selber den Opferstock raubt, um zu beweisen, dass die leeren Kirchenbänke in der Kirche der Heiligen Maria della Stella der erste Schritt auf dem Weg nach Sodom und Gomorrha sind?«

»Super!« Ich greife nach seinem Arm und schmiege mich

an seine Seite. »So viele Themen! Aus einem wird sich etwas machen lassen.«

Adam nickt noch einmal, aber besonders enthusiastisch sieht es nicht aus. »Die Sorgen sind wie Gespenster«, macht er sich selbst Mut. »Wer sich nicht vor ihnen fürchtet, dem können sie nichts anhaben.«

Trotzdem weiß ich natürlich, dass es ihm schwerfällt, demnächst wie jeder andere x-beliebige Autor einem Verlag ein Exposé zu schicken und fürchten zu müssen, dass es abgelehnt wird. Bisher wurde er gehätschelt, Charlot legte ihm Themen vor und entwickelte sie mit ihm gemeinsam, Adam schrieb, und der Kaiser-Verlag druckte sein Werk. Er hatte nicht damit gerechnet, dass sich daran jemals etwas ändern würde.

Ich flüstere, um die schöne Abendstimmung nicht mit ernsten Themen zu stören. »Schau dir doch mal die Pensionsgäste und ihre Eigenheiten an. Da findest du Charaktere, aus denen sich Geschichten machen lassen. Dieser Beamte aus Bremen, der mich jeden Tag fragt, ob ich für den Hühnerstall eine Baugenehmigung einholen musste. Der Typ, der so aussieht wie Marcello Mastroianni und alles vernascht, was bei drei nicht auf den Bäumen ist. Die beiden Latzhosenträgerinnen, die nichts anderes als Müsli zu sich nehmen, oder das junge Ehepaar, das sich den lieben langen Tag streitet …« Ich greife nach Adams Oberarmen und drehe ihn zu mir herum. »Die Welt ist voller Geschichten!«

Adam hat sich nun, nach einem langen Tag des Kopfschüttelns, aufs Nicken verlegt. Aber überzeugend sieht es immer noch nicht aus. Er wird wohl eine Weile brauchen, bis er wieder von Schaffenskraft gepackt wird.

»Lass uns in den Garten gehen«, wispere ich. »Da riecht es so gut. Und jetzt sind wir dort allein.«

Wir gehen die Treppe hinab, die direkt im Küchengarten endet. Cocco schließt sich uns an, bleibt stehen, wenn wir stehen bleiben, geht weiter, wenn wir uns wieder in Bewegung setzen. »Weißt du noch, wie das Grundstück vor einem Jahr aussah? So verwahrlost, wie Cora es gekauft hatte. Sie war mit der Instandsetzung nicht weit gekommen.« Ich bleibe stehen und betrachte, was in der Dunkelheit zu erkennen ist. Jetzt ist der Küchengarten mein ganzer Stolz.

Adam scheint es besser zu gehen. Das merke ich daran, dass er sich um eine literarische Sprache bemüht: »Damals führten die Kräuter einen verzweifelten Kampf gegen das schießende Unkraut, und einige hatten ihn bereits verloren. Den Feigenbaum inmitten dieses Kräuterurwalds hatte Cora in der Erwartung des reichen und schweren Früchtesegens mit unbrauchbaren Gerüstbrettern abgestützt.« Er beendet das ausgesprochene Schriftdeutsch mit einem Kopfschütteln.

Ich lache. »Und das hat einem weiteren Teil der Küchenkräuter den Garaus gemacht.«

»Eine Lotterwirtschaft war das!«

An einigen Stellen hatte Cora die Beete umgegraben, aber dann wohl vergessen zu säen oder zu pflanzen, in anderen waren Speiskübel abgestellt worden, unter denen ein paar entkräftete Gewächse hervorlugten, die sich verzweifelt ums Überleben bemühten.

»Überall lag Gerümpel herum«, erinnert sich Adam. »Am Rande der Rasenfläche standen ein paar zusammengeklappte Liegestühle, die so aussahen, als hätten sie den ganzen Winter dort verbracht. Aber …« Adam drängt es in Augenblicken wie diesen oft zu einem Zitat: »Sich an den kleinen Dingen zu erfreuen ist eine Gabe, die nur wenige besitzen.«

Manchmal machen mich seine weisen Aussprüche nervös. »Wenn sich eine Pensionsbesitzerin mit den kleinen Dingen begnügt, muss sie sichergehen, dass ihre Gäste ebenfalls damit zufrieden sind.«

Der Hühnerstall war so ein kleines Ding, an dem Cora sich

keinesfalls erfreute und ihre Pensionsgäste erst recht nicht, es war ihr einfach nicht wichtig gewesen, ihn instandzusetzen. Er sah aus, als würde er beim nächsten Flügelschlag eines verängstigten Huhns auseinanderfallen. Heute dagegen ist er ein solides Gebäude, das mithilfe von Signore Rondinone und seiner Schreinerei auf Vordermann gebracht worden ist. Die Liegestühle sind nagelneu und von bester Qualität, der Rasen wird regelmäßig gemäht, und mittlerweile zieren ihn auch einige Blumenkübel, in denen es üppig blüht.

Ich liebe den Geruch des Küchengartens, den Duft von Basilikum, Petersilie und Dill. In Düsseldorf hatte ich auch so einen Garten, in dem es ebenso gut roch. Mein Reich, um das Siegfried sich nie kümmerte. Wieder einmal wird mir bewusst, wie wenig mir früher ganz allein gehörte. Jetzt dagegen trägt alles meinen Namen. Jeder Erfolg gehört nur mir! Aber … auch alle Niederlagen werden mein sein.

Wir bleiben stehen, jeder von uns greift in den Olivenbaum, lässt das Laub rascheln, tastet nach einer Frucht. Dann fragt Adam: »Hast du Sehnsucht nach deinen Kindern? Möchtest du endlich deinen Enkel kennenlernen?«

Ich nicke, ohne nachzudenken. »Ja!« Gut, dass er mich nicht fragt, ob ich auch Sehnsucht nach Siegfried habe. »Aber es gibt hier wie dort Menschen, die ich liebe. Ich brauche andere Argumente.«

Adam nickt auch diesmal, aber er schweigt. Er hat verstanden, dass die Entscheidung, ob ich in der Toskana bleiben werde, noch immer nicht gefallen ist. Er weiß nicht, woher das Geld stammt, das ich Cora gegeben habe, weil sie sonst ihre Pläne nicht hätte verwirklichen können. Sie brauchte es, um die Pension zu renovieren. Ich hatte das Geld und wurde von ihr dafür zur Teilhaberin gemacht. Adam hat mir kein einziges Mal entgegengehalten, dass ich damit doch längst eine Entscheidung getroffen habe. Ein Teil der Locanda gehört mir!

Was sollte damit geschehen, wenn ich mich entschlösse, nach Düsseldorf zurückzukehren? Ich weiß es nicht. Die zweihunderttausend, die Cora brauchte, habe ich ihr nicht gegeben, weil ich sicher war, dass ich in Chianciano bleiben wollte. Adam weiß das und beurteilt es nie.

Er zieht mich plötzlich mit einer so energischen Bewegung zu sich heran, dass sie herrisch und diktatorisch sein könnte, wenn ich nicht wüsste, dass sie nichts als Verzweiflung ausdrückt. Er umschlingt mich mit beiden Armen und drückt sein Gesicht in meine Halsbeuge. »Bitte, bleib! Du musst mich nicht heiraten, wenn du nicht willst. Aber bleib! Bitte!«

Ich kann nicht Ja sagen, aber auch nicht Nein. Adam weiß das, ich muss mein Schweigen nicht erklären. Nach einer Weile lässt die Intensität seiner Umarmung nach, ich kann mich von ihm lösen und ihm ins Gesicht sehen. Er lächelt mich an. Gott sei Dank!

Ich versuche, der Situation das Gewicht zu nehmen, ohne ihn zu kränken. »Müssen wir uns nicht erst besser kennenlernen? Gestern Abend ist mir aufgegangen, dass ich nicht so viel von dir weiß, wie ich im Winter noch gedacht habe.« Er sieht mich fragend an, weiß nicht, was ich meine. Aber das Lächeln, das in seine Augen steigt, erkenne ich trotz der Dunkelheit. Ich kenne keinen Mann, dessen Augen so lächeln können.

»Hast du noch eine Leiche im Keller? Bevor du zu deiner Lesereise aufgebrochen bist, ahnte ich nicht, dass du mit Charlot Kaiser liiert warst. Also! Gibt's noch etwas, was ich wissen sollte?«

Adam zögert, und mir wird schlagartig klar, dass es tatsächlich etwas geben muss, von dem ich nichts weiß.

»Eine Tochter«, antwortet er leise. »Ich habe sie noch nie gesehen.«

»Du bist Vater?« Nun bin ich ehrlich verblüfft. »Wie alt ist deine Tochter?«

Er muss erschreckend lange nachdenken, ehe er antworten kann: »Sechzehn müsste sie jetzt sein. Als sie geboren wurde, war meine Beziehung mit ihrer Mutter schon zu Ende. Wenn die Bank nicht jeden Monat den Unterhalt von meinem Konto abbuchte, würde ich nicht einmal monatlich an sie denken.«

Nun rücke ich von ihm ab. »Du könntest dein eigen Fleisch und Blut vergessen?«

Auch diese Antwort kommt verzögert: »Ich stelle es mir entsetzlich vor, ein Kind zu lieben, das ich nie oder nur sehr selten sehen darf. Davor hatte ich Angst. Deswegen wollte ich meine Tochter gar nicht erst kennen und vor allem nicht lieben lernen.«

Adam ist Vater! Meine Verblüffung lasse ich an irgendeiner Pflanze aus, die mir in die Hand gerät. Es ist mir unmöglich, mir Adam in der Rolle des Vaters vorzustellen. Er hätte sein Baby fallen lassen, wenn er von einer besonders guten Idee abgelenkt worden wäre, er hätte es zu füttern und zu wickeln vergessen, hätte nicht daran gedacht, es zur Schule anzumelden, und sämtliche ärztlichen Untersuchungen und Elternsprechtage versäumt. Aber sicherlich hätte er sein Kind geliebt. Ja, das ganz bestimmt.

»Vater werden ist nicht schwer, Vater sein dagegen sehr.« Nicht nur Adams Augen können lächeln, auch seine Stimme kann es. »Und du? Wie sieht es mit deinen Leichen im Keller aus? Gibt es noch etwas, außer dass du am Tag nach deinem fünfzigsten Geburtstag Reißaus genommen hast?«

Plötzlich bin ich froh, darüber reden zu können. Mit Adam kann ich es. So wie mit Cora … »Hast du dich nie gefragt, woher die zweihunderttausend Euro kommen, die ich Cora gegeben habe?«

Adam sieht mich entgeistert an. Ich hätte es mir denken können. Daran hat er keinen Gedanken verschwendet.

»Und stell dir vor – ich habe noch eine knappe halbe Million auf meinem Konto.«

Adam will noch immer kein Problem entdecken. »Donnerwetter! Du bist eine gute Partie.« Er lacht mit künstlicher Albernheit, denn allmählich geht ihm wohl doch auf, dass ich etwas zu berichten habe, was kein bisschen lustig ist. »Gut, dass ich es nicht wusste. Du kannst mir nicht vorwerfen, dass ich dich wegen deines Geldes heiraten will.«

Nun erzähle ich ihm, wo ich das Geld gefunden habe, und Adam verrät mir zum ersten Mal, warum seine Krimis so erfolgreich sind: Er erkennt auf der Stelle die möglichen Zusammenhänge. »Dein Mann hat dir das Wohnmobil geschenkt, also hat er auch das Geld dort versteckt.«

»So dachte ich anfänglich ebenfalls. Aber mittlerweile weiß ich, dass ich mich geirrt habe.« Ich erzähle Adam von dem Ferienhaus in Nizza, dass ich angenommen hatte, Siegfried habe es verkauft, dass ich befürchten musste, er habe es noch einmal auf dem Aktienmarkt versucht und ein weiteres Mal Schiffbruch erlitten. »Aber heute weiß ich, dass das Haus noch in Siegfrieds Besitz ist. Ich dachte, er wäre schon wieder in finanziellen Schwierigkeiten und brauchte das Geld für … ach, ich weiß nicht wofür.«

»Um es außer Landes zu bringen«, schlägt Adam vor, der manchmal doch realitätsnäher ist, als ich glaube. »Um Steuern zu sparen.«

»Ja, ja.« Es ist mir peinlich zuzugeben, dass ich auch daran gedacht habe. »Dabei würde Siegfried so etwas niemals tun, das hätte ich mir gleich denken können. Er ist Anwalt und Notar, ein Mann des Rechts!«

Cocco drängt sich zwischen uns, als wollte sie an ihre Gegenwart erinnern. Beide greifen wir in ihr Fell, beugen uns über sie, sodass sich unsere Köpfe nähern.

»Wie ist das Geld dann in dein Wohnmobil gekommen?«, fragt Adam.

»Ich weiß es nicht.«

»Du hast mir erzählt, dass gleich in der ersten Nacht ein Mann um das Wohnmobil geschlichen ist.«

»Ein potenzieller Einbrecher. Jemand, der auf der Suche nach Beute war. In Düsseldorf ist die Einbruchrate sehr hoch.«

»Sicher? Und was ist mit dem Einbruch am Gardasee?«

»Ich dachte, der Dieb wäre von Siegfried geschickt worden. Jemand, der das Geld zurückholen sollte.«

Mittlerweile sitzen wir auf der Mauer in der Nähe des Feigenbaums. Wir schweigen lange, dann sagt Adam: »Wenn nicht dein Mann das Geld dort versteckt hat, wer dann?« Er erwartet keine Antwort, sondern fährt gleich fort: »Du kannst in große Schwierigkeiten kommen, wenn das Geld jemandem gehört, der es zurückhaben will.«

Ich kann nur flüstern, weil eine schreckliche Wahrheit nicht ganz so schrecklich ist, wenn sie auf leisen Sohlen daherkommt. »Die Polizisten am Gardasee meinten, der Einbrecher müsste etwa ein Jahr abbrummen. Das Jahr ist jetzt vorbei.«

Adam streichelte meine Hände. »Er kann nicht wissen, wo du bist.«

Das habe ich mir auch schon häufig leise vorgeredet. Er wird mich nicht finden. Damals habe ich den Fehler gemacht, meinen Aufenthaltsort zu verraten. Noch einmal werde ich diesen Fehler nicht machen.

Diesmal ist die Stille länger, sie rauscht heftiger und verschlingt das Zirpen der Zikaden. Ich will gerade nach Adams Gedanken fragen, da sagt er: »Vielleicht war es doch dein Mann, der das Geld in dem doppelten Boden untergebracht hat. Es muss nicht das Geld aus dem Erlös des Ferienhauses sein. Vielleicht ist es Schwarzgeld.«

Ich denke eine Weile nach, dann bin ich bereit, zu dieser

Vermutung zu nicken oder zumindest meinen Kopf von oben nach unten zu bewegen. »Aber so viel?«

»Vielleicht Schwarzgeld und dazu eine Prämie für eine besonders gut gelungene Verteidigung.«

»Du meinst… Bestechung?«

Adam ist vorsichtig, er bestätigt nicht, er zuckt nur mit den Schultern.

»Also schmutziges Geld!« Mir geht es besser, da nun endgültig das Bild des armen, vergrämten Siegfrieds vor meinen Augen verschwindet, der sich schweren Herzens von dem Erbe seiner Eltern trennt und dem die Tränen kommen, als er den Schlüssel des Ferienhauses einem Fremden überreicht. »Dann durfte ich es nehmen. Das ist okay. Was Siegfried zurückbehalten hat, ist ja viel mehr wert. Das Haus, die Möbel, die Autos…«

Ich lausche in mein Inneres. Was ist mit Franziska? Warum hält sie den Mund? Wahrscheinlich geht es ihr so wie mir. Die vielen Mutmaßungen verwirren sie genauso wie mich.

»Siegfried hat das Wohnmobil gebraucht gekauft. Vielleicht gehört das Geld dem Vorbesitzer.«

Aber Adam gibt die Antwort, die ich mir selbst schon mehrmals gegeben habe. »Der hätte das Geld vorher rausgenommen.«

Je länger ich über die Herkunft der achthunderttausend Euro nachdenke, desto weniger kann ich sie mir erklären. Und überhaupt würde ich jetzt gern das Thema wechseln, ehe mir der Kopf brummt und ich nachher nicht einschlafen kann. »Lass uns nicht mehr darüber reden. Ich werde ganz konfus.«

»Wie du willst.«

»Wie heißt deine Tochter eigentlich?«

Adam fällt auf mein Ablenkungsmanöver herein. Obwohl er sein Kind nie gesehen hat, steckt dennoch ein kleiner Stolz auf seinen Nachwuchs in ihm, der nun ans Licht kommt. Sehr feierlich und mit großer Betonung sagt er: »Rebecca!« Er nimmt meinen Arm, und wir wandern tiefer in den Garten hinein, wo es immer dunkler wird, das Licht der Locanda wegrückt und das weite Tal, das vor uns liegt, zwar voller Lichtpunkte ist, die aber so weit entfernt sind, dass sie nicht blenden können und nicht stören.

»Sie hat einen Doppelnamen«, ergänzt Adam. »Rebecca Marily!«

Beinahe hätte ich gelacht. »Marily?« Ich kenne nur eine Frau mit diesem ungewöhnlichen Vornamen, den ich überdies für blanke Fantasie halte, für den Wunsch, Marilyn Monroe ähnlich zu sein. »Hat die Mutter deiner Tochter für Marily Mattey geschwärmt?«

Adam entgegnet mit einer Schlichtheit, die zwar zu ihm, aber nicht zu seiner Antwort passt: »Die Mutter meiner Tochter ist Marily Mattey.« Nun sieht er mich an wie ein kleiner Junge, der glaubt, dass er im Sexualkundeunterricht etwas gelernt hat, wovon seine Eltern keine Ahnung haben.

Mir fällt die Kinnlade herunter. »Die berühmte Schauspielerin?«

»Ich war nur kurz mit ihr zusammen. Zu kurz, um in die Schlagzeilen zu geraten. Als wir uns trennten, hatten die Paparazzi von unserer Affäre noch keinen Wind bekommen. Und über den Vater ihres Kindes hat Marily immer geschwiegen.«

Jetzt erinnere ich mich, welche Spekulationen durch die Presse geisterten, als Marily Mattey schwanger gewesen war. Sogar die Namen von Richard Gere und Udo Jürgens waren, wenn auch mit Fragezeichen versehen, über die Titelseiten gegangen. Und in Wirklichkeit war es Adam Nocke gewesen, der für eine Riesensensation hätte sorgen können, durch die ihm ein nächster Bestseller sicher gewesen wäre. Mein süßer, unbeholfener, gradliniger Adam! Er ist der Vater von Marily Matteys Kind! Mir bleibt die Spucke weg.

Franziska schubst mich auf eine Bank, weil mir die Knie schwach werden, ohne daran zu denken, dass die Bank vor ein paar Tagen in Signor Rondinones Schreinerei gebracht worden ist, damit er sie repariert.

Als Adam mich zwischen den Tomatenpflanzen hervorholt und mich wieder auf die Beine stellt, sagt er: »Du lieber Himmel! Marily Mattey ist auch nur eine Frau wie viele andere.«

Der Juni versickert, der Juli rauscht ins Land. Die »Locanda Tedesca« ist ständig ausgebucht, ich habe alle Hände voll zu tun, während Franziska Urlaub macht. Ich höre nichts von ihr, sie scheint sich entbehrlich zu fühlen.

Zu Gabriella, deren gemächliches Arbeitstempo sich leider nicht ändern lässt, habe ich noch zwei weitere Zimmermädchen eingestellt, die an An- und Abreisetagen in die Locanda kommen, um die Gästezimmer auf Vordermann zu bringen. Wenn Gabriella nicht die Tochter meines Nachbarn wäre und wenn Signor Rondinone nicht stets so hilfsbereit und seine Frau nicht so redlich darauf bedacht wäre, Gabriellas Faulheit in Grenzen zu halten, hätte ich mein Zimmermädchen vielleicht schon an die Luft gesetzt. Sie ringt meiner Geduld wirklich eine Menge ab. Bildhübsch, wie sie zweifellos ist, glaubt sie jedoch leider, dass sie damit fürs Leben bereits bestens gerüstet ist. Fehlt nur noch ein Mann, der ihre dunklen Augen, die schwarzen Locken, die entzückenden Grübchen, ihren Busen und ihren Hintern zu schätzen weiß! Nein, er soll all das nicht nur schätzen, sondern bei Gabriellas Anblick schlagartig von dem Wunsch besessen sein, sie zu ehelichen, fortan auf Händen zu tragen und ihr jeden Wunsch von den Augen abzulesen. Am liebsten also ein reicher Mann! Gabriella ist nach wie vor von der Hoffnung beseelt, dass ein Mädchen, das so hübsch ist wie sie, nur mit den Fingern zu schnipsen braucht, weil Intelligenz und Fleiß in der Liebe überhaupt keine Rolle spielen. Meine Sorge dagegen ist eher, dass sie sich von einem Mann erst Flausen in den Kopf setzen, dann ein Kind andrehen lässt und mir somit noch lange als Zimmermädchen erhalten bleiben wird.

Gelegentlich rufe ich abends bei Cora an, um ihr von Gabriella zu erzählen, wie es zugeht in der »Locanda Tedesca« dass die Renovierungsarbeiten sich gelohnt haben, dass die Pension ausgebucht ist, dass ich einen Gewinn erwirtschaften werde. Sie freut sich dann sehr, lässt sich alles haarklein erzählen, und ich merke, dass sie Sehnsucht nach dem Leben in der Toskana bekommt und sich dann fragt, ob das Leben, das sie zurzeit ausprobiert, wirklich richtig für sie ist.

Ich habe sie vom ersten Augenblick an gemocht. Als Stefano mich zu ihr brachte, weil er glaubte, dass Cora mir im Hof der »Locanda Tedesca« einen Platz für mein Wohnmobil zur Verfügung stellen würde, empfing sie mich mit solcher Herzlichkeit, dass ich wusste, wir würden Freundinnen werden. Sie war einen Kopf kleiner als ich und mit deutlicher Neigung zur Korpulenz. Alles an ihr wirkte bequem, die Kleidung, die im Nacken zusammengerafften dunklen Locken und ihre Bewegungen, die immer gemächlich waren. Nur wenige Tage verbrachte ich in meinem Wohnmobil, schon nach einer Woche zog ich in die kleine Zweizimmerwohnung, in der ich heute noch lebe. Cora hatte sich ein Bein gebrochen und verzweifelte an der Frage, wie es nun mit der Pension weitergehen sollte. Mein Angebot, ihr zu helfen, war für sie ein Geschenk des Himmels.

Und schon als sie wieder laufen konnte, ging es der

»Locanda Tedesca«, die ich in den wenigen Wochen auf Vordermann gebracht hatte, wesentlich besser. Cora bot mir die Teilhaberschaft an, weil sie klar erkannte, dass die Pension nur mit meiner Hilfe zu dem zu machen war, was sie werden sollte, und weil ihr aufgegangen war, dass dazu nicht nur Ordnung und Gründlichkeit, sondern auch Geld nötig war, das sie nicht hatte.

Franziska feierte damals drei Tage durch, schnappte förmlich über und riet mir sogar, beim *Supertalent* mitzumachen. Aber da war sie volltrunken und bat mich am nächsten Tag zerknirscht um Verzeihung. *Nein, nein, mach nur so weiter wie bisher, Elena. Du siehst ja an Cora, worauf es wirklich ankommt.*

Als ich ihr die zweihunderttausend Euro gab und damit zur Mitinhaberin der »Locanda Tedesca« wurde, erfuhr Cora auch, woher ich so viel Geld hatte. Und sie war bereit, nächtelang mit mir darüber nachzudenken, warum Siegfried das Ferienhaus verkauft hatte, an dem er so hing. Das Ergebnis unserer Überlegungen war immer das gleiche: Er würde kommen, um sich das Geld zu holen, mit dem ich durchgebrannt war. Cora überlegte, ob es sinnvoll war, eine Alarmanlage einbauen zu lassen oder zumindest einen scharfen Wachhund anzuschaffen. Die erste Idee scheiterte an den hohen Kosten und den Erfahrungen eines Nachbarn, der so oft durch Fehlalarme um den Schlaf gebracht worden war, dass er die Alarmanlage irgendwann ab- und nie wieder anstellte. Die zweite Idee scheiterte an Coras Angst vor Hunden. Irgendwann musste sie zugeben, dass Siegfrieds Erscheinen nicht halb so viel Furcht in ihr erzeugte wie die Mitbewohnerschaft eines Hundes. So blieb es bei dem festen Vorsatz, Siegfried nichts von meinem Aufenthaltsort zu verraten, damit wir sicher sein konnten. Wie oft ich mich schlaflos im Bett wälzte, weil ich mir Sorgen um Siegfried machte und mich immer wieder fragte, in welchen finanziellen Nöten er sich befinden mochte, gestand ich Cora nicht.

Als sie nach Stuttgart ging, witzelte ich beim Abschied, sie wolle sich nur feige entziehen und mich mit der Gefahr meines unverhofft auftauchenden Ehemannes allein lassen. »Ganz schön gemein von dir.«

Cora war damals zu bewegt, um Spaß zu verstehen. Sie schärfte mir ein, dass ich nur niemandem verraten dürfe, wo ich gelandet sei, dann könne nichts passieren. »Pass auf, wenn du mit deinem Mann telefonierst. Kleine Bemerkungen können dich verraten.«

Auch Cora hatte einmal studiert, wollte Lehrerin werden – aber auch sie führte ihr Studium nicht zu Ende. So wie ich. Der Grund war jedoch nicht die Ehe, Cora war einfach die Lust am Studieren abhandengekommen. Sie begann als Lektorin in einem Verlag für erotische Literatur, aber diese Tätigkeit langweilte sie ebenfalls schon bald, weil sie feststellte, dass nichts so eintönig ist wie der tägliche Umgang mit Sex.

Trotzdem unterlag sie dem Irrglauben, dass ein Autor von erotischer Literatur ein besonders guter Liebhaber sein müsse, und begann ein Verhältnis mit einem Sexschriftsteller. Als sie die Beziehung beendete, gab sie auch die Arbeit für den Verlag auf und erteilte stattdessen Rechtschreibunterricht an einer Privatschule. Als auch diese Tätigkeit unbefriedigend geworden war, begab sie sich in die freie Wirtschaft und bearbeitete Werbetexte in einer Werbeagentur. Dass sie auch davon irgendwann Abstand nahm, lag vor allem daran, dass Cora es nicht ertragen konnte, täglich im Outfit der erfolgreichen Powerfrauen im Büro zu erscheinen. Das war für sie anstrengender als der ganze Stress der Werbebranche. Eine kurze Zeit war sie in Versuchung, ihren damaligen Freund zu heiraten, der von einem stattlichen Gehalt als höherer Kommunalbeamter lebte, aber gerade noch rechtzeitig – zwei Tage vor der Hochzeit –

ergriff sie die Flucht. Mit einem Auto, das sie dem Kommunalbeamten geklaut hatte. Damit fuhr sie schnurstracks nach Paris und hielt sich über Wasser, indem sie an einem Kiosk deutschen Touristen Ansichtskarten und Schlüsselanhänger in Form von Eiffeltürmen verkaufte. In Paris lernte sie Ulrich kennen und fand, dass er besser war als alles, was sie bisher in Paris gefunden hatte. Aber sein Urlaub war bald zu Ende, er musste zurück nach Stuttgart, wo er bei Porsche als Ingenieur arbeitete. Er versuchte, sie zu überreden, ihm zu folgen, was sie schließlich tat, aber nicht nach Stuttgart, sondern nach Modena, wo Ulrich eine Stelle bei Ferrari bekommen hatte. Von da an waren sie ein festes Paar, und Ulrich war entschlossen, sie zu heiraten. Das aber war sein Fehler. Die drohende Hochzeit entfernte Cora immer weiter von ihm, und das Ende der Beziehung war erreicht, als Cora erbte. Sie kaufte die Pension in Chianciano und beschloss, fortan ohne Mann und drohende Eheschließung zu leben. Ulrich war so tief enttäuscht, dass er nach Stuttgart und zu Porsche zurückging.

Jahre später besuchte er Cora in Chianciano … und verliebte sich prompt neu in sie. Und Cora, die nun über vierzig war und bemerkt hatte, dass das Leben doch kein Ozean ist, dessen Ende nicht zu erkennen ist, verliebte sich auch wieder in ihn. Sie stellte fest, dass der Horizont sehr wohl eine Insel sein konnte, auf der alles ein Ende hatte, und dass der Weg dorthin womöglich zu zweit leichter fiel als allein. Jedenfalls hielt sie es nun für denkbar, eine lebenslange Beziehung zu Ulrich einzugehen, und folgte ihm probeweise nach Deutschland. Das war im letzten Herbst. Und es war nur möglich gewesen, weil ich Mitinhaberin der »Locanda Tedesca« geworden und bereit war, sie allein weiterzuführen. Ich wünschte Cora Glück in ihrer Beziehung zu Ulrich, aber manchmal, ganz, ganz heimlich, wünschte ich mir auch, dass sie nach Chianciano zurückkehrte. Es wäre schön, die Locanda gemeinsam mit ihr zu führen. Was sie wohl sagen würde, wenn sie wüsste, dass ich mich über den Ursprung des Geldes im Irrtum befand? Dass Siegfried gar nicht das Ferienhaus in Nizza verkauft hatte? Ich musste unbedingt bei Gelegenheit mit ihr darüber reden.

Der Juli flirtet nicht mehr mit dem Sommer, er macht Ernst. In der Toskana herrscht Hochsaison, die »Locanda Tedesca« ist ständig ausgebucht, täglich kommen neue Anfragen. An diesem Morgen ist es besonders schlimm, die Arbeit wächst mir langsam, aber sicher über den Kopf, zumal Gabriellas Arbeitstempo sich in keiner Weise verändert. Sie betrachtet sich immer noch stundenlang im Spiegel, während sie die Badezimmer putzen soll, und beobachtet mich nur milde lächelnd, wenn ich wie ein Derwisch durch die Locanda fege und versuche, allen Wünschen gerecht zu werden.

Einige Zimmer habe ich mit Zustellbetten für mitreisende Kinder versehen, aber vergessen, dass die Anzahl meiner Stühle für diese Kinder nicht ausreicht. Leider fällt mir das erst auf, als die ersten Gäste in der Nähe des Frühstücksbuffets herumstehen und nicht wissen, wo sie sich hinsetzen sollen. Zwar sorgt Signor Rondinone schnell für Ersatz, aber bis dahin bin ich schon schweißgebadet und so nervös, dass ich sogar vergesse, die Kaffeemaschine anzustellen, und mir die Rühreier anbrennen. Und ausgerechnet heute sind keine weiteren Eier im Haus, da die Hühner gerade an diesem Tag in Streik getreten sind. Die zunächst vagen Beschwerden werden deutlicher und lauter, sodass ich es nicht wage, den ungezogenen Zwillingen, die seit zwei Tagen die Locanda unsicher machen, das Fußballspielen im Garten zu verbieten, jedenfalls solange sie sich noch keinen Spaß daraus machen, meine Hühner abzuschießen. Vermutlich ist deren Streik eine Reaktion auf diese ständige Bedrohung.

Am Abend bin ich so müde, dass es mir schwerfällt, mich

zu erheben und schlafen zu gehen. Das Telefon ist in Reichweite, und so beschließe ich, Kathy anzurufen, statt ins Bett zu gehen und mich auszuruhen.

Martin geht es nun etwas besser, erzählt Kathy, er hat die Sitzungen bei dem Psychologen wieder aufgenommen und ist zuversichtlicher. »Aber er kann den Banküberfall noch immer nicht vergessen. Wenn wir in die Stadt gehen, habe ich manchmal das Gefühl, er hält nach dem Kerl Ausschau, der ihn stundenlang in Schach gehalten hat. Dann bekomme ich Angst, dass er uns tatsächlich irgendwann begegnet. Ich weiß nicht, was dann passieren würde. Martin ist nach wie vor davon überzeugt, dass es derjenige war, der dann aus Mangel an Beweisen freigesprochen wurde.«

Weil Siegfried ein hervorragender Anwalt ist, ich weiß. »Vielleicht macht er irgendwann den Fehler, das Geld auszugeben, das er erbeutet hat.«

Doch Kathy ist nicht zu trösten. »Es waren unregistrierte Scheine, sagt Martin. Wenn der Kerl es geschickt anstellt, merkt es keiner.«

Zum Glück hält Kathy sich selten lange mit diesem Thema auf, wenn sie auch nie vergisst, Martins Problem zu erwähnen. Ich glaube, für sie ist das eine Sache der Loyalität. Möglich, dass Martin ihr vorgeworfen hat, mit mir befreundet zu sein, mit der Frau des Mannes, der dafür gesorgt hat, dass ein Verbrecher frei herumläuft, während er, das arme Opfer, leiden muss. So reguliert Kathy vermutlich ihr Gewissen, das ihr sagt, sie solle eigentlich mit der Frau von Rechtsanwalt Mertens nichts mehr zu tun haben wollen.

Danach erst erzähle ich ihr von meinem anstrengenden Tag, was sie kommentiert, als lebte ich unter Hottentotten, die nichts von Komfort wissen und fließendes Wasser für Luxus halten. Aber was mich am meisten bedrückt, erfährt sie nicht, sie kennt meinen Aufenthaltsort genauso wenig wie Siegfried oder meine Kinder. Und ich rechne ihr hoch an, dass sie deswegen nicht beleidigt ist. Aber manchmal bin ich nicht sicher, ob Kathys Toleranz wirklich eine Charakterstärke oder einfach nur ihr Phlegma ist. Jedenfalls ist sie nicht die Freundin, der ich ein Geheimnis anvertrauen würde oder von Adam erzählen könnte. Von ihm weiß nur Cora, die gut zuhören kann und nicht glaubt, dass sie mir Ratschläge erteilen muss. Es reicht, dass sie mich versteht. Ich muss sie unbedingt anrufen und ihr mein Leid klagen. Auch das ist ohne Weiteres möglich, ohne dass Cora glaubt, meine Liebe zu Adam wäre nicht so tief und allumfassend, wie ich selbst überzeugt bin. Sie wird verstehen, dass einem auch der Mensch, den man liebt, schrecklich auf die Nerven gehen kann, dass Adams Schaffenskrise schwer zu ertragen ist und es mir zurzeit verdammt schwerfällt, ihn an meiner Seite, in der Küche der Locanda, neben mir im Bett und vor allem ständig im Weg zu haben. Er muss unbedingt wieder arbeiten! Seine Schreibblockade überschattet alles wie eine Schlechtwetterfront die Urlaubslaune meiner Gäste. Er sitzt in der Sonne, spielt mit Cocco und merkt nicht, dass ich an einem offenen Fenster stehe und ihn beobachte. Ein Bild voller Muße und Frieden. Und ich ermahne mich, nicht wie eine Spießerin daran zu denken, dass ein Mann einer Arbeit nachgehen und Geld verdienen sollte.

Ich flitze aus dem Haus, um eine Lieferung in Empfang zu nehmen, renne wieder in die Küche, um Lebensmittel zu verstauen, laufe in den Garten, um einem Gast ein kaltes Getränk zu bringen, und haste in den Kräutergarten, um Basilikum zu pflücken. Wann immer ich an Adam vorbeieile, sitzt er da und spielt mit Cocco. Tag für Tag! Ich weiß gar nicht, wie viele Tage er jetzt schon so verbracht hat. In der größten Hitze rückt er die Bank in den Schatten, ansonsten ändert sich an dem Bild nicht viel. Die Sonne brennt, und wenn Adam nicht bei mir übernachtet hat, erscheint er schon zur Frühstückszeit in der Locanda. Erstens um den Weg über den Weinberg nicht in der sengenden Hitze zurücklegen zu müssen, zweitens um sich die Panini einzuverleiben, die die Gäste übrig gelassen haben.

Signora Curti erscheint gelegentlich, um sich zu vergewissern, dass ihr Schützling noch lebt und sich bei guter Gesundheit befindet. Sie hat längst bemerkt, dass der Dichter seinen Schreibtisch meidet, und macht sich Sorgen. Adam nickt dann auf all ihre Fragen, anschließend sitzt er wieder da, spielt mit Cocco und denkt darüber nach, mit welchem Kriminalfall sich Conrad Petersen und Arturo Dotta in diesem Jahr beschäftigen könnten. Aber mehr als ein ratloses Kopfschütteln ist bei seinen Überlegungen noch nicht herausgekommen.

Mir wird der kopfschüttelnde Adam vor meiner Tür immer unerträglicher. Und immer öfter drücke ich ihm das Geschirrtuch oder Bügeleisen in die Hand. Etwas, was Adam entweder aus seiner Lethargie aufschreckt oder vom Hof der Locanda vertreibt. Beides ist gleich gut.

Adam schüttelt seinen Kopf von Tag zu Tag heftiger und wird immer unleidlicher. Er fühlt sich, wie er es nennt, leergeschrieben und als Opfer von Kreativverlust und Schreibblockade. Eine tödlich verlaufende Krankheit, wenn man Adam glauben darf, zumindest was seine Karriere angeht. Düster gibt er mir mehrmals täglich zu verstehen, dass es mir nicht zuzumuten sei, mit einem gescheiterten Bestsellerautor zusammen zu sein, und stellt in Aussicht, demnächst in die »Locanda Tedesca« umziehen zu müssen, wenn er sein eigenes Haus nicht mehr halten kann.

»Aber zum Glück«, seufzt er, »ist der sicherste Reichtum die Armut an Bedürfnissen.«

Er hat Glück, dass gerade in diesem Augenblick ein Gast an die Rezeption tritt und von mir wissen will, wie er am besten nach Montepulciano kommt und wo er dortselbst den preiswertesten, aber besten Wein kaufen kann. Denn sonst wäre dieses Zitat vielleicht das gewesen, was das Fass meiner Geduld zum Überlaufen gebracht hätte. So aber gelingt es mir zu schweigen, wenn auch vielsagend und sehr beredt, aber das entgeht Adam natürlich. Mir allerdings wird in diesem Augenblick klar, dass nun wirklich etwas geschehen muss. Seit der Ankündigung, in meine Pension zu ziehen, zerbreche ich mir noch mehr als sonst den Kopf über einen raffinierten Mord. Aber es will mir einfach nichts einfallen. Meine Hochachtung vor Adams Beruf nimmt in dieser Zeit ständig zu. Es ist gar nicht so einfach, sich eine Kriminalgeschichte auszudenken!

Adam ist etwas zufriedener, weil er sich endlich verstanden fühlt, aber das ändert nichts an der Situation. Er hockt untätig herum, und ich schaffe es nicht, ihn anzutreiben. Nur als sich Besuch aus Deutschland ankündigt, ändert sich endlich etwas. Aber natürlich nur vorübergehend.

Ich lege den Telefonhörer zurück, sehe eine Weile nachdenklich auf meine Fußspitzen, dann gehe ich in den Hof zu Adam. »Die nächsten beiden Tage musst du in deinem eigenen Haus verbringen. Hier darfst du nicht aufkreuzen.«

Adam sieht mich an wie ein kleiner Junge, dem eine ungerechte Mutter für zwei Tage sein liebstes Spielzeug wegnimmt. »Warum nicht?«

»Ich bekomme Besuch.«

Der Anruf war aus Düsseldorf gekommen, von Kathy, die mit ihrem Mann Urlaub auf Elba machen will. »Ich weiß doch, dass du in Italien bist«, begann Kathy diplomatisch und wartete auf eine Bestätigung, die sie aber nicht bekam. »Könnte es sein, dass ich in deiner Nähe bin, wenn wir in Piombino auf die Fähre warten?«

Nur gut, dass Cora nichts davon weiß! Das, wovor sie mich gewarnt hat, ist längst geschehen. Eine kleine Bemerkung, die mich verraten hat! In diesem Fall war es vor einigen Wochen das Wort »Pronto!«, an das ich bereits so sehr gewöhnt bin, dass ich es auch benutzt habe, als mein Handy klingelte und Kathy anrief. Siegfried weiß nun wohl auch, dass ich in Italien bin. Kathy wird ihm sofort voller Stolz berichtet haben, was sie herausgefunden hat. Er selbst hat wohl deswegen schon lange nicht mehr gefragt, wo ich lebe, wie der Ort heißt, in der die Pension steht, in der ich arbeite. Womöglich lässt er schon seine Beziehungen spielen und herausfinden, wo es in Italien eine Pension gibt, in der eine Deutsche arbeitet.

»Du weißt doch, Kathy …«

Ja, sie wusste, warum ich zögerte. Und warum ihre Stimme schadenfroh klang, erkannte ich kurz darauf. »Du kannst es mir ruhig verraten. Siegfried ist sowieso auf dem besten Wege herauszufinden, wo du wohnst. Es kann nicht mehr lange dauern.«

»Unmöglich!«

Kathy kicherte ausgiebig, ehe sie antwortete: »Du hättest deinem Zimmermädchen verbieten sollen, an dein Handy zu gehen.«

»Gabriella? Sie hat es ihm verraten?«

»Sie hat sich gemeldet mit dem Namen der Pension, in der du arbeitest. Lo … Locanda? Richtig?«

Ich schwieg erschrocken. Aber Kathy machte es nichts aus, dass ich nicht antwortete. »Wie ›deutsch‹ auf Italienisch heißt, weiß ich schon lange. Tedesca!« Genüsslich sprach sie es aus: »Locanda Tedesca.«

Ich stöhnte leise. »Es gibt in ganz Italien nur eine einzige Pension dieses Namens?«

»So ist es.« Kathys Stimme klang ausgesprochen fröhlich.

»Muss ich damit rechnen, dass Siegfried demnächst hier auftaucht?« Ich wartete Kathys Antwort nicht ab. »Sag es mir nicht. Ich will es gar nicht wissen.« Und mit einem Mal war mir egal, was passieren würde. »Soll er doch kommen!«

Adam sieht mich ängstlich an, als ich ihm erzählt habe, dass ich diesen Besuch nicht verhindern konnte. »Kathy hat herausgefunden, wo ich wohne. Was soll ich machen? Besser, ich weiß, wann sie kommt, und kann mich darauf vorbereiten. Wenn ich ihr verbiete zu kommen, wird sie irgendwann unangemeldet auf der Matte stehen.«

»Und dein Mann? Wird der auch kommen?«

»Ich muss damit rechnen.«

»Und das Geld?«

»Er kann damit nichts zu tun haben, sonst hätte er es längst eingefordert. Von dort droht also keine Gefahr.«

Was mich bedrückt, spreche ich nicht aus. Wenn Siegfried kommen wird, dann nur, um mich zurückzuholen. Das ist schon schlimm genug. Aber gelingen wird es ihm nur, wenn ich es auch will!

Franziska schenkt mir freundlichen Applaus. *Recht so, Elena! Biete ihm die Stirn! Lass dir nichts gefallen!*

Ich freue mich darauf, Kathy wiederzusehen, aber ganz wohl ist mir bei ihrem Besuch nicht. Es gibt viele Leute in Düsseldorf, die sich fragen, wie und wo ich mittlerweile lebe, die Gerüchte verbreiten und sich Gerüchte erzählen lassen. Kathy wird nach ihrer Rückkehr der Star der nachbarlichen Kaffeeeinladungen sein und nicht umhinkönnen, in allen Einzelheiten zu berichten, was sie gesehen und gehört hat. Ein Grund, Adam für eine Weile auszuquartieren. Ich will nicht, dass Kathy später von Adam Nocke erzählt, dessen Bücher sie alle im Schrank stehen hat.

Gabriella wird verdonnert, eins der Gästezimmer besonders gründlich zu putzen und ganz besonders hübsch herzurichten. Frische Blumen, nagelneue Bettwäsche, Wasser und Rotwein und eine Schale mit Feigen sollen das Zimmer zieren, in das Kathy und Martin einziehen werden. Ich style meine Haare sehr sorgfältig, ziehe eine schneeweiße Hose an und verbiete Cocco kategorisch, mich anzuspringen, trage ein T-Shirt, das ich bei Signora Malpietro, einer Designerin in Chianciano, erstanden habe, und bin sogar so weit gegangen, mir nagelneue goldene Sandaletten zu kaufen. Kathy soll nicht denken, dass es mir schlecht geht in Chianciano. Sie soll später in Düsseldorf erzählen, dass ich geradezu aufgeblüht sei.

Als Martins Wagen die Auffahrt hinaufschleicht und zögernd in den Hof einbiegt, bin ich richtig aufgeregt. Kathy und Martin sind die Ersten, die aus meinem alten Leben kommen, um einen Besuch in meinem neuen Leben zu machen. Oder kommen sie aus meinem Leben, in dem ich nach wie vor zu Hause bin, um mir zuzusehen, wie ich dort zurechtkomme, wo ich eine Weile zu Gast bin?

Unsere Begrüßung ist herzlich, auch Martin gelingt die Wiedersehensfreude. Die beiden sehen sich sehr genau um, sind aber so freundlich, alles, was sie erblicken, liebenswürdig zu kommentieren. Das Schlimmste, was ich zu hören bekomme, ist: »In Italien ist eben alles ganz anders. Viel origineller!«

Sie loben das Zimmer, staunen, dass es sogar ein eigenes Bad besitzt, mit dem sie offenbar nicht gerechnet haben, erkundigen sich so unauffällig danach, was ich in dieser Pension verdiene, dass ich genauso unauffällig um die Antwort herumkomme.

Eine Stunde nach ihrer Ankunft sitzen wir im Garten der »Locanda Tedesca«, und ich betrachte mit Kathys Augen, was nun mein Leben ausmacht. Ich vergleiche, wie Kathy vergleicht, wenn sie auch nicht sagt, wie das Ergebnis ihrer Betrachtungen aussieht. In Düsseldorf säßen wir auf einer Terrasse mit Blick auf einen gepflegten Rasen. Einen Rasen in der Toskana zu pflegen ist sehr arbeitsintensiv, deswegen sitzen wir hier auf einem Stück Wiese unter dem größten Olivenbaum, der herrlichen Schatten spendet. In Kathys Garten betrachten wir das Leben von Koi-Karpfen, die sich träge durch ein Becken bewegen, das extra für sie angelegt wurde, hier können wir Cocco betrachten, die zu unseren Füßen döst und sich gelegentlich von einer Katze ärgern lässt, die schon länger hier lebt und auf ältere Rechte pocht. Unsere Häuser in Düsseldorf sind mittlerweile kinderlos und von verlässlicher Ruhe und Ungestörtheit, hier kommen Feriengäste mit ausgefallenen Wünschen, Gabriella lässt einen das Blut in den Adern gefrieren, wenn sie mal wieder auf eine Spinne gestoßen ist, und der neue Hund, der auf dem Nachbarhof eingezogen ist, kläfft, als sollten alle wissen, dass künftig mit ihm zu rechnen ist. Die gepflegte Langeweile, die in Düsseldorf mit einem Prosecco bekämpft wird, ist hier bestenfalls ein kurzes Ausruhen zwischen dem Bettenmachen und den Vorbereitungen für das Frühstücksbuffet. Dieses Leben ist urwüchsig, das Leben in Düsseldorf kommt mir heute dagegen künstlich vor. Ein sauberes Plastikleben gegen ein Leben voller Natur. Aber ob Kathy das auch so sieht? Sie redet nur von der vielen Arbeit, und Martin kann nicht verstehen, warum Arbeit besser sein soll als Bequemlichkeit.

Er zeigt auf das Wohnmobil, an dessen Reifen das Unkraut hochwächst. »Darf ich mir das mal ansehen? Ich hätte auch Lust, in einem Wohnmobil Urlaub zu machen.«

Kathy tut so, als kämen Ferien auf dem Campingplatz für sie ebenfalls infrage, aber in Wirklichkeit ist sie nur froh, dass Martin uns für eine Weile allein lässt.

»Du brauchst dir keine Sorgen um deine Tochter zu

machen«, tuschelt sie mir zu, während ihr Mann in das Wohnmobil klettert. »Friederike ist wirklich sehr tapfer. Sie war in letzter Zeit häufig erkältet, nichts Schlimmes, aber starker Husten und Schnupfen und immer leichtes Fieber. Doch sie hat sich nicht unterkriegen lassen. Und notfalls bin ich ja auch noch da.«

Ich höre Martin im Wohnmobil rumoren, er scheint sich sehr genau umzusehen.

»Udo tut ja auch sein Bestes. Als Friederike neulich unter Blasenentzündung litt, hat er Sonderurlaub genommen. Siegfried kann ja wenig für die Kinder tun. Er sitzt den ganzen Tag in der Kanzlei. Die Idee, beruflich kürzerzutreten, hat er natürlich fallen gelassen. Er wollte die Zeit ja mit dir verbringen.«

Ich höre Schränke auf- und zugehen und Schlösser klicken. Die Karosserie des Wohnmobils schwankt, als ginge Martin hin und her.

»Siegfried tut, was er kann. Aber er ist natürlich nicht immer in bester Verfassung. Dass du ihn verlassen hast, setzt ihm sehr zu. Unter anderen Umständen wäre er ein fröhlicher Großvater, der mit dem Enkel durch den Garten tollt. Aber so …«

»Maximilian ist noch viel zu klein, um durch den Garten zu tollen«, gebe ich zurück und würde am liebsten zum Wohnmobil gehen, um zu sehen, was Martin dort macht.

»Ich lade Siegfried natürlich häufig zum Essen ein«, ergänzt Kathy noch schnell, als Martin in der Tür des Wohnmobils sichtbar wird. »Er kann ja nicht kochen. Und immer Fast Food … Du brauchst dir also wirklich keine Sorgen zu machen. Wir tun alle, was wir können.«

Martin kommt zu uns zurück. »Ich glaube, das ist mir doch alles zu eng«, sagt er, und Kathy atmet erleichtert auf. Ich hätte sie gerne noch gefragt, ob Martin nach wie vor nächtliche Spaziergänge unternimmt, aber ich schlucke die Frage hinunter. Sollte er in der folgenden Nacht unterwegs sein und die Böschung hinunterfallen, ist das seine eigene Schuld!

Sie bleiben nur eine Nacht in der »Locanda Tedesca«. Vermutlich war es ihnen zu riskant, eine längere Zeit bei mir zu buchen. Kathy hatte ja immer den bösen Verdacht, dass ich nun in der Wildnis lebe und kein Mensch, der zu Hause in Designermöbeln wohnt, bei mir Urlaub machen kann. Wir verbringen den Abend mit viel Wein im Garten, wo es so schön ist, dass Kathy unmöglich ihre Koi-Karpfen vermissen oder daran denken kann, dass ihre Terrassenmöbel bequemer sind als die Stühle in der »Locanda Tedesca«. Martin tut uns den Gefallen, früh schlafen zu gehen, da er ja am nächsten Tag wieder hinter dem Steuer sitzen muss, sodass Kathy und ich noch ein paar Stunden für uns allein haben. Wir versuchen, so viel Unsinn zu reden wie früher, so viel zu lachen wie früher, so viel Prosecco zu trinken wie früher und uns, als wir Hunger bekommen, aus dem Kühlschrank zu holen, worauf wir gerade Lust haben, und dabei zu kichern, als schlügen wir einer Schlankheitsdiät ein Schnippchen. Wir vermeiden es, von Siegfried und meinen Kindern zu reden, nicht einmal Martins Probleme kommen zur Sprache. Worüber reden wir überhaupt? Über die Nachbarin in Düsseldorf, über das Paar, das sich getrennt hat, und den Sohn des Supermarktbesitzers, der mit Rauschgift erwischt wurde. Was ich Kathy von meinem neuen Leben erzähle, bleibt ebenso an der Oberfläche, weil ich Angst habe, dass sie alles, was sie hier zu hören bekommt, vor Siegfried wiederholen wird. Was sie sieht, ist schon genug, über meine Gefühle und meine Pläne soll sie nichts erfahren. Kein Wunder, dass nicht viel übrig bleibt und wir beide bald zu gähnen beginnen. Nicht nur, weil wir müde sind, sondern weil wir beide einen Grund brauchen, den Abend zu beenden.

Ich bin froh, als die beiden weiterreisen und mein altes Leben wieder von mir abrückt. Dass Kathy Schuldgefühle zurückgelassen hat, merke ich erst später. So nötigt mir die Tapferkeit von Signora Manoli nun noch mehr Respekt ab, die sich für ihre Tochter aufopfert, indem sie deren Baby bei sich aufnimmt und die Tochter nach Rom ziehen lässt, damit sie dort eine Stelle antreten kann. Und dann der alte Signor Venerio! Nach dem Tod seiner Frau verwahrlost er zunehmend, trägt ungepflegte Kleidung, ernährt sich nicht richtig und fängt nun schon morgens mit dem Vino rosso an.

»Ja, ja, so geht's, wenn die Frau nicht mehr im Hause ist«, höre ich die Witwen von Chianciano flüstern, wenn Signor Venerio vorbeischlurft. »Ein Mann ohne Ehefrau geht vor die Hunde.«

Seit ich feststellen musste, dass der Enkel von Signora Manoli genauso alt ist wie Maximilian, mache ich einen großen Bogen um deren Haus. Es ist unerträglich zu sehen, wie sie mit dem Kleinen im Garten spielt, wie liebevoll sie ihn betrachtet, wenn sie den Kinderwagen unter einen Olivenbaum stellt und seinen Schlaf bewacht. Und Friederike? Meine Tochter kann nicht auf meine Hilfe bauen, mein Enkel muss auf meine Fürsorge verzichten, und mein Mann verwahrlost womöglich, ohne dass ich es weiß.

Franziska hat in diesen Tagen viel zu tun. Aber besonders erfolgreich ist sie mit ihren Bemühungen nicht. Ihre Überzeugungskraft lässt zu wünschen übrig. *Du bist so lange für deine Familie da gewesen, es ist okay, wenn du jetzt mal nur an dich denkst! Wenn dein Mann mit dem Alleinsein nicht klarkommt, dann ist das sein Problem, nicht deins. Und wenn deine Tochter ihr Kind nicht ohne Hilfe großziehen will, dann ist sie die Versagerin. Nicht du!*

Aber ich mache nur eine wegwerfende Handbewegung und bitte mein Selbstbewusstsein, die Klappe zu halten. Zurzeit ist es viel zu klein und mickerig, um mich ernsthaft beeindrucken zu können.

Adam spürt mit der ihm eigenen Sensibilität, was in mir vorgeht. Das sind die Augenblicke, in denen er seine Probleme vergisst. Er nimmt dann meine Hand, redet nicht viel, weil er weiß, dass es keine Ratschläge für mich gibt, zeigt mir aber, dass er jede Entscheidung, die ich treffe, verstehen und tolerieren wird. Er ist wunderbar. Sollte er je auf mich verzichten, dann wird er es aus Liebe tun. Und er wird dann dafür sorgen, dass ich ohne Schuldgefühle bin.

Trotz der liebevollen Gedanken, die ich für Adam hege, möchte ich, dass er etwas tut, wenn er schon nicht an seinen Schreibtisch zurückkehrt, um dort zu arbeiten. Der Frühstücksraum muss renoviert werden, er ist das Stiefkind der Locanda geblieben. Viel zu klein, viel zu trist in seiner einheitlichen Möblierung. Er braucht dringend ein neues Gesicht. Farbe in großen Eimern habe ich schon besorgt, diverse Pinsel ebenfalls und alle Tische und Stühle in den Garten gestellt, weil die Gäste zurzeit sowieso lieber im Freien frühstücken. Aber bereits nach Adams erstem Versuch habe ich ihm den Pinsel wieder aus der Hand genommen. Was habe ich mir nur gedacht? Einen Dichter kann man nicht einfach zu einem Anstreicher machen. Der Pensionsgast, den ich am wenigstens leiden kann, weil er ständig mit guten Ratschlägen brilliert, hat es mir ausführlicher erklärt, als mir lieb ist. »Der Mann ist Bestsellerautor! Und nur weil Sie sich keinen Anstreicher leisten können, soll er sich die Hände schmutzig machen?«

Und dann noch Coras Anruf! Mitten in den Vorbereitungen für den Grillabend mit den Gästen! Sie kommt nicht nach Chianciano zurück, sie wird heiraten und in Stuttgart bleiben. »Es wäre mir lieb, wenn du mir auch meine Anteile an der Locanda abkaufen könntest. Dann gehört sie dir ganz allein.«

»Cora!« Mir rutschen die Flaschen mit den Grillsaucen aus

der Hand, die zum Glück aus Plastik sind. »So einfach ist das nicht.«

»Was ist los, Elena?« Coras Stimme klingt besorgt. »Willst du etwa nach Düsseldorf zurück?«

»Ich weiß nicht.« Mir ist plötzlich zum Weinen zumute.

»Mach keinen Quatsch, Elena! Wenn du die Locanda nicht weiterführen willst… ich kann dir die zweihunderttausend nicht zurückzahlen.«

Das weiß ich. Das macht es ja so schwierig.

Coras Stimme klingt gehetzt, sie ist voller Panik. »Du meinst, wir sollten die Pension verkaufen? Das ist nicht so einfach. Schicke toskanische Villen sind nach wie vor gefragt, aber ein Haus wie die ›Locanda Tedesca‹ …«

Ich unterbreche Cora. »Ich habe ganz andere Sorgen.«

Mit der freien Hand fahre ich mir durch die Haare, ohne mich darum zu kümmern, dass ich nun womöglich wie mein alter Handfeger aussehe. »Ich habe es dir noch nicht erzählt. Ach, Cora… es gibt Dinge, die kann man nur face to face bereden.«

»Was ist los?«, fragt Cora beunruhigt.

»Ich weiß, dass Siegfried das Haus in Nizza nicht verkauft hat«, tuschle ich in den Hörer, denn Gabriella ist aufmerksam geworden, macht sich in meiner Nähe zu schaffen und versucht, mein Telefongespräch zu verfolgen. »Ich habe vor ein paar Wochen Madame Duval angerufen. Siegfried besitzt das Haus noch, er hat mit diesem Geld also nichts zu tun.«

Cora verschlägt es die Sprache. Gerade so lange, bis ich Gabriella mit dem Hinweis, dass ich eine Spinne in einer Zimmerecke gesehen habe, verjagen konnte.

»Wer dann?« Ihre Stimme klingt jetzt derart empört, als wollte sie Siegfried Vorwürfe machen. Dass ich ihm das Geld genommen hatte, war ihr gerecht vorgekommen, sie hatte sich sogar oft mit viel Schadenfreude vorgestellt, wie er auf meine

Kosten sein Schäfchen ins Trockene bringen wollte und sich fragte, was mit diesen Schäfchen geschehen sollte, nachdem ich ihm die Suppe versalzen hatte. »Woher kommt das Geld denn dann?«

»Wenn ich das wüsste!«

Dann hat Cora ihre Verblüffung überwunden und kann wieder fix denken. »Jemand, der so viel Geld an einem so außergewöhnlichen Ort versteckt, hat kein reines Gewissen.«

»Du meinst, es ist gestohlenes Geld?«

»Könnte sein.«

»Dann hatte ich kein Recht, es auszugeben. Dann habe ich dir Geld gegeben, das einem anderen gehört. Auch das restliche Geld, das auf der Bank liegt, gehört einem anderen. Nicht unbedingt dem, der das Geld in meinem Wohnmobil deponiert hat ...«

»... eher dem, dem es geklaut wurde.«

»Wenn das herauskommt, muss ich es zurückgeben. Geld, das ich nicht mehr habe.«

»Ach du Scheiße!« Wenn Cora Fäkalsprache benutzt, ist sie wirklich erschüttert. »Und ich dachte, du würdest mir den Rest der Pension mit Kusshand abnehmen.«

Ich bin unfähig, darauf eine Antwort zu geben. Es macht auch keinen Sinn mehr, Cora zu erklären, dass ich nicht alleinige Besitzerin einer toskanischen Pension werden kann, solange ich noch immer nicht entschieden habe, wo meine Zukunft liegen wird. In Chianciano oder in Düsseldorf!

Ich beende das Gespräch, weil ich nicht weiterweiß. »Jetzt habe ich keine Zeit, Cora. Ich muss mir das alles gründlich überlegen.«

Hoffentlich hat sie nicht bemerkt, dass mir die Tränen gekommen sind. Aber selbst wenn es ihr entgangen ist, weiß sie, was ihr Entschluss für mich bedeutet. Ich hatte mir doch geschworen, mich nie wieder zu einer Entscheidung drängen zu lassen.

Adam hat sich ins Centro storico verdrückt, obwohl die Gäste es begrüßt hätten, mit ihm zusammen neben dem Grill zu stehen. Aber gerade deswegen will er es nicht. Die Fragen, woher er seine Ideen nimmt, wie seine Arbeitszeiten aussehen, wie viel ein erfolgreicher Autor verdient und ob er schon zum Beginn der Arbeit das Ende seines Krimis kennt, hat er längst satt. Zurzeit sind sie ihm besonders unangenehm.

Als Adam gegen zehn aus dem Café Centrale zurückkehrt, ist das Grillfest gerade vorbei, ich räume mit Gabriella auf und packe ihr die Reste für ihre Eltern ein. Dass Adam sich nicht auf den Hof der Locanda schleppt, so wie in den vergangenen vier Wochen, sondern endlich wieder beschwingt ausschreitet, gibt mir derart zu denken, dass ich Gabriella vorzeitig nach Hause schicke.

»Ist was, Adam?«

Er teilt mir mit, dass er ausgiebige Gespräche mit den Stammgästen des Café Centrale geführt hat, die aus Handwerkern bestehen, die den Weg nach Hause nicht finden, aus den Bewohnern des Centro storico, die auf ein Glas einkehren, und jungen Männern, die sich die vorübergehenden Mädchen angucken. Dass diese Gespräche zu neuen Erkenntnissen geführt haben, mag ich nicht glauben, aber es scheint so zu sein. Was ich ebenfalls nicht glauben mag, ist, dass der übermäßige Genuss von Alkohol Adam einen Weg aus seiner Misere gewiesen hat, aber auch hier sieht alles danach aus. Dabei lehnt er es sonst ab, sein Ideenpotenzial mit Wein in Form zu bringen, doch an diesem Abend muss er seine sämtlichen Grundsätze vergessen haben.

»In vino veritas!« Diese Weisheit kommt ihm nur mühsam über die Lippen.

Dass Gabriella mit einem frechen Grinsen an ihm vorübergeht, bemerkt er nicht. Aber das sagt nichts über seinen

Zustand aus, denn er übersieht Gabriella prinzipiell. Dafür liebe ich ihn ganz besonders, denn Gabriella tut ihr Bestes, jeden Mann auf ihren Busen, ihre wiegenden Hüften und ihre schmale Taille aufmerksam zu machen, was ihr außer bei Adam immer und überall gelingt.

Dass ich ebenfalls an ihm vorbeigehe, fällt ihm jedoch trotz seines eingeschränkten Wahrnehmungsvermögens auf. »Warte, Elena! Ich muss dir was sagen.«

»Du kannst mir helfen, das letzte Geschirr abzuräumen.«

Da der Weg von Adams Gehör über sein im Normalfall außergewöhnlich leistungsfähiges Gehirn bis zu den Händen lang und voller Ablenkungen ist, wundere ich mich nicht, dass er ein paar Minuten später immer noch mitten auf dem Hof steht. Die Pose jedoch ist neu. Adam steht da und streckt die Arme gen Himmel.

»Wer erkennen will, muss zuvor in richtiger Weise gezweifelt haben!«

»Sagt wer?«

»Aristoteles!«

»Und was hast du erkannt?«, frage ich, während ich das Besteck aufsammle, das unter den Bänken gelandet ist. Von seinen Zweifeln weiß ich ja. »Etwa einen neuen Stoff?«

Ich bin verblüfft, als Adam nickt. »Ein Eifersuchtsdrama! Eifersucht ist so alt wie die Welt und verliert nie an Aktualität, solange es noch Menschen gibt, die sich ineinander verlieben.«

Ich gebe mich begeistert. Immerhin bin ich froh, dass Adam überhaupt eine Idee hat, und sicherlich kann man mit Eifersucht eine ganze Menge in Bewegung setzen. Andererseits – so außergewöhnlich, dass man gleich Aristoteles bemühen muss, erscheint mir dieser Geistesblitz nicht.

Doch Adam ist nicht mehr zu halten. »Das Drama um eine fünfzigjährige Frau, die völlig unvermutet die Freiheit und ihr

Heil in der Flucht sucht, und ihren sechzigjährigen Mann, der schmerzgebeugt zurückbleibt, sich jedoch irgendwann erhebt und Rache schwört!«

Wenn ich nicht schon wieder beide Hände voll hätte mit Grillsaucen und Senftöpfen, hätte ich mir an die Stirn getippt. »Siegfried hat keine Rache geschworen, sondern lediglich die Absicht bekundet, nicht mehr lange auf meine Entscheidung warten zu wollen.«

Adam winkt ab. »An die Angel der Wahrheit beißen nur kleine Karpfen, mit dem Netz der Lüge fängt man große Lachse.« Er umarmt mich, küsst mir den Lippenstift ab und sorgt dafür, dass meine Wimperntusche zerläuft. »Eine ganz und gar wahre Geschichte, Elena, über die sich die Fantasie einer Handlungskonstruktion wölben wird. Das ist das Beste, was einem Autor passieren kann. Psychologische Wirklichkeit und schriftstellerische Erfindung – eine himmlische Verbindung.« Er lacht ausgelassen. »Und wenn sich etwas unversehens reimt, ist das nur ein zusätzlicher Beweis dafür, dass die Intuition sich für das Richtige entschieden hat. Alte Autorenweisheit!«

Er zieht mich mit sich, drückt mich auf eine Bank, setzt sich neben mich, schiebt Cocco beiseite, die darüber sichtlich konsterniert ist, und schließt eine zu erwartende Abwehrhandlung meiner Hände unter seinen eigenen ein. »Du musst mir noch mal alles ganz genau erzählen. Warum du deinen Mann und die Kinder verlassen hast, was du erlebt hast auf dem Weg hierher, wann dein Entschluss fiel, in der Toskana zu bleiben ...«

»Er ist noch nicht gefallen.«

Meinen Einwand wehrt Adam ab wie eine lästige Fliege. »Du weißt doch, auf die Wahrheit kommt es nicht an. Ich brauche möglichst viele Einzelheiten. Die werde ich dann mit einer ausgefeilten Kriminalhandlung verbinden.«

Ich entziehe ihm meine Hände. »Ein rachsüchtiger Ehemann ist nun wahrhaftig nichts Neues.«

»Das Einfachste ist meist das Beste.« Adams Begeisterung ist jetzt durch nichts mehr zu trüben. »Also fang an …«

Ich springe auf. »Glaubst du, nach diesem Grillabend steht mir der Sinn danach, dir meine Lebensgeschichte zu erzählen? Im Übrigen kennst du sie längst. Jedenfalls das meiste.«

Adam sieht ein, dass eine Pensionswirtin in meiner Lage und zu dieser Uhrzeit das Recht hat, müde zu sein. »Ich fange noch heute mit den Charakteren an. Morgen reden wir ausführlich darüber.« Er küsst mich, und ich bin froh, dass Adam so selten trinkt. Sein Alkoholatem ist nämlich nicht besser als bei jedem anderen Mann, der zu viel getrunken hat. Wahrscheinlich wird er die halbe Nacht am Schreibtisch sitzen und morgen, wenn er nüchtern ist und unter Kopfschmerzen leidet, sein Konzept in den Papierkorb werfen.

Adam macht sich beschwingten Schrittes davon, um daheim seinen nagelneuen Computer anzustellen, der gottlob nicht zu den technischen Neuerungen gehört, auf die Adam aus Prinzip verzichtet. Glücklicherweise hat er sich diesen Rest von Realismus bewahrt, der ihn davor schützt, seine Prinzipientreue so weit zu treiben, dass er als Autor nicht mehr konkurrenzfähig wäre.

Ich sehe ihm so lange nach, bis ich glauben kann, dass er unversehrt auf dem Weg angekommen ist. Wenn Adam in Gedanken ist, übersieht er gelegentlich, dass die Hofeinfahrt in einer nach links geneigten Biegung auf einen Weg führt, der einen guten Meter unter dem Grundstück der Locanda liegt. Schon zweimal ist er kopfüber die Böschung hinabgestürzt, weil er einfach geradeaus gelaufen ist. Zum Glück ist er jedes Mal unversehrt geblieben und hat nicht versäumt, seinen Sturz damit zu begründen, dass er eben vor Liebe blind sei. So eine Erklärung hört jede Frau gern.

Aber diesmal scheint alles gut zu gehen. Cocco hat ihn ein paar Meter begleitet, jetzt kehrt sie zögernd und mit sichtlichem Bedauern zurück. Den Florenzer Flughafen hat sie bereitwillig verlassen, um Adam zu folgen, doch sich heute Nacht vom Hof der Locanda zu trennen, wo die Reste des Grillabends auf sie warten, ginge über ihre Kräfte.

Ich trete an die Böschung, blinzle durch die Büsche und bilde mir ein, ich könnte Adam hinterhersehen. Eine winzige Bewegung zwischen den Bäumen könnte von ihm kommen und der zitternde Schatten, der sich übers Feld bewegt, auch. Dann atme ich tief ein und aus. Trotz aller Zweifel bin ich froh, dass Adam endlich ein Thema gefunden hat. Während ich meine Finger in Coccos Fell grabe, überlege ich, was dagegen spricht, dass Adam mein Leben zum Stoff seines nächsten Kriminalromans erwählt. Vorausgesetzt, er ist morgen immer noch von der Idee überzeugt, muss ich nur dafür sorgen, dass die Ähnlichkeit mit lebenden Personen so aussieht, als sei sie rein zufällig, dann wird es schon gehen. Da die Kriminalhandlung ohnehin pure Erfindung sein wird und Conrad Petersen und auch der italienische Kommissar in meinem Leben nicht vorkommen, kann eigentlich nichts schiefgehen. Diese beiden Figuren sind längst gezeichnet. Jeder Leser der Toskanakrimis von Adam Nocke weiß, wie sie aussehen.

Ich gehe einmal um das Wohnmobil herum, das seinen festen Platz auf dem Hof der Locanda hat, und kontrolliere, ob es verschlossen ist. So halte ich es jeden Abend, es gehört zu der Routine, mit der ich den Tag beende. Manchmal denke ich dann an meinen fünfzigsten Geburtstag zurück, an die Kränkung, die mir mit diesem Wohnmobil zugefügt worden ist, an die erste Nacht, die ich unfreiwillig darin verbracht habe, an den Mann, der vor der Tür stand und flüsterte: »Sind Sie das?« Manchmal denke ich dann sogar an Martin Siegert, der in jener Nacht das erste Mal einen Spaziergang gemacht hatte, statt sich zu Kathy ins Bett zu legen. Aber nicht oft! Diese Gedanken belasten mich auf eine Weise, die mir nicht guttut. Ich kann mir einfach nicht vorstellen, dass es Martin gewesen ist, der um das Wohnmobil herumstrich. Dann kann ich nicht einschlafen, fange wieder an zu zweifeln, bekomme Angst vor der Zukunft … und bemühe mich daher, es bei der Kontrolle der Wohnmobiltür zu belassen. Ohnehin weiß ich genau, dass sie nicht offen sein kann, weil nie jemand das Wohnmobil betritt.

Ob der Bulli verschlossen ist oder nicht, spielt keine Rolle. Er würde nicht einmal gestohlen, wenn er unverschlossen am römischen Flughafen stünde, wo man nicht einmal eine Packung Always ultra aus den Augen lassen darf. Cora hat ihn einem Lebensmittelhändler in Chianciano abgekauft, als dieser seinen Laden dichtmachte. Vorher hat er einem Installateur gehört, davor einem Olivenhändler, der seine Waren mit dem Bulli zum Markt fuhr. Davor hat ihn ein junger Neapolitaner genutzt, um die geklauten Fernseher zu transportieren, die er auf dem Markt von Chianciano, der jeden Mittwoch abgehalten wird, verhökerte. Der Rest der Eigentumsverhältnisse liegt im Dunkeln. Früher war der Bulli wohl dunkelrot, aber da er seit Jahren dem Staub ausgesetzt ist, hat sich das frische Rot inzwischen zu einem faden Braun verdunkelt. Und für diese Farbe in ihren sämtlichen Schattierungen haben sich auch all die entschieden, die sich im Laufe der Zeit um die Ausbesserung der Karosserie bemühten. In ganz Chianciano gibt es keinen Kfz-kundigen jungen Mann, der sich nicht schon einmal um den Bulli der »Locanda Tedesca« gekümmert hat. Hier eine kaffeebraune Spachtelarbeit, dort ein ausgebeulter Fleck in der Farbe von Pistazieneis und mehrere schokostreuselbraune Tupfer, die die unzähligen Rostlöcher abdecken. Das Einzige, was heute noch leuchtet, sind die gelben Buchstaben an jeder Seite des Bullis: LOCANDA TEDESCA.

Ich klopfe ihm liebevoll den Kotflügel und gehe, von Cocco umkreiselt und angesprungen, auf die Haustür zu. Dann jedoch hält mich etwas zurück. Ich bleibe stehen und lausche. Ein Motorengeräusch! Doch ein Blick über den Hof sagt mir, dass die Autos der Pensionsgäste allesamt auf ihrem Platz stehen. Ich mache einen langen Hals und kann das gelb leuchtende Taxischild erkennen. Ein Gast, der sich in der Dunkelheit den steilen Berg nicht zu Fuß heraufiraut?

Das Taxi biegt in die Zufahrt zur »Locanda Tedesca« ein und erscheint kurz darauf auf dem Hof. Seine Scheinwerfer blenden mich, den Taxifahrer erkenne ich erst, als er aussteigt und zum Kofferraum geht. Lodovico, der Weinbauer, der sich mit Taxifahrten ein Zubrot sichert.

»Buona sera, Signora!«

Er stellt zwei Koffer auf den Kies, und noch ehe sich die Beifahrertür öffnet, fällt mir auf, dass ich diese Koffer kenne.

Siegfried strahlt mich an, als könnte er sich meiner Wiedersehensfreude sicher sein. »Ich komme spät, tut mir leid. Der Flug war nicht pünktlich. Ich hatte schon Angst, ich müsste dich aus dem Bett klingeln.«

Als er auf meiner Miene noch immer nichts anderes als Fassungslosigkeit erkennt, die auch der größenwahnsinnigste Mann nicht mit freudigem Schreck verwechseln kann, wird er diplomatischer. »Ich hätte wohl vorher anrufen sollen.«

»Warum hast du es nicht getan?«

»Weil ich Angst hatte, dass du mir den Besuch ausredest.«

Siegfrieds Blick ist jetzt sehr ernst. Mich durchfährt die Erinnerung, dass er genauso aussah, als er meinen Vater ganz formell und nach meiner Vorstellung schrecklich altmodisch um meine Hand bat und ihm versicherte, gut für mich sorgen zu wollen. Als ich Mary, die damals noch Maria hieß, davon erzählte, lachte sie mich aus und nannte mich unselbstständig und unemanzipiert. Aber Siegfrieds ernsthafter Blick hatte mir damals gefallen und tut auch heute noch seine Wirkung.

»Ich habe zufällig erfahren, wo du wohnst.«

»Du bist gekommen, um mich zurückzuholen?«

Siegfried entgeht der scharfe Ton meiner Stimme nicht. Er wird noch eine Spur diplomatischer. »Ich weiß, dass ich dich zu nichts zwingen kann. Aber es muss mir erlaubt sein, um meine Frau zu kämpfen.«

Eins zu null für den Rechtsanwalt und Notar Siegfried Mertens, der meist bekommt, was er will, und meistens auch weiß, wie das zu bewerkstelligen ist.

»Du siehst gut aus, Lenchen. So … anders. Interessant, deine neue Frisur. Sie macht dich sehr jung.«

Ich kann mir ein Grinsen nicht verkneifen. Meine langen Haare und eine damenhafte Frisur waren Siegfried in Düsseldorf sehr wichtig. Ich weiß, dass er einen fransigen Kurzhaarschnitt, wie ich ihn jetzt trage, nicht ausstehen kann. Er ist also mit friedlichen Absichten gekommen.

Während ich ihn ins Haus bitte, betrachte ich ihn unauffällig. Auch Siegfried hat sich verändert. Er ist schlanker geworden, hat den Friseur gewechselt und kleidet sich auch anders als früher. Lässiger, unkonventioneller. Seine Jeans sitzt knapp, das quer gestreifte Polohemd stammt von einem Designer, den auch seine Söhne schätzen. Ich kann einen Anflug von Rührung nicht verhehlen, weil mir scheint, dass er sich für diesen Besuch neu ausstaffiert und sich genau überlegt hat, wie er mir so gut gefallen könnte, dass ich unserer Ehe eine zweite Chance einräume.

Siegfried ist enttäuscht, als ihm aufgeht, dass er in der Küche der Pension und nicht in meinem Apartment gelandet ist. Irritiert sieht er mir dabei zu, wie ich die übrig gebliebenen Grillwürste im Kühlschrank verstaue und das Geschirr in die Spülmaschine packe. »Arbeitest du hier allein?«

»Um diese Zeit hat das Personal Feierabend. Und morgen, zum Frühstück, muss alles wieder tipptopp sein.«

»Du meine Güte! Was für eine Plackerei!«

Warum er das sagt und dazu eine Miene zieht, als regte er sich über Kinderarbeit in Asien auf, ist mir klar. Bei ihm habe ich nie so schwer arbeiten müssen. Ich hatte eine Putzfrau und einen Gärtner. Und als wir uns beides nicht mehr leisten konnten, habe ich immer noch so getan, als hätte ich eine Putzfrau und einen Gärtner und mich stets entspannt und ausgeruht gegeben, als würde mir die Arbeit abgenommen. Jetzt bin ich weder entspannt noch ausgeruht und auch nicht halb so sorgfältig gekleidet und frisiert wie Siegfried. Ich bin müde nach dem langen Grillabend, trage praktische, aber nicht sonderlich gut sitzende Bermudas und ein Shirt, das Ketchupspritzer nicht übel nimmt. Ich habe seit Stunden nicht in den Spiegel gesehen, weiß aber trotzdem, dass Adams letzte Liebkosungen mein Make-up ruiniert haben, falls noch ein Rest davon auf meinem Gesicht war. Zugegeben, ich hätte mich Siegfried lieber frisch geschminkt und gut gekleidet gezeigt.

»Du verdienst dein Geld wirklich hart.«

Nun fahre ich zu ihm herum und blitze ihn wütend an. »Du solltest dich lieber fragen, warum ich nie Unterhalt von dir verlangt habe.«

»Unterhalt? Von mir?« Siegfried zeigt mit dem rechten Zeigefinger auf seine Brust. »Du hast dich von mir getrennt, nicht umgekehrt. Warum sollte ich Unterhalt zahlen, wenn du plötzlich verrückt spielst? Hast du mal an die Kosten gedacht, die mir entstehen, weil du mir nicht mehr den Haushalt führst?«

»Klar! Mit der kostenlosen Rundumversorgung ist es vorbei. Jetzt siehst du mal, was du mir hättest zahlen müssen, wenn ich nicht deine Frau, sondern deine Haushälterin wäre.«

Die Stille, die folgt, lastet nicht auf ihm, sondern nur auf mir. Wieso eigentlich?

»Lass gut sein, Lenchen. Ich bin nicht gekommen, um mit dir zu streiten.«

Er lächelt, und ich werde ihn in dem Glauben lassen, dass ich seinen Unterhalt deswegen nicht nötig habe, weil ich hier mein Geld verdiene. Ich muss nur dafür sorgen, dass er niemals erfährt, wem die »Locanda Tedesca« gehört. Die Frage, wie ich an das Geld für eine Teilhaberschaft gekommen bin, könnte ich nicht beantworten.

Mir fällt wieder ein, warum ich mich damals in ihn verliebt habe. Seine hellgrauen Augen haben mir auf Anhieb gefallen, die so viel Aufrichtigkeit ausdrückten, und sein Mund, dessen schmale Oberlippe Energie versprach, während die volle Unterlippe zeigte, dass er auch gefühlvoll sein konnte. Seine Stärke habe ich von Anfang an bewundert, ohne zu ahnen, dass sie mich einmal schwach machen könnte. Seine Verlässlichkeit gehörte zu den Eckpfeilern, auf denen mein Leben aufgebaut war. Und dann seine Sicherheit, die auch mich sicher machte, und all das Unverbrüchliche, das Siegfried auszeichnete, es sei denn, man war zu seinem Gegner geworden. Wenn ich daran denke, rührt sich glatt mein schlechtes Gewissen. Ich muss mir in Erinnerung rufen, dass ich an seiner Seite nie selbstständig sein durfte, dass ich mit meiner Meinung immer unterlag, dass ich ein Leben in seinem Schatten führte.

Die Küchenarbeit ist erledigt, ich wische noch die Spüle blank, dann hole ich eine Flasche Weißwein aus dem Kühlschrank und schiebe Siegfried einen Stuhl zurecht. Ich weiß, dass er lieber Rotwein trinkt, aber das will ich unbedingt vergessen haben. Als er mich nicht daran erinnert und ich ihm eingieße, schäme ich mich für meine kleinlichen Gedanken.

Total erbärmlich, Elena! Franziska ist nicht mit mir zufrieden. *Was hast du nur aus mir gemacht?*

Wie kann ich Siegfried vorwerfen, dass er seine Frau zurückholen will? Es stimmt, was Kathy gesagt hat, ich muss anerkennen, dass er sich ein Jahr in Geduld geübt hat. Wenn er nun eine Entscheidung von mir fordert, ist das sein gutes Recht.

Wir prosten uns zu, dann sagt Siegfried: »Meine Koffer stehen noch draußen auf dem Hof.«

»Keine Sorge, hier wird nichts gestohlen. Außerdem habe ich einen Hund, der darauf aufpasst.«

»Der fiepende Welpe, der nicht mal bellen kann?« Er sagt es nicht geringschätzig, deswegen kann ich lachen.

»Ich habe ihn noch nicht lange. Ein Geburtstagsgeschenk.«

»Ich habe auch ein Geschenk für dich.« Siegfried zieht ein bunt beklebtes Buch aus der Fototasche, die er mit in die Küche genommen hat. Auf dem Einband lachen mich die Gesichter meiner Angehörigen an. Wortlos blättert er das Buch auf und legt es mir vor. Ein ganzes Jahr ist dort dokumentiert. Das Jahr in Bildern, das ich nicht zu Hause verbracht habe. Es beginnt mit den Fotos von meinem fünfzigsten Geburtstag, sogar ein Foto des Wohnmobils ist dabei. Dann Friederike in ihrer fortgeschrittenen Schwangerschaft, Udo, der stolz den Bauch seiner Frau umarmt, Weihnachten mit einem Baum, der noch größer ist als sonst, aber noch genauso geschmückt ist, Maximilians Geburt am Tag vor Silvester. Dann viele Bilder des Neugeborenen und einige von der Party, die der frischgebackene Großvater gegeben hat. All unsere Freunde waren gekommen, die Nachbarn, die Mitarbeiter der Kanzlei.

Ich fühle mich, als wäre ich nicht eingeladen gewesen, als könnte ich deswegen beleidigt sein. Und ich gebe mir große Mühe, mir nicht anmerken zu lassen, wie nah es mir geht, mit meinem alten Leben konfrontiert zu werden.

Wahrscheinlich klingt es barsch, als ich Siegfried frage: »Wie lange willst du bleiben? Heute ist ein Zimmer frei, aber morgen kommen neue Gäste, dann ist die ›Locanda Tedesca‹ ausgebucht.«

Er sieht mich an, als hätte ich ihn gebeten, unter der nächsten Brücke zu schlafen. »Ist in deiner Wohnung kein Platz?«

Nun fällt es mir leicht, strikt zu reagieren. »Nein.«

»Ich bin dein Mann!«

Ich stehe auf und gehe zum Kühlschrank, weil der am weitesten von Siegfried entfernt ist. »So geht das nicht. Du kannst nicht nach einem Jahr hier auftauchen und so tun, als wäre alles beim Alten.«

»Dass ich nicht schon früher hier auftauchen konnte, ist nicht meine Schuld.«

»Ich brauche Zeit.«

»Ein Jahr ist genug Zeit! Du denkst nur an dich. So warst du früher nicht.«

Nein, so war ich früher nicht, Siegfried hat recht. Früher hatte ich auch keinen Mut. Aber mir ist bewusst, dass mein Mut noch immer voller Angst ist, dass er noch immer nicht so weit reicht, mich zu entscheiden. Ich liebe die Toskana, ich liebe dieses Leben, ich liebe Adam … aber der Gedanke, mich endgültig von meiner Familie zu trennen, ist nach wie vor unerträglich.

Siegfried will mir weismachen, dass er auch bereit wäre, auf dem Sofa im Wohnzimmer zu nächtigen, aber ich glaube ihm kein Wort. Früher war es ihm leichtgefallen, mir seinen Willen aufzuzwingen, er wusste, dass ich schnell nachgeben würde, wenn er nur eisern auf seiner Meinung beharrte. Aber diese Zeit ist vorbei. Am besten, ich mache es ihm noch heute klar. »Du kannst im Wohnmobil schlafen.«

Es fällt ihm schwer, diesen Vorschlag als Unzumutbarkeit abzutun. Schließlich hat er vor mehr als einem Jahr behauptet, dass er sich nichts Schöneres vorstellen kann, als mit mir durch die Lande zu fahren und mal an diesem, mal an jenem

Ort zu übernachten. Da kann er jetzt nicht so tun, als käme das Bett im Wohnmobil einer Gefängnispritsche gleich.

Um es mir einfacher zu machen, ziehe ich noch eine kleine Giftspritze auf: »Beim Einschlafen kannst du ja mal über das nachdenken, was du am Tag vor meinem Geburtstag zu jemandem am Telefon gesagt hast.«

Siegfried starrt mich an, als spräche ich Chinesisch.

»Dass du es sein wirst, der das Ziel ansteuert«, helfe ich ihm auf die Sprünge. »Und dass du auch bestimmst, wann es losgehen wird. Du hast mir etwas geschenkt, was *du* haben wolltest. Ich hätte nur mitfahren dürfen. Dann, wenn *du* es wolltest, und zu einem Ziel, das von *dir* angesteuert wurde.«

Siegfried will mir einreden, dass ich etwas missverstanden habe, aber dann scheint sich eine kleine Erinnerung an ihn heranzuschleichen. Unwillig schüttelt er sie ab. »Du willst mir sagen, ich sei selber schuld daran, dass du abgehauen bist?«

Nein, so einfach wollte ich es mir nicht machen. Aber dass Siegfried in den folgenden Stunden über diesen Aspekt nachdenkt, kann nicht schaden.

»Ich wünsche dir eine angenehme Nacht in meinem Wohnmobil.«

»Also gut.« Er fügt sich schnell, zu schnell für meinen Geschmack, geht auf die Tür des Wohnmobils zu und wartet dort geduldig, bis ich mit dem Schlüssel ankomme. Seine Nachgiebigkeit bedeutet, dass er sehr optimistisch ist, die Dinge in Kürze nach seinem Willen zu verändern. Ich muss aufpassen. Und ich muss so bald wie möglich mit Adam reden. Am liebsten würde ich sofort zu ihm laufen, um ihn auf die neuen Verhältnisse in der »Locanda Tedesca« vorzubereiten. Aber erstens bin ich zu müde, und zweitens fürchte ich, dass Siegfried mitbekommen würde, was ich vorhabe. Er soll sich nicht für so wichtig halten, dass ich wegen seines Erscheinens mitten in der Nacht den Weg durch die Weinberge nehme, um meinen Geliebten zu warnen. Nein, ich werde mit ihm umgehen wie mit einem Feriengast. Mehr kann er nicht von mir erwarten. Wer hier einfach hereinplatzt, darf nicht auf eine Sonderbehandlung hoffen. Auch dann nicht, wenn er mein Ehemann ist!

Ich stehe noch eine Weile am Fenster meines Apartments und betrachte das Wohnmobil. Erstaunlich, dass es noch so aussieht wie vorher. Dabei steht es jetzt nicht mehr da wie die Verkörperung eines Wagnisses, sondern wie ein ganz normales Wohnmobil, in dem jemand übernachtet.

Was plant Siegfried? Welche Strategie verfolgt er, damit ich erkenne, dass es Zeit wird, nach Düsseldorf zurückzukehren? Er wird viele gute Argumente im Gepäck haben. Werde ich ihnen widerstehen können? Und vor allem: Werde ich es am Ende überhaupt noch wollen? Oder schaue ich dann auch wie er mit herabgezogenen Mundwinkeln auf das, was zur »Locanda Tedesca« gehört? Ich habe meinen Mann sehr genau beobachtet, als ich ihm nach seiner Ankunft meine Wohnung zeigte, was ich eigentlich nicht wollte. Nicht gleich am ersten Abend. Aber er folgte mir einfach mit der Selbstverständlichkeit des Ehemannes, als ich Bettzeug für ihn holte.

Er sagte: »Sehr gemütlich«, aber mir war klar, dass er etwas ganz anderes meinte.

Etwa vierzig Quadratmeter gehören mir. Gut zweihundert waren es in Düsseldorf. Dividierte man sie allerdings durch einen Ehemann, zwei Söhne, die zwar nicht mehr daheim wohnten, aber gern zu den Mahlzeiten erschienen, eine Tochter, die jedes Problem dort ablud, und einen Schwiegersohn, der stets unangemeldet aufzutauchen pflegte, dann waren für mich nicht einmal vierzig Quadratmeter übrig. Und das, was mir blieb, hatte keine Tür, die abzuschließen war, und kein Türschild mit meinem Namen.

Franziska sitzt in einer stillen Ecke meines Herzens und heult. *Kaum taucht er hier auf, geht das Theater von vorne los! Sag mir rechtzeitig Bescheid, wenn du mir kündigen willst. Ich gehe vorher freiwillig.*

Ja, Siegfrieds Herablassung hat mir wehgetan, wenn er sich auch bemühte, sie mich nicht merken zu lassen. Und die Sicherheit in seinen Augenwinkeln, dass ich es hier nicht lange aushalten würde, auch. Kein einziges Designerstück! Nichts als ein Sammelsurium von ausgedienten Möbelstücken, die Cora so gut es ging zu einer Einrichtung zusammengefügt hatte. Mittlerweile steht ein großer, geblümter Divan auf dem roten Ziegelfußboden und im Schlafzimmer ein riesiges Messingbett. Auch ein paar hübsche Accessoires schmücken jetzt die beiden Räume. Aber der kleine wackelige Tisch vor dem Sofa ist geblieben, ebenso der große, dunkle Schrank, der sich neben der Küchenzeile aufgebaut hat, als wäre er dort abgestellt und dann vergessen worden. Und der alte Esstisch ist auch noch da, mit seinen drei verschnörkelten Beinen und einem vierten, das Signor Rondinone aus dem unerschöpflichen Schatz seiner Werkstattkuriositäten zur Verfügung gestellt hatte, nachdem das vierte Tischbein aufgrund akuten Holzwurmbefalls amputiert werden musste. Außerdem die beiden Stühle, deren grüne Veloursitzflächen von Tag zu Tag mehr von den Spiralen verraten, die das Knarren verursachen, das jeden erschreckt, der auf ihnen Platz nimmt. Und eine der drei Platten des Elektroherdes funktioniert immer noch nicht.

Dieses Apartment beherbergt kein einziges Teil der zweckmäßigen, formschönen, anbau- und erweiterungsfähigen Interlübke-Serien, keinen Wassily Chair und nichts, was Le Corbusier oder Wagenfeld entworfen hat.

Ich gehe unter die Dusche und würde, wenn ich nicht so müde wäre, stundenlang duschen, um mir diesen Abend abzuwaschen. Viele Gedanken huschen durch meinen Kopf, die von Siegfrieds heruntergezogenen Mundwinkeln angestoßen worden sind. Wenn Cora nicht zurückkehrt, kann ich ihre große Wohnung beziehen und dieses Apartment an Gäste vermieten. Oder Cora kann es mit Ulrich bewohnen, wenn sie zu Besuch kommt. Oder …

Ich stelle die Dusche ab und hülle mich in ein riesiges Badetuch. Oder der neue Besitzer kann es verwenden, wie er möchte. Aber dann fällt mir Adam ein und gleichzeitig Gott sei Dank die Möglichkeit, ihn in dieses Apartment einziehen zu lassen, wenn er sein Haus tatsächlich nicht mehr halten kann. Adam! Ich muss versuchen, vor dem Einschlafen nur an ihn zu denken.

So schnell wie möglich verkrieche ich mich in mein Bett und stelle fest, dass ich mich vor dem nächsten Tag fürchte. Selbst als ich den Entschluss fasste, die heruntergekommene »Locanda Tedesca« auf Vordermann zu bringen, und bereits einen Vorgeschmack von italienischer Oberflächlichkeit und südländischen Machos bekommen hatte, die den Anweisungen einer Frau nicht trauten, habe ich mich nicht derart vor dem nächsten Tag gefürchtet.

Vom Parkplatz des Wein- und Olivenhändlers ist der Blick auf Montepulciano besonders eindrucksvoll. Die Stadt schmiegt sich auf ihren Hügel, ohne aus ihm hochzuragen, sie erhebt sich wie eine Bastion, hat jedoch alles Wehrhafte mit Grün umschlossen. Montepulciano ist ganz Teil seiner Landschaft. Würden die Bäume bis an die Spitze des höchsten Turms ragen, wäre die Stadt nicht verschlungen, sondern nur in ihrer Form bestätigt worden.

Obwohl mir das Bild längst vertraut ist, genieße ich es immer wieder aufs Neue. Denn es ist immer wieder neu, dieses Bild, immer wieder ein Angebot, das man nicht umhinkann anzunehmen. Und doch immer wieder das alte. Montepulciano zeigt, was die Toskana ist: eine Landschaft wie ein Liebeslied, das in keiner einzigen Strophe das Geheimnis der Liebe verrät.

Jeder, der die Toskana kennt, liebt das Licht. Besonders die Künstler, Maler und Fotografen, die nur wegen des Lichts herkommen. Es lässt sich nie genau sagen, wann es an Klarheit verliert und den Weichzeichner annimmt, den die Fotografen zu schätzen wissen, seit sie immer öfter gezwungen sind, Menschen nicht so abzulichten, wie sie sind, sondern wie sie sein möchten oder waren. Natürlich hat es die Toskana nicht nötig, in einem günstigen Licht zu erscheinen, deswegen dient das weiche, schimmernde, abgründige, behütende und gütige Licht auch nie dazu, die Wirkung zu vergrößern oder zu veredeln. Nein, auch im Schleier seines Lichtes behält ein toskanisches Tal die scharfen Konturen und lässt nichts im sonnigen Dunst verloren gehen.

Wir steigen aus, obwohl Adam anzusehen ist, dass er am liebsten auf dem Beifahrersitz hocken bleiben und warten würde, bis ich mit den Oliven, dem Öl und dem Essig zurückkomme. Das unerwartete Zusammentreffen mit meinem Mann am Tag zuvor hat ihn mitgenommen, er ist fix und fertig.

»Ich bin genauso sauer, dass er hier einfach auftaucht, ohne sich anzumelden«, versichere ich ihm. »Aber es ist nun mal, wie es ist.«

»Was, wenn er nicht wieder wegfährt?«, jammert Adam.

»Das liegt nicht in seiner Macht. In der ›Locanda Tedesca‹ kann er nicht machen, was er will. Er ist daran gewöhnt, dass sich alles nach ihm richtet, aber ich werde ihm zeigen, dass er ein Gast wie jeder andere ist. Und wenn er sich nicht an die Regeln hält, werfe ich ihn raus.«

Natürlich hoffe ich inständig, dass es dazu nicht kommen wird, aber fest entschlossen bin ich dennoch, mir von Siegfried nicht das Heft aus der Hand nehmen zu lassen.

Ich greife nach Adams Hand und drücke sie, um ihm etwas von meiner Kraft zu geben, damit er sich vor Siegfrieds Übermacht schützen kann. »Nicht verzweifeln, Adam. Es wird alles gut gehen.«

Aber Adam hat den Schock noch längst nicht überwunden. Erst die Tatsache, dass er meinem Mann gegenüberstand, danach der Schreck, dass Siegfried ihn sehr misstrauisch betrachtete, so als durchschaute er gleich, welche Rolle Adam in meinem Leben spielte. Und dann noch die Kränkung, dass er keine Ahnung hatte, wer da vor ihm stand. »Adam Nocke? Schriftsteller? Nie gehört.«

»Er hält Krimis für Trivialliteratur«, klagt Adam. »Damit gibt er sich nicht ab. Er hat mich behandelt, als hielte ich mich mit dem Schreiben von Groschenromanen über Wasser.«

Ich winke ärgerlich ab. »Siegfried liest weder Trivial- noch sonstige Literatur. Er ist ein Lesemuffel. Deshalb kennt er deinen Namen nicht. Möglich aber auch, dass er ihn sehr wohl kennt und es ihm nur darum ging, dich herabzuwürdigen. Anscheinend ist es ihm gelungen.«

»Er hat mir übel genommen, dass ich dich auf deiner Einkaufstour begleite.« Adam wäre zwar heilfroh, wenn Siegfried sich noch heute zur Weiterfahrt entschlösse, aber dass ich ihn unhöflich behandle, kann er trotzdem nur schwer ertragen.

»Nein, *mir* hat er übel genommen, dass ich auf seine Gesellschaft beim Einkaufen keinen Wert lege, dass ich lieber *dich* dabeihabe.«

»Du nimmst mich auch sonst nie mit.«

»Aber heute! Wie und wo sollen wir sonst in Ruhe miteinander reden? In der Locanda wird Siegfried ständig in unserer Nähe sein.« Ich beuge mich über den Schalthebel und küsse Adams Nasenspitze. »Außerdem wolltest du mir erzählen, welche Ideen dir letzte Nacht gekommen sind.«

Aber Adam will selbst davon nichts hören. »Ich soll ein

Buch schreiben, in dem dein Mann seinen Rivalen umbringt? Völlig unmöglich! Nicht jetzt, da ich ihn kenne!«

»Er weiß es doch nicht. Nenn ihn Oskar oder Julius, und er kommt nicht im Traum auf die Idee, dass er gemeint ist. Ohnehin wird er das Buch nie lesen. Ich habe dir doch gesagt, dass er ein Lesemuffel ist.«

Adam muss auf andere Gedanken gebracht werden. Als er eine halbe Stunde später zwei Fässer mit Oliven, eine Kiste Olivenöl und mehrere Essigflaschen in den Bulli geladen hat, geht es ihm schon besser.

»Jetzt fahren wir nach Montepulciano und kaufen Schinken und Salami.« Ich schwinge mich voller Tatendrang hinters Steuer. »Und dann gehen wir dort noch essen, genehmigen uns am Nachmittag ein leckeres Eis und anschließend noch einen Espresso. Siegfried kann warten. Wenn wir das ab heute täglich machen, wird ihn dieser Besuch bald langweilen.«

Adam erkennt natürlich, dass ich ihm Mut machen will, obwohl ich selber Aufmunterung gebrauchen könnte, und gibt sich nun Mühe, genauso optimistisch dreinzuschauen wie ich. Aber das Zitat, das prompt folgt, verrät anderes: »Die Liebe hat nun einmal dieses Übel, dass Krieg und Frieden immer wechseln.«

Unsere Laune hebt sich trotz Krieg und Frieden, als wir auf dem großen Parkplatz vor den Toren der Stadt auf Anhieb einen Platz für den Bulli finden. Wie immer betreten wir Montepulciano durch das Wiesentor und gehen den Corso entlang, eine steil ansteigende Straße, die den ganzen Ort von einem Ende zum anderen durchläuft. Links und rechts gibt es viele Händler, die außer Wein, Oliven und Öl auch Schinken, Salami und Pesto anbieten. Wir probieren überall und lassen uns Zeit zu wählen. Dann erst entscheiden wir uns für den Händler, bei dem ich immer einkaufe. Anschließend lassen wir uns in der Trattoria »Il Marzocco« nieder, wo wir Ravioli in Salbeibutter bestellen.

Adam lebt nun merklich auf, aber über seine Buchidee will er immer noch nicht sprechen. Es ist, als säße Siegfried mit uns am Tisch und könnte uns verbieten, das unziemliche Verhalten seiner Ehefrau, das sein komplettes Familienleben durcheinandergebracht hat, zu einem Krimi zu verarbeiten.

Ich lasse die Ravioli in der Salbeibutter von den Zähnen bis zum Gaumen und wieder zurückschwimmen. »Lecker!«

Adam zückt seinen Kugelschreiber, den er immer und überall bei sich trägt, weil ihm ja eine gute Idee kommen könnte, die schriftlich festgehalten werden muss. Etwas Ähnliches erwartet er zwar im Augenblick nicht, aber er holt den Kugelschreiber auch dann hervor, wenn er nervös ist und etwas braucht, was er hin und her bewegen kann, um sich selbst zu beruhigen und alle anderen in seiner Umgebung nervös zu machen. Der Kuli ist von elegantem Schwarz, darauf steht in silbernen Buchstaben: Kaiser-Verlag. Kein Stift, den Charlot Kaiser als Give-away auf der Buchmesse verteilte, nein, ein teures Schreibgerät, das ihre Bestsellerautoren und die hoffnungsvollen Debütanten erhielten.

»Wichtig ist jetzt nur eins, Adam«, fange ich wieder an. »Siegfried darf nicht erfahren, dass ich Mitinhaberin der ›Locanda Tedesca‹ bin. Das Erbe meiner Mutter war nicht groß. Er könnte an den Fingern einer Hand abzählen, dass ich zu Geld gekommen sein muss. Er darf nichts von den achthunderttausend Euro wissen. Er hätte mich in der Hand, wenn ich ihm gestehen müsste, wo ich das Geld gefunden habe.« Ich mache Adam darauf aufmerksam, dass er auf dem besten Weg ist, den Kugelschreiber statt der Ravioli zu verzehren, dann fahre ich fort: »Wir müssen auch Gabriella warnen. Und Signor Rondinone.«

Adam versteht endlich. »Was ist mit den Gästen? Weiß jemand, dass dir ein Teil der Locanda gehört?«

»Die halten mich für die Chefin, und das stimmt ja auch.

Ich habe Siegfried gesagt, die Inhaberin sei nicht da und habe mich zu ihrer Vertreterin gemacht. Zum Glück spricht nur Gabriella Deutsch, die anderen Zimmermädchen können nicht mit Siegfried reden.«

Ich grinse einem Ravioli ins teigige Antlitz, bevor ich hineinbeiße. So was erzeugt Stärke. Ravioli für Ravioli wird von mir besiegt! Wenn ich derart langsam esse, bin ich etwa gleichzeitig mit Adam fertig, der über das Reden und Sinnieren immer das Essen vergisst.

Zum Espresso gönnen wir uns einen Grappa, und da er unsere Laune aufhellt, bestellen wir gleich einen zweiten. Adam behauptet, dass aller guten Dinge drei wären, aber ich will meinen Führerschein nicht riskieren und lehne ab.

Während Adam seinen dritten Grappa trinkt, erinnere ich ihn daran, dass wir geplant haben, am nächsten Tag nach Monticchiello zu fahren. »Wenn Siegfried mitkommen will, sagen wir ihm, die Vorstellung wäre längst ausverkauft.«

Zehn Monate liegt das kleine Bergdorf im Dornröschenschlaf, aber im Juli und August eines jeden Jahres kommt seine große Stunde. Monticchiello führt ein Theaterstück auf. In den Wintermonaten üben die Bauern und ihre Familien ein selbst verfasstes Stück ein, das auf der winzigen Piazza zur Aufführung kommt. Immer wieder ein großartiges Spektakel! Cora versäumte es nie, und ich war im letzten Jahr, als ich das erste Mal unter den Zuschauern saß, genauso begeistert wie sie. Es war weniger das Stück, das mich einnahm, sondern vielmehr die gesamte Atmosphäre. Ich liebe Monticchiello zu jeder Jahreszeit, aber zu der Zeit, in der die Theateraufführungen stattfinden, ganz besonders.

»Du willst deinen Mann schon wieder allein lassen?«, fragt Adam, der niemals eine solche Unhöflichkeit fertigbringen würde. »Wie soll er sich denn unterhalten? Er kann nicht mal Sightseeing machen, so ganz ohne Auto.«

»Ist das mein Problem?« Wir stehen auf, und ich nehme lachend Adams Hand, dann entscheiden wir uns jedoch anders und verteilen unsere Einkäufe auf beide Hände. »Was sage ich den Feriengästen, die sich darüber beklagen, dass es vor der ›Locanda Tedesca‹ keine Bushaltestelle gibt? Sie hätten sich vorher unseren Prospekt ansehen sollen. Dann hätten sie gewusst, dass man auf einen Leihwagen oder seine Füße angewiesen ist, wenn man ohne Auto anreist.«

Adam antwortet nicht. Ihm ist mein Grimm nicht ganz geheuer.

Den Mut, mit mir in die »Locanda Tedesca« zu kommen, brachte Adam nicht auf und ließ sich stattdessen feige vor seinem Haus absetzen, wo er keine Begegnung mit meinem Mann fürchten musste. Als ich den Bulli auf dem Hof parke, kommt Siegfrieds herrische Stimme aus der Tür. Gabriella scheint zu protestieren, aber es hört sich ganz so an, als wäre ihr Widerstand zwecklos.

Mein Bauch ist voller Wut, als ich auf den Eingang zugehe. Ich muss mich zwingen, den Gästen, die sich im Garten aufhalten, freundlich zuzulächeln. Hat Siegfried hier etwa schon das Ruder übernommen? Das sähe ihm ähnlich, dass er sich in der »Locanda Tedesca« aufspielt, als wäre er hier der Chef. Na, dem werde ich was erzählen! Das hier ist mein Leben! Nur meins!

Als ich die Küche betrete, hat Gabriella gerade die Waffen gestreckt. Wahrscheinlich hat sie die frustrierende Feststellung machen müssen, dass die Männer der deutschen Signora alle gleich sind: Sie lassen sich beide von ihrem wippenden Hintern und dem weiten Ausschnitt nicht beeinflussen. Jedenfalls nicht in Gabriellas Sinne. Sie hat das hübsche Näschen gründlich voll, denn Siegfried hat offenbar Unmenschliches von ihr verlangt. Die Vorratskammer war jedenfalls noch nie derart mustergültig aufgeräumt. In Gabriellas braunen Augen steht die Frage, ob dieser deutsche Herr eigentlich weisungsbefugt sei oder ob sie womöglich die ganze Plackerei ohne meine Zustimmung auf sich genommen habe.

Aber ich nicke ihr beruhigend und auch anerkennend zu. »Buono, Gabriella!«

Siegfried empfängt mich wie ein Feldherr, der gerade Ordnung in seine kämpfenden Truppen gebracht hat. »Es wird Zeit, dass hier mal ein Mann für Ordnung sorgt!«

Franziska flattert aufgeregt herum. *Gib's ihm! So was darfst du dir nicht sagen lassen! Dieser Macho!*

Sie hat natürlich recht. Aber als ich sehe, dass der wackelnde Stuhl fest auf seinen vier Beinen steht, dass der Griff am Küchenschrank, den ich mehrmals täglich in der Hand halte, nun fest auf der Schranktür sitzt, schlucke ich jedes negative Gefühl herunter. Gabriella teilt mir vorwurfsvoll mit, dass der Besenstiel nun wieder fest sitze, somit wird sie dieses Arbeitsgerät morgen wieder in die Hand nehmen müssen, und Siegfried deutet siegessicher auf das Schlüsselbrett neben der Rezeption, auf dem gestern noch mehrere Haken fehlten, weswegen die Schlüssel, seit sie keinen festen Platz mehr hatten, ständig verloren gingen.

»Morgen nehme ich mir den Garten vor«, verkündet er. »Hast du noch gar nicht gemerkt, dass sich das Holzhaus, in dem du die Liegestühle aufbewahrst, nicht mehr abschließen lässt? Das Schloss muss dringend geölt werden.«

Einerseits ärgert mich seine Eigenmächtigkeit, andererseits fühle ich mich wie im Schlaraffenland, wenn endlich der gebratene Fasan vorbeikommt, auf den man lange gewartet hat. Meine Zeit ist knapp, seit ich die Locanda allein führe, ich bin froh, wenn das Wichtigste funktioniert, alles andere muss auf den Winter warten, wenn keine Gäste im Haus sind. Dass Siegfried sogar in Aussicht stellt, das Wohnmobil gründlich überholen zu lassen, macht mich dankbarer, als ich eigentlich sein will.

»Dein Zimmermädchen hat gesagt, du wärst hier die Chefin.« Siegfried sieht mich mit gekrauster Stirn an.

Ich bestätige seine Worte. »Ich habe dir doch erzählt, dass die Besitzerin sich zurzeit in Deutschland aufhält. Sie hat mich zu ihrer Vertreterin gemacht.«

»Bei Gabriella hörte es sich aber so an, als gehörte dir die Pension.«

»Was für ein Unsinn! Woher hätte ich denn das Geld nehmen sollen?«

Als Gabriella Feierabend gemacht hat und Ruhe eingekehrt ist, setzen wir uns wieder in die Küche, und diesmal bekommt Siegfried seinen Rotwein. Ich ahne, dass er lieber mit mir in mein Apartment gegangen wäre, aber noch ist es mir zu gefährlich, es mir mit Siegfried gemeinsam auf privatem Terrain gemütlich zu machen. Ich weiß immer noch nicht, was er vorhat, und das macht mich unsicher.

Adam hat darauf bestanden, dass ich ihn abhole. Als Erklärung führte er Goethe an, obwohl ich es mit seinen eigenen Worten sicherlich noch leichter verstanden hätte. »Ich habe Freunde gesehen, Geschwister, Liebende, Gatten, deren Verhältnis durch den Hinzutritt einer neuen Person ganz und gar verändert wurde.«

Im Klartext und ohne Goethe: Er will Siegfried am nächsten Tag so wenig wie möglich unter die Augen treten und hat Angst vor dem, was die Gegenwart meines Mannes bewirken könnte. Meine Angst ist nicht geringer! Aber mit dem Bulli darf ich den Weg durch die Weinberge nicht nehmen, es ist verboten, diese Strecke mit dem Auto zu befahren. Natürlich könnte ich es trotzdem tun, wie die meisten anderen auch. Aber der Weg ist sehr schmal und zerfurcht, die Schlaglöcher könnten dem alten Fahrgestell des Bullis zum Verhängnis werden, und vor wenigen Tagen ist der Weg sogar noch schmaler geworden. Da hat es nach einem Gewitterschauer einen Erdrutsch gegeben, der schon lange prophezeit worden war. Natürlich war trotz der drohenden Gefahr nichts unternommen worden, den Erdrutsch zu verhindern, und auch jetzt hat die italienische Ordnungsbehörde sich damit begnügt, ein Schild aufzustellen, das auf die Gefahr hinweist. Wer trotzdem diesen Weg befährt, ist eben selber schuld, und wer zu Fuß dort unterwegs ist, was mit keinem Schild verboten wird, muss sehen, wie er den Abhang wieder hochklettert, falls er dem Erdrutsch gefolgt ist und den Sturz überlebt hat.

Ich jedenfalls habe Angst, mich über das Fahrverbot hinwegzusetzen, obwohl ich nun eine weite Strecke zu Adams Haus zurücklegen muss, während der Fußweg nur kurz ist. Adam wäre schnell bei mir, und wir könnten im Hof der Locanda unseren Ausflug starten. Aber Adam will sich nicht noch einmal Siegfrieds kritischem Blick aussetzen. Das liegt wohl auch daran, dass er mit seinem Krimientwurf nun so weit ist, dass der betrogene Ehemann sich eine besonders perfide Art ausdenkt, seinen Nebenbuhler aus dem Weg zu schaffen. Das hemmt Adam. Den Ehemann der Fünfzigjährigen, die sich in ihr Wohnmobil setzt, ihre Familie verlässt und nach einem Jahr noch immer nicht zurückgekehrt ist, hätte er lieber nicht kennengelernt. Dann wäre es einfacher, ihm unzählige schlechte Charaktereigenschaften anzudichten und aus ihm einen Mann zu machen, den eine Frau einfach verlassen muss, wenn sie noch alle sieben Sinne beisammen hat. Von diesem Mann kritisch angesehen zu werden ist mehr, als Adam verkraften kann. Gleichzeitig ist ihm aufgegangen, dass er selbst die Vorlage für den italienischen Liebhaber der durchgebrannten Ehefrau bietet, sodass zu dem peinlich Berührten nun auch noch der gerechte Zorn des Opfers tritt. Gefühle, mit denen Adam nicht umgehen kann.

Wir sind kaum losgefahren, da lässt er mich an seinen Ideen teilhaben. »Der Ehemann hängt dem Geliebten einen Mord an.« Das druckst er heraus, als wäre es ihm unangenehm, Siegfried etwas so Schreckliches zu unterstellen.

»Wen soll er denn umgebracht haben?«

Adam beginnt mit einer Geschichte, die ich nicht verstehe, die mir konfus erscheint, die mir sogar unlogisch vorkommt. Ein Mord, der keinen Sinn macht, ein Ermittler, der mit Blindheit geschlagen ist, ein Opfer, das sich nicht wehrt, ein Verdächtiger, der sich nicht widersetzt. Aber ich will auf keinen Fall, dass Adam den Mut verliert und sich erneut kopfschüttelnd vor meine Tür setzt.

»Eine tolle Idee, Adam! Sicherlich musst du sie noch überarbeiten, aber der Ansatz ist großartig!«

Meine Stimme soll freudig erregt klingen, ich hoffe, es gelingt mir. Noch immer sehe ich an Adams Krimiidee nicht das Besondere, das, was sein Buch aus der Masse herausheben wird, was einen neuen Verleger überzeugen kann. Zwar ist der Name Adam Nocke bekannt, und seine Toskanakrimis haben eine treue Leserschaft, aber bisher hat er immer mit Charlots Hilfe dem Zeitgeist nachgespürt und ein brisantes Thema gefunden, das sich belletristisch oft ganz anders darstellte, aber letztlich immer ein Stück Information und auch Bewältigung bot. Und jetzt schnöde Eifersucht? Ich mache mir Sorgen, dass Adams Karriere sich in den Sinkflug begibt.

Er dagegen lässt sich seinen Optimismus nun nicht mehr austreiben. »Das Glück des Lebens besteht nicht darin, wenig oder keine Schwierigkeiten zu haben, sondern sie alle sieg- und glorreich zu überwinden«, zitiert er unbefangen.

Der Weg nach Monticchiello geht nach links von der Straße ab, die nach Montepulciano führt. Die Abzweigung liegt in einer Linkskurve, und das Straßenschild ist gänzlich überwuchert. Die Autoschlange, die in Italien nicht wie in Deutschland über die eng gewundenen Straßen kriecht, sondern wie ein Reptil mit Wadenkrämpfen purzelt, zuckt und zappelt, reagiert entsprechend überrascht, wenn ein Wagen dort abbiegt. Zwar verhält sich auch ein überraschter Italiener immer noch ziemlich geistesgegenwärtig, aber da es stets mehrere sein müssen, die zur selben Sekunde das Richtige tun, erscheint es angebracht, auf diesen Überraschungsmoment zu verzichten, wenn es irgend möglich ist. Ich setze den Blinker also früh, aber natürlich nicht so früh, dass jemand die ganze Blinkerei für einen lustigen Irrtum hält und genau in der Linkskurve zu einem Überholmanöver ansetzt. Als weiteren deutlichen Hinweis auf meine Absichten verringere ich das Tempo rechtzeitig, aber natürlich nicht so zeitig, dass jemand glauben könnte, mein armer alter Bulli habe Probleme mit der Überwindung der Steigung und wolle überholt werden, bevor er sein Leben aushaucht.

Trotzdem sind alle Autofahrer hinter dem Bulli und auch alle, die ihm entgegenkommen, verblüfft, als ich tatsächlich links abbiege, wo doch alle Welt, die diese Straße befährt, auf ihr bleibt, bis ein Ort oder zumindest ein Wein- oder Olivenhändler in Sicht ist.

Adam, der als Gegner der Motorisierung immer noch mit plötzlichem Gasgeben oder Bremsen zu erschrecken ist, fährt zusammen, als der Bulli sich schräg legt und mit quietschenden Reifen in die Schotterpiste einbiegt, die unmittelbar nach der Abzweigung steil abwärts führt. Bis dahin hat er auf seine Notizen gestarrt und wird in diesem Augenblick daran erinnert, dass er sich in einem benzingetriebenen Fahrzeug befindet. Aber er überwindet seinen Schreck sehr schnell, lehnt sich zurück und beschließt, die Fahrt zu genießen. Die Strecke, die vor uns liegt, ist besonders schön. Sie führt über schmale Straßen, an einsamen Gehöften vorbei, über Hügelketten, die eine atemberaubende Weite einfassen, durch Senken, die ausgefüllt sind mit Getreidefeldern, dann wieder in lichte Wälder, die ihren Vorhang immer weiter öffnen für das Tal, in dem die Äcker von Monticchiello liegen. Die Sonne steht über ihnen und scheint sie nicht loslassen zu wollen, obwohl sie bereits an Kraft verliert. Der Abend naht.

Die Häuser drängen sich auf einem Felsen zusammen, von einer hohen Mauer umschlossen, durch die ein Tor in das Dorf hineinführt. In grauer Vorzeit mag es vor unerwünschten Eindringlingen geschützt haben, heute ist es stets einladend geöffnet. Erst recht, seit Monticchiello den Tourismus entdeckt hat.

Ich steuere den Bulli an den Straßenrand, bevor ich auf den zypressengesäumten Serpentinen ins Tal fahre. An dieser Stelle halte ich immer an, um den Ausblick zu genießen. Und an dieser Stelle bin ich immer überzeugt davon, das Richtige getan zu haben, als ich das Wohnmobil nahm und gen Süden fuhr. Ich steige aus, um mir den Beweis zu holen, dass dieses Gefühl nach wie vor da ist. Ja, es ist noch da. Aber es wird von der Frage gestört, wie Siegfried die Zeit verbringen mag, in der er ohne mich in der »Locanda Tedesca« ist, was er dort ändern und womit er Gabriella schikanieren wird.

Monticchiello liegt scharf umrissen vor dem weich gezeichneten Tal. Der gewundene Zypressenlauf begibt sich in unnachahmlicher Würde hinab in die Felder, wo der Weg ohne Zypressen auskommen muss und im wogenden Getreide verschwindet. Dies ist so ein Augenblick, in dem die Schönheit derart überwältigend ist, dass ich mir wünsche, meiner Familie alles zu zeigen, was mich hier glücklich macht. Wer über einem Tal wie diesem steht, muss doch begreifen, was es bedeutet, einmal einen anderen Teil des Lebens zu überblicken. Vielleicht kann ich es Maximilian später erklären. Er wird den Zorn, die Enttäuschung und die Empörung der Zurückgebliebenen nur vom Hörensagen kennen und vielleicht bereit sein, mich zu verstehen.

Ich höre das Geräusch der Beifahrertür, spüre bald darauf Adams Nähe, seine Hand, die meine nimmt, und genieße seine Schweigsamkeit, die sich mit meiner verbindet. Er weiß, was mich beschäftigt, schon oft habe ich festgestellt, dass er meinen Gedanken nachspüren und meine Gefühle bis in den letzten Winkel meiner Seele verfolgen kann.

»Wir werden es schaffen«, sagt er leise. »Wenn du es willst.«

Ja, es kommt nur darauf an, was ich will. Dann kann alles ganz einfach sein.

»Warum ist er gekommen, Elena?« Adam beantwortet die Frage gleich selber: »Um dich zurückzuholen natürlich. Hat er schon eine diesbezügliche Forderung an dich gerichtet?«

Ich bin genauso schwarzseherisch wie er. »Es kann nicht mehr lange dauern. Er wird eine Entscheidung von mir verlangen.«

»Du sollst mit ihm nach Düsseldorf zurückkehren.«

Ich zucke hilflos die Schultern und antworte nicht, weil ich die Antwort, die Adam gern hören würde, einfach nicht geben kann. Ich schaffe es nicht.

»Verständlich, dass er das will«, flüstert Adam. »Er möchte dich wieder an seiner Seite haben. Lange hat er auf deine Entscheidung gewartet. Das musst du ihm hoch anrechnen.«

Ich ertrage es nicht, wenn Adam Verständnis für Siegfried aufbringt und sich sogar positiv über ihn äußert. Es wäre mir lieber, er zeigte seine Eifersucht, suchte Siegfrieds Charakter nach unangenehmen Zügen ab und bauschte sie auf zu widerwärtigen Eigenschaften. Aber Adam wäre nicht mein Adam, wenn er nicht versuchte, meinem Ehemann gerecht zu werden. Oder denkt er an seine eigenen Wünsche?

»Du möchtest auch, dass ich mich endlich entscheide?«

Adam nickt, macht keinen Versuch, diese Frage mit Edelmut zurückzuweisen. »Ja, ich möchte es auch. Aber vor allem möchte ich, dass du dich aus vollem Herzen entscheidest. Du sollst dich nicht gedrängt fühlen. Das führt nicht zu einer Entscheidung, die uns glücklich machen wird.«

Während der Wochen, in denen ein Theaterstück aufgeführt wird, das in diesem Jahr *Falci* heißt, ist in Monticchiello nichts wie vorher. Vom Tourismus noch weitgehend verschont oder missachtet – je nachdem, wie man das sehen will –, wird das Dörfchen Ende Juni vom Fieber erfasst. Schon in den Tagen vor der Premiere kommen die Touristen, um beim Aufbau der Bühne auf der winzigen Piazza zuzusehen.

Die Parkmöglichkeiten vor der Stadtmauer sind längst erschöpft, und auch die Straße, die sich den Felsen hinaufwindet, ist bereits mit Fahrzeugen gesäumt. Wir beschließen, den Bulli gleich unten, am Fuße von Monticchiello, stehen zu lassen, beim Kindergarten des Dorfes und bei den Häusern, die nicht mehr auf den Felsen passten oder sich nicht mit der Enge begnügen wollten, in der man dort oben lebt.

Obwohl die Aufführung erst in drei Stunden beginnt, ist Monticchiello schon voller Fremder. Das kleine Gartencafé »La Guardiola« vor der Stadtmauer bietet alles an Tischen und Stühlen auf, was die Besitzerin auftreiben konnte, und das Bistro direkt hinter der Mauer kann den Ansturm kaum bewältigen. Gleich links, hinter dem Tor, führt eine steile Treppe in den Gastraum von »La Porta«, der nicht mehr als drei Tische aufnehmen kann, und von dort über eine weitere, noch steilere Treppe auf eine Terrasse, die auf der Stadtmauer entstanden ist und das Haus überragt, zu dem sie gehört. Der Blick von hier ist atemberaubend.

Wir bestellen Crostini, und Adam verlangt, dass ich ihm möglichst viel von meiner Flucht erzähle. Ja, er nennt es Flucht, und manchmal gebe ich der Entscheidung, die ich am Tag nach meinem fünfzigsten Geburtstag getroffen habe, auch diesen Namen. Dann wieder nenne ich sie Aufbruch oder auch Befreiung, gelegentlich sogar die Grenze zwischen meinem alten und dem neuen Leben, ohne zu wissen, ob das neue Leben wieder zu meinem alten werden kann, oder das alte zu einem neuen, ob die Grenze irgendwann verwischen kann.

Adam jedenfalls spricht von Flucht. Und die Episode am Gardasee interessiert ihn besonders. »Der Ehemann muss etwas mit dem Geld zu tun haben«, erklärt er mir. »Ich möchte ihn übrigens Lorenz nennen. Bist du einverstanden?«

Ich zucke mit den Schultern und tue so, als wäre es mir völlig gleichgültig, welchen Vornamen der Mann bekommen soll, der sich Siegfried zum Vorbild nimmt. »Pass bloß auf, dass er ganz anders aussieht als mein Mann. Siegfried ist Anwalt. Der hängt dir eine Klage an, die sich gewaschen hat, wenn sein Persönlichkeitsrecht verletzt wird.«

Adams Blick, der gerade noch euphorisch war, wird prompt ängstlich. »Nein, nein, ich passe schon auf«, versichert er hastig. Dann geht sein Blick über die Landschaft, aber ich weiß, dass er den herrlichen Ausblick nicht würdigt. Er hat nur die Geschichte vor seinen Augen, die Geschichte der Fünfzigjährigen, die Knall auf Fall ihre Familie verlässt und nach Italien ausreißt, und die Geschichte des Ehemannes, der sich rächen will, sowohl an seiner Frau als auch an ihrem Liebhaber. So weit, so gut. Ich reiße mich von dem Ausblick los, denn die Crostini werden serviert. Sie schmecken köstlich. Dass Adam sie nicht anrührt, wundert mich nicht, er kann sich immer nur mit einer Sache befassen. Tiefschürfende Gespräche beim Essen sind nicht sein Ding, und essen, während er nachdenkt, kann er nicht.

»Das Geld, das Constanze Weidenfeld …«

»Wer ist das?«

»Die Fünfzigjährige! Oder gefällt dir der Name nicht?«

Auch hier winke ich ab. Es ist mir völlig egal, wie die

Frau heißen soll. Mir fällt sogar ein Zitat ein, und ich freue mich, dass ich Adam damit verblüffe. »Namen sind Schall und Rauch.« Verschmitzt grinse ich ihn an. »Ich kenne Goethe auch.«

Adam nimmt es wohlwollend zur Kenntnis, indem er unter den Tisch greift und mein Knie tätschelt, dann wendet er sich wieder seinem Stoff zu. »Also … das Geld, das sie im Wohnmobil findet, hat der Ehemann dort versteckt. Lorenz!«

»Warum?« Ich bin mit einem Mal alarmiert.

»Schwarzgeld! Wir hatten doch darüber gesprochen. Das Wohnmobil ist ein ideales Versteck. Es wird seiner Frau gehören, niemand wird dort viel Geld vermuten.« Er sieht unsicher in mein ablehnendes Gesicht. »Du bist doch sicher, dass dein Mann nichts mit den achthunderttausend Euro zu tun hat. Also kann es auch keine unerwünschten Ähnlichkeiten geben.«

Trotzdem! »Nein, nicht Schwarzgeld!«

»Warum nicht?«

»Was, wenn es doch Schwarzgeld ist? Du musst etwas anderes finden, Adam. Wenn Siegfried merkt, dass er in deinem Buch vorkommt, stehen wir in Nullkommanichts vor Gericht.«

Adam grinst. »Auch dann, wenn er dadurch bekennen muss, Schwarzgeld angenommen zu haben?«

Ich merke, dass mir ein Denkfehler unterlaufen ist. Aber das ändert nichts an meiner Sorge. »Siegfried ist schlau, und er kennt alle juristischen Tricks. Er wird dir das Leben zur Hölle machen, wenn er sich von dir angegriffen fühlt.«

Nun sieht Adam ängstlich aus. »Also gut, ich überlege mir was anderes.«

»Schwarzgeld«, murmle ich vor mich hin. Und noch einmal: »Schwarzgeld«, als könnte mir der Klang des Wortes zu einer Erkenntnis verhelfen.

Könnte es sein, dass Siegfried achthunderttausend Euro als

Honorar kassiert hat und es am Finanzamt vorbeischmuggeln wollte? Er könnte das Geld gebrauchen, der Verlust auf dem Aktienmarkt wäre wettgemacht. Aber wofür hätte ihm jemand ein derart gewaltiges Honorar zahlen sollen? Für die Unterstützung bei illegalen Geschäften? Wenn er dafür so viel Geld bekommen hat, darf Adam auf keinen Fall in seinem Buch von Schwarzgeld reden.

Sofort ärgere ich mich über meine eigenen Gedanken. Undenkbar, dass Siegfried viel Geld für betrügerische Machenschaften kassiert hat. So was tut Siegfried nicht. Okay, den Erlös aus dem Verkauf des Ferienhauses unversteuert nach Luxemburg oder in die Schweiz zu bringen, das hätte ich ihm zugetraut. Aber Betrügereien? Nein, so was würde er niemals tun.

»Was macht Lorenz eigentlich beruflich? Mach bloß keinen Rechtsanwalt aus ihm. Immobilienmakler, Bauunternehmer, Großhändler … so was geht. Wenn ich auch glaube, dass Siegfried nichts mit dem Geld zu tun hat. Dass er nichts damit zu tun haben kann.« Ich betonte das letzte Wort, um meine Gedanken damit abzuschließen. Was soll meine Sorge? Ich weiß doch, dass die Ähnlichkeit mit lebenden Personen, mit Siegfried, nicht einmal zufällig, sondern absolut unmöglich ist, wenn es um kriminelle Handlungen geht!

Adam macht sich eifrig Notizen, während ich zu Ende esse. Dann legt er den Stift zur Seite, sieht verwundert auf meinen leeren Teller und scheint sich zu fragen, wo die Crostini geblieben sind, die vor einer Stunde noch dort lagen. Nun begreift er, dass er mal wieder Zeit und Raum für eine andere Sache als die naheliegende verbraucht hat. Wenn er diesen verwirrten Blick aufsetzt, in den nur langsam das Verstehen steigt, liebe ich ihn besonders. Ein einfältiger Mann würde in solchen Augenblicken nur noch einfältiger, ein intelligenter Mann wie Adam ist dann so liebenswert, dass mein Herz überschwappt. Und wenn er darüber hinaus so attraktiv ist, muss ich an mich halten, ihm nicht zu sagen, wie gut er aussieht. Denn das Attraktivste an ihm ist, dass er keine Ahnung hat, wie anziehend er auf Frauen wirkt. Gerade das macht ihn unwiderstehlich. In Talkshows lassen sich die Moderatorinnen manchmal zu entsprechenden Bemerkungen verleiten, in Zeitungsartikeln wird gelegentlich von seinem urbanen Charme gesprochen, aber zum Glück quittiert Adam solche Beurteilungen nur mit einem verständnislosen Kopfschütteln und ist davon überzeugt, dass alle Leute, die behaupten, er sähe gut aus, sich irren müssen.

Ich werfe einen Blick auf die Menschen, die bis eben noch vor dem Tor gestanden haben, das nach Monticchiello hineinführt, und sich mit den einheimischen Darstellern des Spettacolos unterhalten haben. »Wir sollten nicht mehr lange warten, damit wir einen guten Platz bekommen«, ermahne ich Adam.

Er legt den Stift zur Seite, steckt seinen Notizblock weg und widmet sich seinen Crostini, dankbar, dass er nun nicht mehr Gefahr läuft, neben dem Zuhören und Notieren das Hineinbeißen und Kauen zu vergessen. Adam ist es ein Rätsel, wie manche Leute es fertigbringen zu essen, zu diskutieren, fernzusehen, ein Telefongespräch zu führen und gleichzeitig noch einen Streit mit dem Tischnachbarn vom Zaun zu brechen. Für ihn ein Ding der Unmöglichkeit.

Ich kann ihn betrachten, während er isst, ohne dass es ihm auffällt. Mein geliebter Adam! Wann wird Siegfried merken, was er mir bedeutet? Adam selbst will unbedingt, dass Siegfried ahnungslos bleibt, seine Gedanken kreisen ja zurzeit um Eifersucht und Mord am Rivalen. Das hat ihm vor Augen geführt, was geschehen kann, wenn man sich in eine verheiratete Frau verliebt. Aber ich weiß, dass Siegfried auf den ersten Blick gesehen hat, was Adam und mich verbindet. Wie wird er darauf reagieren, dass ich nicht nur mit dem Wohnmobil abgehauen, sondern sogar ein Verhältnis mit einem attraktiven Schriftsteller eingegangen bin, dessen Bücher in Deutschland in allen Buchhandlungen liegen? Diese Frage spreche ich nicht laut aus. Sie hat mich schon in der vergangenen Nacht bedrängt, sie quält mich nach wie vor. Die Tatsache, dass Siegfried sich nicht zu der Beziehung zwischen Adam und mir geäußert hat, darf mich nicht beruhigen. Im Gegenteil! Wenn Siegfried schweigt, plant er etwas. Und wenn er etwas plant, muss man auf der Hut sein.

Wir zahlen und machen uns auf den Weg zur Piazza, die mit einer Holzbühne beinahe vollständig ausgekleidet ist. Sie bildet exakt die Form des Platzes nach, hat jeden Hausvorsprung eingekerbt und jeden Hof angeschnitten. Auf ihrem Rand, rund um die gesamte Piazza, stehen ungefähr zweihundert Stühle. Nur ein schmaler, hoher Steg führt aus dem Keller des Lebensmittelhändlers, in dem sich der Umkleideraum befindet, auf die Bühne und wieder zurück. Wir finden einen guten Platz in der Nähe des Steges, von dem aus wir auch einen guten Blick auf die Bühne haben.

Das Spiel, in dem die Bevölkerung von Monticchiello ihr Leben darstellt, beginnt. Adam ist umgehend fasziniert von den Laiendarstellern, die von Jahr zu Jahr ihr Können gesteigert haben. Er trennt sich von dem Gedanken an einen mordenden Ehemann und komplizenhaften Polizisten und verfolgt jeden Dialog mit der ihm eigenen Aufmerksamkeit, während es mir schwerfällt, mich auf das Stück zu konzentrieren. Auch deswegen, weil mein Italienisch noch nicht flüssig genug ist, um all das Lyrische zu verstehen, das in den Texten steckt. Mich interessiert mit einem Mal nur noch die Frage, ob Siegfried damit gerechnet hat, dass er in der Toskana einen Liebhaber seiner Frau vorfindet. Daheim, in Düsseldorf, hat er ja gern so getan, als müsse eine Frau über fünfzig froh sein, wenn sie noch zur Kenntnis genommen wird. Und dass er dann jedes Mal lachte und vorsichtshalber ergänzte, er habe nur einen Scherz machen wollen, hat mich nie besänftigt. Wie mag er reagieren, wenn ihm klar wird, dass er mich nicht nur von der Locanda, von meiner Selbstständigkeit, von meiner Aufgabe, wenn er sie auch noch so verächtlich betrachtet, sondern auch von einem Liebhaber trennen muss? Und wenn er sich fragt, ob ein Enkelkind die Waagschale nach unten drückt oder ob meine Liebe zu Adam ein größeres Gewicht hat, zu welcher Ansicht wird er dann kommen?

Der Hügel liegt verlassen da, als wir zurückkehren. Nur ein Licht ist oben auf dem Weinberg hinter den Büschen zu erkennen. Es verschwindet, wo die Bäume dichter werden, taucht zitternd wieder auf, sobald sie sich lichten, und steht schließlich wie ein Stern am Ende des Weges.

»Adam, du hast vergessen, in der Küche das Licht auszuknipsen.«

Adam ist noch damit beschäftigt, mir das Stück zu erklären, das wir gesehen haben, und lässt sich in seinen Ausführungen nicht unterbrechen. Er verblüfft mich mit Metaphern, die ich nicht erkannt habe, hat Sinnbilder entdeckt und viele Antworten auf Fragen, die niemand gestellt hat, die aber angeblich im Raum standen respektive über der Piazza hingen.

»Vielleicht auch nur deshalb, weil die Frage nach dem Sinn des Lebens, dem Sinn der Arbeit, der Fortpflanzung und der Hoffnung eben ständig über uns schwebt.«

Adam hat aus der simplen Feststellung des Hauptdarstellers, die Sichel sei stumpf geworden, die allumfassende Weisheit abgeleitet, dass nichts so bleibt, wie es ist, dass die Arbeit insgesamt an Wert verliert, dass der Mut der arbeitenden Bevölkerung sinkt, dass es keinen Sinn mehr zu haben scheint, die Traditionen zu pflegen, dass durch die Technisierung das

Individuum in der Masse untergeht und jede Individualisierung die Masse zwar bloßstellt, aber ihr auch zum Siege verhilft. »Und dabei«, ergänzt er und schaut genauso tiefsinnig drein wie der Hauptdarsteller, »hat Alfred Krupp noch Mitte des neunzehnten Jahrhunderts gesagt, dass der Zweck der Arbeit das Gemeinwohl sein muss. Das jedenfalls haben die Autoren heute mit dem Bedauern über die stumpfe Sichel klar widerlegt.«

»Du hast vergessen, das Licht zu löschen«, wiederhole ich, und Adam kehrt endlich in die Realität zurück. Sogar bemerkenswert schnell.

»Kann nicht sein«, sagt er sehr bestimmt. »Es war heller Tag, als wir aufgebrochen sind. Also brannte kein Licht. Somit kann ich auch nicht vergessen haben, es zu löschen.«

Trotz dieser Logik zweifle ich zunächst an Adams Aussage. Aber die Stimmen, die schon zu hören sind, bevor wir Adams Haustür öffnen, belehren mich eines Besseren. Zwei Frauenstimmen, die Italienisch sprechen, schnell und laut. Also hat tatsächlich nicht Adam, sondern jemand anderes das Licht eingeschaltet.

Eine der Stimmen gehört Signora Curti, die andere einem jungen Mädchen, das am Küchentisch sitzt, vor sich ein Glas Wasser, und Adam erwartungsvoll entgegensieht. Sie ist etwa sechzehn Jahre alt, steckt in zerschlissenen Jeans, die trotzdem ihren hohen Preis verraten, und einem verblichenen, ausgeleierten T-Shirt von Marc Cain. Mit einer lässigen Handbewegung nimmt sie eine glatte blonde Haarsträhne aus ihrem Gesicht. Eine Gardine, die sofort wieder zufällt, aber anscheinend ausreichend Aus- und Einblick gewährt hat. »Ciao, Adam«, sagt sie.

Und Signora Curti radebrecht in Adams verständnisloses Gesicht: »Sie sagen, sie Ihre Bambina.«

Signora Curti sieht aus, als warte sie nur auf Adams

Dementi. Andererseits haben die großen grauen Augen des Mädchens und das schmale Gesicht, das auch Adam besitzt, sie wohl zu einer vorsichtigen Behandlung der Angelegenheit bewogen. Und nun – nachdem der verehrte Dichter schon ein paarmal ihre Erwartungen nicht erfüllt hat – kommt der nächste schwere Schlag für Signora Curti.

Denn Adam sagt laut und deutlich: »Rebecca? Du?«

»Wurde Zeit, dass wir uns kennenlernen, oder?« Rebecca wechselt vom Italienischen ins Deutsche, was Signora Curti sichtlich bedauert. Anstalten, sich zu erheben und ihren Vater zu begrüßen, macht Rebecca nicht. »Zwar hat mir la Mamma einiges von dir erzählt, doch das klang alles nicht so, als müsste ich dir unbedingt näherkommen. Aber ist ja auch klar. Wer schwärmt schon von dem Kerl, der einen mit einem dicken Bauch sitzen ließ? Also wird es wohl Zeit, dass ich mir selbst ein Bild mache.« Sie lehnt sich mit einer Grandezza zurück, als wäre sie schon jahrelang im Showgeschäft, und wirft die blonden Haare mit einer Kopfbewegung nach hinten, die unnachahmlich ist. »Mit zehn habe ich übrigens das erste Buch von dir gelesen, danach auch alle anderen. Anschließend kam es mir so vor, als könntest du doch ein ganz brauchbarer Typ sein. Und in der *NDR Talk Show* fand ich dich sogar richtig witzig. Da hast du's dieser Schlagertussi … wie hieß sie doch gleich? Ist ja auch egal … Jedenfalls hast du's der ordentlich gegeben. War ja auch voll daneben, ihr Geträller als hohe Kunst zu bezeichnen. Ja, und als ich dann Stress mit la Mamma hatte …«

»La Mamma?« Adam wischt sich den Schweiß von der Stirn, dann lässt er sich ebenfalls am Küchentisch nieder, wo Signora Curti eisern ausharrt, obwohl sie von der in Deutsch geführten Unterhaltung nicht viel verstehen kann.

»Sie hat nun mal dieses Faible für alles Italienische.«

Ich ziehe mir einen Stuhl heran und setze mich dazu.

»Jedes Kindermädchen musste Italienerin sein. Was anderes kam nicht infrage, damit ich zweisprachig aufwachsen konnte. Ich glaube, ich hatte sieben oder acht, bevor ich ins Internat kam. In ein italienisches, claro. In Rom. Von da komme ich jetzt. La Mamma wollte tatsächlich, dass ich in den Ferien eine Nebenrolle in einem total dämlichen Fernsehfilm annehme. Sie will mich in diesen Filmscheiß reinziehen. Aber ohne mich! Ich will einen Beruf, in dem ich auch mit fünfzig noch klarkomme. La Mamma rennt schon seit ihrem vierzigsten Geburtstag vergeblich hinter guten Rollen her. Momentan ist sie auf jeder Produzentenparty zu sehen, aber die Rollen, die sie haben will, kriegt sie trotzdem nicht. No, no, nicht mit mir!« Rebecca wirft zum zehnten Male die Haare aus dem Gesicht, die ihr Sekunden später zum elften Male über die Augen fallen. »Ich will Schriftstellerin werden, so wie mein Vater. Vielleicht auch Drehbuchautorin. Aber das ist die äußerste Annäherung an Film und Fernsehen. Das habe ich la Mamma klipp und klar am Telefon gesagt. Und dass ich die Ferien woanders verbringen werde. Nicht in München bei ihr. Und erst recht nicht in einem Fernsehstudio. Wozu habe ich einen Vater in der Toskana? Ich habe la Mamma gesagt, dass ich zu dir trampen werde. Natürlich ist sie ausgerastet. Denn die Tochter von Marily Mattey könnte ja gekidnappt werden. Weil la Mamma nicht nur berühmt, sondern auch reich ist. Jedenfalls gibt es noch ein paar Leute, die das glauben. So ein Quatsch! Mich kennt doch sowieso keiner. Und wenn ich unterwegs bin, nenne ich mich Anja. Jedenfalls hatte ich keine Probleme, von Rom hierherzukommen.«

Adam sitzt da mit staunenden großen Augen, den Blick unverwandt auf dieses Kind gerichtet, das er höchstpersönlich gezeugt hat. Und mit dem Lächeln, das frischgebackene Väter tragen, wenn sie noch nicht wissen, dass auf eine glückliche Geburt unzählige durchwachte Nächte folgen, Tausende von

Windelpaketen, das Trotzalter, unerledigte Hausaufgaben, die Pubertät, jede Menge Kosten für Legosteine, ferngelenkte Autos, Barbiepuppen, Markenklamotten, Stereoanlagen, Mountainbikes …

»Von Chianciano bis zu deinem Haus hat mich ein Carabiniere gefahren. Das war ein heißer Typ. Zwar schon ziemlich alt – fünfzig oder so –, sah aber trotzdem noch total gut aus. Er war überrascht, als er hörte, dass du mein Vater bist. Er kennt dich gut, hat er gesagt.«

Adam zuckt zusammen. Er braucht eine Weile, bis er die sechzehn Jahre lange Reise von der Erkenntnis, Vater zu sein, bis zur Fleischwerdung seiner Zeugungskraft zurückgelegt hat.

»Stefano!«, stößt er hervor. »Er wird sich doch nicht an meine Tochter herangemacht haben! Zuzutrauen wäre es ihm!«

Peng! Die sechzehn Jahre lange Reise ist zurückgelegt. Adam ist in wenigen Minuten am Ziel angekommen und Vater eines hübschen Teenagers geworden, der unzähligen Versuchungen erliegen könnte. Entrüstet sieht er mich an, als sei ich schuld an Stefanos Anziehungskraft, weil ich ihr ein paarmal erlegen bin. Und Signora Curti folgt seinem Blick mit der gleichen Entrüstung, ohne genau verstanden zu haben, worum es geht. Aber natürlich weiß sie von meiner Affäre mit Stefano und nutzt die günstige Gelegenheit, ihre Missbilligung darüber auszudrücken.

Rebecca nimmt mich erst jetzt zur Kenntnis. »Sie sind die derzeitige Flamme meines Vaters?«, fragt sie erschreckend unbefangen. »Irgendwo habe ich gelesen, dass er mit seiner Verlegerin liiert ist. Aber la Mamma hat immer schon vermutet, dass er zwei Frauen hat. Eine in Deutschland und eine in Italien. Während er mit meiner Mutter zusammen war, hat er wohl auch eine Beziehung mit einer Italienerin gehabt. Deswegen dieses Haus in der Toskana. Und deswegen die Idee, Toskanakrimis zu schreiben. Auch noch, als die Italienerin ihn längst zum Teufel gejagt hatte.«

Ich drehe meinen Ring so, dass das Licht sich in seinem Stein spiegelt, setze mich bequem zurecht und stelle mich auf stundenlanges Zuhören ein. Mein argloser, unbeholfener Adam ein skrupelloser Ladykiller? Davon will ich mehr erfahren.

Auch Signora Curti sitzt plötzlich kerzengerade. Ob sie inzwischen doch mehr Deutsch versteht, als alle glauben? Jedenfalls sieht sie ganz so aus, als sei sie bereit, ein Küchenmesser zu zücken und die Ehre ihres deutschen Dichters zu verteidigen. Vielleicht hat sie mal von den menschlichen Schwächen Kafkas und Goethes gehört und will nun verhindern, dass in hundert Jahren auch von denen Adam Nockes öffentlich geredet wird!

Adam jedoch lässt weder Rebeccas kompromittierendes Geplauder noch meine Neugier und auch nicht Signora Curtis Schutz zu. Er erklärt das Gespräch kurzerhand für beendet und behauptet wider besseres Wissen, ein sechzehnjähriges Mädchen hätte um diese Zeit im Bett zu liegen. Über alles andere könne man sich morgen unterhalten.

Ich überlege mir noch, ob ich Adam in Gegenwart seiner Tochter einen Abschiedskuss geben darf, da fragt er: »Kannst du Rebeccas Mutter verständigen, Elena? Sie sollte wissen, dass ihre Tochter gesund bei mir angekommen ist.«

»Warum soll sie denn bei la Mamma anrufen?«, fragt Rebecca prompt und streicht eine Menge Pluspunkte von der Liste, über der »Adam Nocke« steht, als sie erfährt, dass ihr Vater ein kommunikationstechnisches Fossil ist. »Kein Telefon? Keine Mails? Kein Handy?« Rebecca ist fassungslos. Und dann ergänzt sie: »Natürlich habe ich ein Smartphone. Und wenn ich wollte, hätte ich la Mamma längst angerufen. Will ich aber nicht. Frühestens morgen!«

Adam folgt mir zum Bulli, während Signora Curti für Rebecca ein Bett richtet. »Was soll ich nur machen?«, jammert er. »Plötzlich soll ich für ein Kind sorgen. Ich weiß gar nicht, wie das geht…«

»Rebecca ist kein Baby mehr«, wehre ich ab, denn plötzlich habe ich das Gefühl, dass etwas Lästiges auf mich zukommen könnte. »Sie braucht nicht gewickelt zu werden und kann auch selbstständig ihre Nahrung aufnehmen. Freu dich, dass du sie endlich kennenlernen darfst.«

»Und das Exposé?«

Ich merke natürlich, dass dieses Exposé für Adams Angst steht, mit etwas Unbekanntem nicht fertigzuwerden. »Du wirst genug Zeit haben, dein Exposé zu schreiben.«

»Kannst du dich nicht um Rebecca kümmern?«

»Sie will ihren Vater kennenlernen, nicht dessen Geliebte.«

»Geliebte! Wie das klingt! Irgendwie anrüchig.« Adam grinst plötzlich, als gefiele ihm diese Bezeichnung doch besser, als er zuzugeben bereit ist. »Andererseits sollen Kinder ja schon früh an die Realitäten des Lebens gewöhnt werden.«

»Deine Tochter ist bereits an sie gewöhnt, da bin ich ziemlich sicher.«

»Wie meinst du das?«, fragt Adam und ist wieder nichts als ein Vater, der Angst hat, dass seiner Tochter Unrecht getan wird.

»Wart's nur ab.« Ich küsse ihn so leidenschaftlich, als wäre keine Sechzehnjährige in der Nähe. »Das Mädchen erscheint mir ausgesprochen lebenstüchtig.«

Ich sehe in den Rückspiegel, während ich losfahre, und stelle fest, dass Adam mir diesmal nicht nachwinkt, wie es seine Gewohnheit ist. Er eilt, kaum dass ich die Fahrertür zugezogen habe, ins Haus zurück, zu seiner Tochter, als müsse er unverzüglich so viel wie möglich von dem nachholen, was er in sechzehn Jahren versäumt hat. Ich kann ihn verstehen!

Was Adam jetzt widerfährt, ist für eine Frau wohl schwer nachzuempfinden, die ihr Kind neun Monate in sich trägt und dann zur Welt bringt. Selbst, wenn sie es danach verlässt, könnte ihre Beziehung zu dem Kind nie oberflächlich oder unverbindlich werden. Ein Mann dagegen muss die Nähe, die eine Mutter nie verlieren kann, erst herstellen.

Da ich den Weg durch die Weinberge nicht mehr nehmen kann, muss ich zunächst in die entgegengesetzte Richtung fahren, den Berg hinab, an den dreigeschossigen Häusern vorbei, in denen die Familien wohnen, die ihren Unterhalt aus der Arbeit im Weinberg beziehen. Dann wird aus der Schotterpiste ein asphaltierter Weg, dort, wo sich hinter dem großen Tor die Garagen der Commune Chianciano befinden. Ein finsteres Gebäude ohne Licht. Hinter dem vergitterten Eingang habe ich noch nie einen Menschen gesehen.

Ich bin allein, um mich herum schwarze Nacht, viel dunkler, als sie in Düsseldorf sein kann, nur von weit entfernten Lichtpunkten gesprenkelt. Die Nacht bricht in der südlichen Toskana schneller herein als in Deutschland, und wenn sie da ist, wird sie undurchdringlich. Daran habe ich mich längst gewöhnt, mir gefällt es, wenn ich allein auf der Straße bin. Angst habe ich nie. Manchmal denke ich dann, dass mir alles gefällt, was sich von meinem Leben in Düsseldorf unterscheidet. Dort war ich auf keiner Straße allein, auf der ich mich zu Fuß oder mit dem Auto bewegte, zu keiner Tageszeit. Aber Angst hatte ich trotzdem oft.

Weil ich an diese Einsamkeit gewöhnt bin, wenn ich Adams Haus bei Dunkelheit verlasse, fallen mir die Scheinwerfer im Rückspiegel sofort auf. Sie sind plötzlich da, flammen auf, als startete ein Auto. Sie gehören keinem Wagen, der in die Straße eingebogen ist, auf der ich fahre, das Auto muss am Wegesrand gewartet haben und dann losgefahren sein. Auf wen oder was hat der Fahrer gewartet? Auf mich?

Diesen Gedanken verwerfe ich auf der Stelle wieder, behalte aber dennoch die beiden Lichtpunkte fest im Blick. Der Abstand verändert sich nicht, das Auto nähert sich nicht und fällt auch nicht zurück.

Bevor ich in die Strada della Chiana einbiege, warte ich, obwohl nur ein Lkw von rechts kommt, der noch weit entfernt ist. Ich möchte, dass der Wagen näher kommt und hinter mir stoppt. Aber als ich stehen bleibe, halten auch die Scheinwerfer an, sie nähern sich nicht mehr.

Als der Lkw endlich die Einmündung passiert hat, fahre ich los, aber nur etwa hundert Meter, dann steuere ich den Bulli an den Straßenrand und warte ab. Die beiden Lichter erscheinen nun an der Einbiegung, zögern, obwohl außer meinem Bulli kein Fahrzeug zu sehen ist, dann biegt der Wagen nach rechts ab und fährt in entgegengesetzter Richtung davon.

Ich setze meine Fahrt fort, langsam, unsicher, mit dem Blick im Rückspiegel statt auf der Straße vor mir. Hat mich jemand verfolgt, der merkte, dass er mir aufgefallen war? Wollte er nicht riskieren, an mir vorbeizufahren und sein Nummernschild zu zeigen? Der Gedanke, dass der kleine Dünne, der am Gardasee vor meinen Augen verhaftet wurde, nun vielleicht seine Strafe verbüßt und mich ausfindig gemacht hat, lässt mich nicht los, bis ich in die Einfahrt zur Locanda einbiege. Und die Frage, ob er es auch war, der vor der Tür des Wohnmobils flüsterte »Sind Sie das?«, steigt mit mir aus dem Auto.

Siegfried wartet auf mich. Er saß unter den Bäumen im hinteren Teil des Gartens, der von dem Licht an der Eingangstür nicht mehr erreicht wird. Mich durchfährt ein gewaltiger Schreck, als sich seine Gestalt aus der Finsternis löst. »Ich dachte, du schläfst schon.«

»War die Theateraufführung schön?«

Ich erzähle ihm etwas von der Tradition der Bewohner von

Monticchiello und hoffe, dass er mich nun zu Bett gehen lässt. Ich möchte nicht mit ihm reden, nicht jedes Wort auf die Goldwaage legen müssen, damit Siegfried nichts erfährt, was er nicht erfahren soll, und nichts, was er so auslegen könnte, wie es mir nicht gefällt. Ich will meine Ruhe haben! Seit ein paar Stunden habe ich das Gefühl, dass mein Leben seine Ordnung verliert und unübersichtlich wird. Erst Siegfrieds unerwartetes Auftauchen und nun auch noch der überraschende Besuch von Adams Tochter! Ich weiß nicht, was das zu bedeuten hat, und weiß auch nicht, wie damit umzugehen ist. Was Siegfried im Schilde führt, kann ich mir denken, die Folgen von Rebeccas Anwesenheit in Chianciano sind jedoch nicht zu übersehen. Und dann die Scheinwerfer, die mir gefolgt sind. Ja, sie sind mir gefolgt! Was ich bis zur Einfahrt der »Locanda Tedesca« nicht glauben wollte, steht nun vor mir, die Fäuste in die Seiten gestemmt, nicht bereit, den Blick auf die schöne Aussicht freizugeben. Ja, ich bin verfolgt worden! Von wem? Von dem kleinen Dünnen, der noch immer hofft, sich die achthunderttausend Euro zurückholen zu können?

Siegfried zieht sein Smartphone aus der Tasche. »Sieh mal! Friederike hat mir ein Foto von Maximilian geschickt. Ich bin aufgeblieben, um es dir zu zeigen.«

Ich betrachte es länger, als ich eigentlich möchte, stelle fest, dass Friederike als Baby ganz ähnlich aussah, dass Maximilian aber Udos Nase geerbt hat, und sehe mir auch den Hintergrund des Bildes genau an, das im Kinderzimmer aufgenommen wurde. Scheinbar das frühere Gästezimmer, in dem Udos Geschwister übernachteten, wenn sie bei Friederike und Udo zu Besuch waren! Wer mag die Wände mit Wolken, Sonne und Vögeln bemalt haben? Vermutlich Udos jüngster Bruder, der eine künstlerische Ader hat. Während meiner Geburtstagsparty war er bereits gefragt worden, ob er bereit sei, die Patenschaft zu übernehmen.

Währenddessen berichtet Siegfried, dass er sich um die Beanstandung eines Feriengastes gekümmert hat. »Der Abfluss in der Dusche ist jetzt wieder frei.« Und bei dieser Gelegenheit hat er auch gleich die Dachrinnen gereinigt. »Beim nächsten Regen wären sie übergelaufen.«

Ich sehe ein, dass ich ihm einen Rotwein anbieten muss, obwohl es schon so spät ist. Aber ich fühle mich an diesem Abend zu schwach, um ihm den Zutritt zu meinem Apartment zu verweigern. Ich bin sogar froh, dass es jemanden gibt, der mich von meiner Angst ablenkt. Von der Angst, verfolgt, bedroht, überwältigt zu werden.

Dass er mit friedlichen Absichten gekommen ist, beweist mir seine freundliche Anerkennung, als wir meine Wohnung betreten, und damit lenkt er mich wirklich ab. »Gemütlich hier.« Diesmal sagt er es nicht missfällig, sondern anerkennend. Wo ist seine Verächtlichkeit geblieben? Hat er sich besonnen?

Ich bin erschüttert, als ich merke, dass Franziska sich von Siegfried einlullen lässt. *Vielleicht ist er doch nicht so übel?* Sonst ermahnt sie mich stets, nun fällt sie glatt auf den Mann herein, vor dem sie mich immer gewarnt hat.

Tatsächlich verbringen wir ein, zwei angenehme Stunden, reden von früher, lassen alle heiklen Themen aus und uns nicht auf solche ein, die zu Meinungsverschiedenheiten führen könnten. Eine gewisse Behaglichkeit breitet sich aus, die wohl in dem Altvertrauten entsteht, in der gemeinsamen Vergangenheit, in all den Erinnerungen, die in unserer Ehe gewachsen sind. Wir lachen an der gleichen Stelle, als wir uns an Friederikes Einschulung erinnern und an den einzigen Sieg der Fußballmannschaft, in dem unsere Söhne spielten. Nur wenn es um Maximilian geht, ist Siegfried mir voraus. Und ich frage mich, ob er genau das bezweckt. Soll ich mich fremd fühlen in seinen Erinnerungen an den Enkel, die ich nicht teilen kann?

Aber kaum habe ich mir die Frage gestellt, schäme ich mich schon für diese Unterstellung.

Als er sich von mir verabschiedet, steht die Frage im Raum, wie lange er bleiben will und was er mit seiner Anwesenheit beabsichtigt. Sie steht zwischen uns, obwohl niemand sie ausspricht.

»Lass mich einfach ein bisschen bei dir sein«, murmelt Siegfried schließlich und wendet sich zum Gehen. »Ich kann mich nützlich machen. Hier ist viel zu tun.«

»Was willst du, Siegfried?«, frage ich. »Was erwartest du? Bist du hier, um mich nach Hause zu holen?«

Er zuckt müde die Achseln. »Klar, das wünsche ich mir sehr. Mehr als alles andere. Aber … ich will nichts von dir verlangen. Ich bin hier …« Er wird nun so verlegen, wie ich ihn lange nicht gesehen habe. »Ich hatte Sehnsucht nach dir. Vielleicht hast du ja nur vergessen, dass wir einmal eine glückliche Familie waren. Es wäre schön, wenn du dich daran erinnern könntest.«

Ich kann mich gerade so lange beherrschen, bis die Tür hinter ihm ins Schloss gefallen ist, dann gestatte ich meinen Tränen, mir über die Wangen zu laufen. Erst als sie in den Mundwinkeln angekommen sind und ich ihr Salz schmecke, wische ich sie mir ab. Vom Fenster aus beobachte ich, wie Siegfried auf das Wohnmobil zugeht und es aufschließt. Wenn ein Gästezimmer frei wird, werde ich ihn ins Haus holen müssen. Alles andere wäre schäbig. An die beiden Scheinwerfer denke ich erst wieder, als ich im Bett liege …

Rebecca überrascht mich schon am nächsten Tag mit ihrem Besuch, als alle Frühstücksgäste, abgesehen von Siegfried, an ihren Tischen sitzen und sich darüber freuen, dass das Wetter in Deutschland zurzeit viel zu schlecht ist, um draußen zu frühstücken. Rebecca erscheint, von Kopf bis Fuß in unauffälligem Prada gekleidet, als mich gerade ein Pensionsgast auf dem Weg zum Buffet fragt, wer denn eigentlich der reizende Herr sei, der im Wohnmobil wohne und mir so engagiert zur Hand gehe. Ich bin froh, dass mich Rebeccas Besuch einer Antwort enthebt, greife nach ihrem Arm und ziehe sie in die Küche.

»Ist was nicht in Ordnung? Geht's Adam nicht gut? Woher kennst du überhaupt den Weg in die ›Locanda Tedesca‹?«

Rebecca schwingt sich auf die Arbeitsfläche neben der Kaffeemaschine und lächelt mich an, als wäre ich ihre Handarbeitslehrerin und hätte Lochstickerei von ihr verlangt. »Erstens, ich stehe immer früh auf. Zweitens, es ist alles paletti, wenn man mal davon absieht, dass mein Erzeuger noch auf dem Ohr liegt und sich komatös gibt. Drittens habe ich in seiner Küche nichts Besseres als Früchtetee gefunden. Und den Weg zu dir hat mir Signora Curti schon gestern Abend beschrieben. Sie meinte, wenn mir mein Vater mal abhandenkäme, würde ich ihn hier finden. Oder du wüsstest zumindest, wo er verloren gegangen sein könnte.« Sie lacht ungläubig. »Das klingt, als könnte er sich verlaufen und nicht wieder nach Hause finden.«

Ich lache mit, aber nicht ungläubig, sondern vielsagend. »Wenn Adam eine Geschichte im Kopf hat, weiß er manchmal nicht, wo er ist.« Ich lasse die Kaffeemaschine glucksen und duften und fühle die Freude über Rebeccas Besuch in meiner Körpermitte aufsteigen. Das Mädchen gefällt mir. »Panino? Konfitüre? Formaggio?«

Aber Rebecca winkt ab. »Morgens nur caffè.«

Sie schweigt, bis sie endlich eine dampfende Tasse in der Hand hält. »Ich brauche ein Zimmer«, sagte sie dann, als ginge es um einen Löffel Zucker.

»Du willst nicht bei deinem Vater wohnen?«

»Doch! Aber la Mamma wird das nicht wollen.«

»Deine Mutter kommt nach Chianciano?« Ich fühle, dass mir die Hitze in den Kopf steigt, und das liegt weder am Kaffee noch an den Wechseljahren. Marily Mattey in der »Locanda Tedesca«? Nur gut, dass ich total ausgebucht bin! »Ich erwarte heute neue Gäste. Sie werden gleich hier sein. Mein letztes Zimmer.«

»Es ist frei.« Rebecca verzieht keine Miene, als sie ergänzt: »Die neuen Gäste kamen gerade mit mir zusammen an. Ich habe sie ins Hotel Fortuna geschickt. Wir hätten einen Wasserschaden, habe ich ihnen erklärt, und wir kämen natürlich für die Mehrkosten auf.« Sie lacht in mein konsterniertes Gesicht. »Keine Sorge, la Mamma zahlt das gern.« Sie hält mir ihre Tasse hin und lacht jetzt breit und unverschämt. »Hast du noch einen?«

Ich mache zwei Tassen. Rebeccas Kaltschnäuzigkeit ist meinem Kreislauf nicht gut bekommen, mein Blutdruck ist ins Stolpern geraten. Sämtliche Vorhaltungen, dass sie nicht einfach über meine Gäste bestimmen kann und nicht mir nichts, dir nichts in den Betriebsablauf meiner Pension eingreifen darf, schlucke ich herunter. Dass ich damit nichts als ein höfliches Nicken ernten würde, ist mir sofort klar. »Weiß deine Mutter, was sie hier erwartet?«

»Bis jetzt weiß sie nicht einmal, dass sie hier erwartet wird. Aber ich kenne sie. Wenn ich sie gleich anrufe, wird sie sagen: Rühr dich nicht vom Fleck, ich komme und hole dich.«

Ich atme erleichtert auf. »Wenn sie dich holt, braucht sie kein Zimmer in der ›Locanda Tedesca‹.«

»Wenn ich mich weigere, mit ihr zu kommen, dann schon. Und ich werde mich weigern, da kannst du Gift drauf nehmen. Ich will die Ferien bei meinem Vater verbringen.«

Den Rat, sich erst mal bei Adam zu erkundigen, ob es ihm überhaupt recht ist, sechs Wochen seine Tochter im Haus zu haben, die er gerade erst kennengelernt hat, verkneife ich mir ebenfalls.

»Natürlich wird sie es mir nicht erlauben«, fährt Rebecca fort. »Sie wird kommen, um mich an den Haaren zurückzuzerren. Kommen wird sie auf jeden Fall, auch wenn sie meinen Vater nie wiedersehen wollte. Eigentlich hatte sie sogar die Absicht, ihn bei lebendigem Leibe zu rösten, sollte es doch jemals passieren. Aber selbst wenn sie später ohne mich nach München zurückkehren muss – erst wird sie wie Mutter Courage hier erscheinen, um mich zu retten.« Rebecca macht eine kurze Pause und betrachtet mich mit hochgezogenen Augenbrauen. Anscheinend kann sie mit meinem Gesichtsausdruck, der garantiert ziemlich stupide ist, nichts anfangen. »Immer, wenn ich die Rolle, die sie mir zugedacht hat, nicht gut spiele, glaubt sie, das läge daran, dass sie mir keine gute Mutter war. Dabei stimmt das gar nicht. Doch sie wird es glauben, solange sie ein Star ist und wenig Zeit für mich hat.«

Ein insgesamt beachtlicher Monolog, finde ich. Allmählich kann ich wieder klar denken und meinem Fluchtreflex folgen, der mir dringend rät, Marily Mattey unter allen Umständen abzuwehren. »Sie wird mit meiner bescheidenen Pension nicht zufrieden sein.«

Rebecca schüttelt so heftig den Kopf, dass der blonde Vorhang nun über beide Augen fällt. »La Mamma hasst die großen Hotels, wo sie schon beim Frühstück um Autogramme gebeten wird. Sie zieht nur deswegen dort ein, weil sie keine anderen kennt.« Rebecca holt ihr Handy aus der Jeanstasche. »Du kannst jeden Preis verlangen. Sie hat noch nie in einem Haus gewohnt, wo sie weniger als vierhundert Euro pro Nacht gezahlt hat. Wenn du dreihundert forderst, wird sie die ›Locanda Tedesca‹ für ein Schnäppchen halten.«

Rebecca wählt, ohne den blonden Vorhang zu heben. Ich möchte nicht hören, was sie ihrer Mutter von meiner bescheidenen Pension erzählt, und gehe auf den Hof, wo ich von

Cocco begrüßt werde, als hätte sie mich vor einem halben Jahr zum letzten Mal gesehen.

Die Tür des Wohnmobils öffnet sich, Siegfried tritt heraus. Mit feuchten Haaren, wohlriechend auch auf die Entfernung, und mit einem frischen weißen Hemd und hellen Baumwollhosen bekleidet. Beides stammt nicht aus der Zeit, in der ich mich noch um seine Ausstaffierung kümmerte. Meinen fragenden Blick interpretiert er richtig. »Gabriella hat mir erlaubt, in dem Gästezimmer zu duschen, das zurzeit frei ist.«

»Nicht mehr lange«, knurre ich ihn an, weil Freundlichkeit angesichts der zu erwartenden Turbulenzen einfach über meine Kräfte geht.

»Ich weiß.« Siegfried ist gleichbleibend freundlich und lächelt mich an, als fühle er mit mir, weil ich angesichts der großen Belastung, die die Arbeit in der Pension mit sich bringt, verständlicherweise schon am frühen Morgen mit den Nerven fertig bin. »Vielleicht gestattest du mir dann, in deinem Apartment zu duschen?«

Kann ich das ablehnen? Ich sage: »Okay«, und hoffe, dass Adam niemals miterleben muss, wie Siegfried frisch rasiert und geföhnt meine Wohnung verlässt.

Rebecca kommt aus dem Haus und steckt ihr Handy weg. »Alles, wie ich es vorhergesehen habe. La Mamma kommt morgen. Sie ist entzückt, dass ich noch lebe, will sich aber persönlich davon überzeugen. Und sie ist hingerissen, dass sie beim Herzblatt meines Vaters übernachten kann. Ich glaube, sie ist noch nie einer Frau begegnet, die nicht eifersüchtig auf sie war. Sie hält dich für sehr großherzig, sozusagen für die Mutter Teresa aller vergangenen und künftigen Nebenbuhlerinnen.«

Siegfried, dessen Plädoyers oft nur so strotzen vor Andeutungen, Gleichnissen und Spott, ist in diesem Fall überfordert. »Spricht sie etwa von dir?«, fragt er mich.

Was soll ich darauf antworten? Die Frage, ob Siegfried erfahren soll, was zwischen Adam und mir ist, brauche ich mir jedenfalls nicht mehr zu stellen.

Da ich schweige, lässt Rebecca sich zu einer Antwort herab. »Bingo! Von wem sonst?« Sie streckt Siegfried die Hand hin. »Ich bin Rebecca.«

»Siegfried«, kommt es verlegen zurück. »Siegfried Mertens.« Und ein ganzes Stück sicherer: »Lenchens Mann.«

Rebecca sieht sich suchend um. »Wer ist Lenchen?« Die Antwort scheint sie jedoch nicht zu interessieren, denn sie spricht gleich weiter: »Du brauchst dir wirklich keine Sorgen zu machen, Elena. La Mamma ist mit Adam längst fertig.«

»Wieso Elena?«, fragt Siegfried dazwischen.

Rebecca reagiert genervt. »Kennen Sie noch eine Frau, die was mit meinem Vater hat?«

»Ich kenne nicht mal Ihren Vater. Wer soll das sein?«

»Ein ziemlich bekannter Schriftsteller! Meine Eltern sind beide berühmt.«

»Ah, den meinen Sie! Adam Nocke ist also Ihr Vater? Interessant!«

Rebecca macht Siegfried deutlich, dass nichts von dem, was er dazu sagen wird, für sie von Belang sein kann, und ich bin ihr dankbar dafür. Sie versteckt sich hinter ihren Haaren, sorgt aber dafür, dass Siegfried dennoch sieht, wie sie die Augen verdreht.

»Was hat Adam Nocke mit Lenchen zu tun?«

Siegfried zieht es vor, nicht mich, sondern die Tochter meines Liebhabers zu befragen. Glaubt er, ich könnte ihm nicht die Wahrheit sagen?

»Gar nichts! Sagte ich das nicht bereits? Können Sie mal aufhören, von Lenchen zu reden?« Sie wirft Siegfried einen Blick zu, der einen weniger selbstbewussten Mann augenblicklich in die Flucht schlagen würde. Dann wendet sie sich mir derart nachdrücklich zu, dass Siegfried es nun endlich merkt: Seine Gegenwart ist nicht erwünscht.

Rebecca kehrt übergangslos zum Thema zurück. »La Mamma wollte Adam nie wiedersehen«, raunt sie und spricht erst lauter, als Siegfried außer Hörweite ist, »aber da es sich jetzt nicht umgehen lässt, will sie die Gelegenheit nutzen, ihm gehörig den Marsch zu blasen. Ich glaube, sie hat noch eine Menge auf der Pfanne, was sie ihm vorhalten will. Die Trennung vor knapp siebzehn Jahren verlief anscheinend ziemlich ruckartig. Und viele Vorwürfe sind la Mamma erst eingefallen, als Adam schon die Kurve gekratzt hatte. Die wird er sich wohl alle noch anhören müssen, schätze ich.«

Der Gedanke an eine tobende Diva, die ausgerechnet in der »Locanda Tedesca« dem Vater ihres Kindes alles heimzahlen will, was in siebzehn Jahren unerledigt geblieben ist, macht mir Angst. Dass mein armer Adam diesem Zorn hilflos ausgesetzt sein wird, weckt in mir ungefähr die gleiche Sorge, unter der ich litt, als Friederike von einem Mitschüler gemobbt wurde, der einen Kopf größer war als sie und doppelt so stark. Dass er am Ende den Kürzeren zog, weil Friederike so lange auf ihn einredete, bis er weinend zu seiner Mutter lief, erfuhr ich erst später. Der Hoffnung, dass auch Marily Mattey irgendwann weinend aus der Locanda laufen wird und Adam siegreich zurückbleibt, kann ich leider nicht vertrauen.

Ich gehe in die Küche zurück, Rebecca folgt mir auf dem Fuß, schwingt sich wieder auf die Arbeitsplatte und lehnt sich gegen den Kaffeeautomaten.

Ich werde von dem Bedürfnis gepackt, augenblicklich das Thema zu wechseln, weil mich alles andere überfordert. »Was hast du heute vor? Adam hat mit einem Exposé zu tun, das ihm sehr wichtig ist. Er muss sich einen neuen Verlag suchen.«

Rebecca winkt ab. »Ich weiß Bescheid.« Während Cocco sich ausgiebig darüber informiert, wie es um den Geruch und die Tierliebe unseres neuen Gastes bestellt ist, fährt sie fort: »Wir haben die ganze Nacht daran gearbeitet.« Das sagt sie so beiläufig, als hätte sie mit ihrem neu entdeckten Vater bis in die frühen Morgenstunden Halma gespielt. »An dem Exposé musste noch gefeilt werden. Ich werde es mir heute noch einmal vornehmen. Leider will Adam unbedingt an dem Plot festhalten.« Nun ist sie ganz die Tochter der Schauspielerin, die schon so manches Drehbuch gemeinsam mit ihrer Mutter begutachtet hat. »Eine Fünfzigjährige reißt aus, weil sie plötzlich erkennt, dass ihr Leben sie nicht mehr ausfüllt! Na, das merkt sie ja verdammt früh.« Rebecca scheint mit sich zu ringen, ob sie ihrem Vater eine so dumme Eingebung überhaupt verzeihen kann. »Total unwahrscheinlich! In dem Alter hat sich eine Frau doch an den ganzen Ehescheiß gewöhnt. Dann haut sie nicht mehr ab.«

Ich protestiere so heftig, dass es ihr zu denken gibt. »Was weißt du schon von der Ehe?«

»Okay, vielleicht gibt's das ja wirklich. Ich kenne nicht so viele Fünfzigjährige.«

»Dein Vater ist neunundvierzig.«

»Ehrlich? Schon so alt? Puh!« Rebecca versagt die Vorstellung für dieses Greisenalter. »Aber der Mann von der Fünfzigjährigen ist sogar noch älter. Schon über sechzig! Und trotzdem total eifersüchtig!«

»Was hat Eifersucht mit dem Lebensalter zu tun?«

Rebecca blickt mich überrascht an. »Glaubst du wirklich, dass ein Sechzigjähriger noch scharf auf die Frau Gemahlin ist? Und dass er Angst haben könnte, sie hat einen anderen Kerl, wenn sie abgehauen ist?«

Franziska sitzt kerzengerade und kitzelt meine Stimmbänder, damit ich das Protestieren nicht vergesse.

»Warum nicht? Eine Fünfzigjährige ist doch noch keine Oma!«

»Die in Adams Exposé ist aber eine! Eine Oma, die ausreißt – das interessiert doch kein Schwein. Und ein Opa, der mit Mordabsichten loszieht, auch nicht.« Sie tippt sich an die Stirn. »So ein alter Knacker fährt doch nicht in die Toskana, um den Liebhaber seiner Frau abzustechen. Der würde höchstens losfahren, um dafür zu sorgen, dass die Alte sich bei ihm zu Hause nie wieder blicken lässt. Alles andere ist total unlogisch.«

Sie spricht mir aus dem Herzen. Mich beschleicht Dankbarkeit, denn Rebecca schafft es vielleicht, was ich selbst nicht über mich bringe: Sie kann Adam die Wahrheit sagen und scheut nicht vor Kritik an seiner Arbeit zurück. Womöglich kann sie ihm ja wirklich helfen.

Rebecca ist sich ihrer Sache sicher. »Die Frau haut mit einem Wohnmobil ab, und ihr Alter macht keine Anstalten, hinter ihr herzufahren, um sie an den Haaren zurückzuzerren. Aber als er muckert, dass sie einen Liebhaber hat, kriegt er gleich Mordgedanken?« Sie rafft ihre Haare nach hinten und dreht sie zu einer Spirale, sodass sie sich tatsächlich eine Weile im Nacken halten. »Ich habe Adam gesagt, der Plot muss plausibler werden. Der Ehemann muss eine andere Motivation haben. Außerdem müssen da noch ein paar aktuelle Problematiken rein, damit der Plot zeitgenössischer wird. Er hat doch sonst auch immer aktuelle Themen aufgegriffen.«

Ich seufze heimlich. Sonst hat eben Charlot Kaiser immer dafür gesorgt, dass er am Puls der Zeit schrieb.

»Action braucht der Stoff auch noch«, erklärt Rebecca mir. »Ich habe ihm gestern noch ein paar Szenen ins Exposé geschrieben. Da muss Spannung rein! Constanze Weidenfeld wird von einem Unbekannten verfolgt …«

»Verfolgt?«, frage ich atemlos. »Von wem?«

Rebecca wedelt mit beiden Armen die Frage durch die Küche, bis sie so etwas wie eine Antwort eingefangen hat.

»Was weiß ich! Vielleicht von einem Handlanger ihres Mannes. Das kann man erst festlegen, wenn der Plot klarer geworden ist.«

Ich wollte, der Plot meines Lebens würde sich ebenfalls klären. Die beiden Scheinwerfer, die mir in der letzten Nacht gefolgt sind, machen mir erneut Angst.

»Adam braucht ein paar Nebenhandlungen«, fährt Rebecca fort. »Vielleicht … einen verkappten Schwulen, der sich nicht gern zu seiner Neigung bekennt, weil seine Mutter jahrelang in einen Schwulen verliebt war und ihre besten Jahre damit vergeudet hat, auf ihn zu warten. Und nun hasst sie alle Homosexuellen. Und dann habe ich noch eine Idee zu dem toskanischen Dichter, der dem Ehemann zum Opfer fallen soll. Der ist stinkreich, was jedoch keiner weiß. Auch Constanze Weidenfeld nicht! Aber es gibt ein paar potenzielle Erben, die sich sehr über den Tod des Dichters freuen. Und schon haben wir einen ansehnlichen Kreis von Verdächtigen.« Sie strahlt mich an. »Gut, oder? Am Ende steht Constanze Weidenfeld jedenfalls dumm da. Der Geliebte tot, der Ehemann als Mörder im Knast. Ihre Kinder geben ihr die Schuld an dem ganzen Dilemma, und der Enkel wird ihr daraufhin entzogen. Schöner Scheiß! Aber warum macht sie auch so einen Mist?« Sie sieht mich Beifall heischend an. Als kein Applaus von mir kommt, fragt sie unsicher: »Und du? Wie bist du eigentlich in die Toskana gekommen? Erzähl doch mal …«

In diesem Moment wird Adam vom Pick-up des jüngsten Schwiegersohns von Signora Curti auf dem Hof der Locanda abgeliefert. Er küsst mich ausgiebig, ehe ihm einfällt, dass wir nicht allein sind und irgendwo auch noch mein Ehemann lauern könnte. Da Siegfried aber weit und breit nicht zu sehen ist, kehrt seine gute Laune, die der Gedanke an meinen Ehemann kurz vertrieben hat, schnell zurück. »Meine Tochter!« Er betrachtet Rebecca wie die Inkarnation einer griechischen

Göttin. »Diese Fantasie! Und das Gespür für Spannungsbögen, Höhe- und Wendepunkte! Fantastisch! Und dann die Idee, aus dem Stoff ein Drehbuch zu machen … sensationell!«

»Ein Drehbuch?« Mir bleibt der Mund offen stehen. »Kein Toskanakrimi?«

Rebecca antwortet an Adams Stelle. »Nein, der Stoff eignet sich nicht für Conrad Petersen und Arturo Dotta. Ein Drehbuch ist besser. Natürlich mit la Mamma in der Hauptrolle«, ergänzt sie so nachdrücklich, als hätte sie es schon öfter gesagt, als wäre es von Adam aber genauso oft vergessen worden.

»Was wäre das Leben, hätten wir nicht den Mut, etwas zu riskieren!?«

Sie sieht ihn misstrauisch an, weil sie noch nicht weiß, dass ihr Vater positive Gefühle gern in Sprüche verpackt, um sie noch größer und strahlender zu machen.

Am nächsten Morgen bin ich drauf und dran, Gabriella mitten in der Saison zu einem Großputz zu verdonnern, so wie meine Mutter das ganze Haus wienerte, wenn Verwandtschaft sich angekündigt hatte, die einen guten Eindruck von uns haben sollte. Hätte ein Filmstar bei uns zu Gast sein wollen, wäre meine Mutter vermutlich sogar in den Abfluss der Badewanne gekrochen, um dort nach Spinnweben und Wollmäusen zu fahnden. Ich muss mir immer wieder sagen, dass ein Filmstar auch nur ein Mensch ist und dass es mir egal sein kann, wie es Marily Mattey in der »Locanda Tedesca« gefällt. Und dann nehme ich mir zum soundsovielten Mal vor, mir von ihr nicht auf der Nase herumtanzen zu lassen. Vor allem werde ich nicht dulden, dass sie Adam zur Schnecke macht, nur weil er vor siebzehn Jahren etwas getan hat, was – zugegeben! – absolut nicht in Ordnung war. In meiner Pension wird nicht herumgeschrien oder mit Gegenständen geworfen, basta. Auch nicht, wenn es sich um einen Star handelt.

Siegfried erwischt mich dabei, wie ich in dem Zimmer, das Marily Mattey bewohnen wird, mit dem Zeigefinger über die Bilderrahmen streiche und sogar unter der Matratze nach dem Rechten sehe. »Was machst du da, Lenchen? So pingelig warst du nicht mal in unserem eigenen Haus.«

Ich fahre ertappt herum und will ihn mit einer knappen Erklärung aus dem Zimmer drängen, aber Siegfried hält mich zurück. »Nirgendwo kann ich ungestört mit dir reden. Dieses ständige Kommen und Gehen! Immer ist jemand in der Nähe.«

»Was willst du?« Mir ist nicht wohl angesichts dieses Überfalls.

»Nur eine Antwort«, sagt er mit ergreifender Schlichtheit. »Warum lässt du dich neuerdings Elena nennen?«

»Das ist die italienische Form von Helene! Italiener haben Schwierigkeiten mit dem H.«

Ist das etwa sein größtes Problem? Nein, ich habe mich zu früh gefreut. Die Frage nach meinem neuen Namen war nur die Vorhut für eine ganz andere Frage.

»Ist es wirklich wahr? Hast du was mit diesem Adam Nocke?«

Ich bilde mir ein, soeben einen Spazierstock verschluckt zu haben. und bin schlagartig so groß, dass ich kaum aufsehen muss, um Siegfried in die Augen zu blicken. »Ja.«

Eigentlich sollte ich froh sein, dass Siegfried von Rebecca schon viel zu viel erfahren hat und ich nicht mehr in die Versuchung komme zu leugnen. Das wäre Franziska gar nicht recht gewesen.

Ich sehe Siegfried lange an, ohne dass er antwortet. Was kommt nun? Eifersucht wie in Adams Exposé? Mord und Totschlag?

Aber Siegfried nickt schließlich nur traurig. »Ich habe nicht erwartet, dass du mir die Treue hältst.«

Habe ich mich verhört? Hat da wirklich Siegfried gesprochen, der Drachentöter, der Held, der Siegreiche?

Deprimiert dreht er sich um und geht mit hängenden Schultern auf den Flur. Dass er es schafft, mir in weniger als einer Minute ein schlechtes Gewissen zu machen, bringt mich aus der Fassung. »Und du?«, rufe ich ihm nach. »Bist du mir treu geblieben im vergangenen Jahr?«

Er dreht sich um und lächelt, wie mein bettlägeriger Großvater lächelte, wenn er gefragt wurde, ob er sich auf seinen hundertsten Geburtstag freue. Dann macht er es so wie ich, drückt den Rücken durch und antwortet ebenfalls kurz und bündig: »Nein.« Sein Lächeln verrutscht, und er ergänzt: »Wir sind also quitt. Du brauchst dich nicht mit Schuldgefühlen zu quälen.«

Damit geht er. Und wie immer verlässt er den Gerichtssaal als Sieger. Ich wurde freigesprochen, soll aber trotzdem büßen. Nun bin ich drauf und dran, ins Bettgestell zu beißen. Wie schafft er das nur? Oder kann es sein, dass er sich wirklich geändert hat? Dass mein Aufbruch etwas bewirken konnte? Dass Siegfried einen Neuanfang sucht und nicht nur die Wiederaufnahme unserer Ehe will?

Die Erkenntnis drängt sich an mich heran, dass Siegfried nicht hätte zugeben müssen, mich betrogen zu haben. Warum hat er es trotzdem getan? Um mir mein Schuldgefühl zu nehmen? Kindlicher Trotz hilft mir, den Respekt herunterzumachen, der mir gerade gar nicht in den Kram passt. Was bildet Siegfried sich ein? Erteilt mir gnädig Absolution! Nein, ich brauche mich nicht mit Schuld zu quälen! Ha, was der sich denkt! Ich bin ohne jedes Schuldgefühl! Total! Zurzeit lebe ich von meinem Ehemann getrennt! Ich kann mich verlieben, wie ich will!

Ich werfe die Tür ins Schloss, damit ich nicht noch einmal gestört werde, während ich kontrolliere, ob das Betttuch so gespannt ist, dass sich nicht die kleinste Falte bildet, die Marily Matteys verwöhnten Körper stören könnte. Aber ich merke, dass es nicht funktioniert, so sehr ich mich auch abzulenken versuche. Ich schaffe es nicht, mir einzureden, dass ich mich wie eine geschiedene oder alleinstehende Frau benehmen kann, weil ich zurzeit nicht bei meiner Familie wohne. Zwar versuche ich es noch einmal laut und deutlich: »Ich kann mich verlieben, wie ich will!«, aber es gelingt noch immer nicht. Dass ich mir sogar einen Mann für die eine oder andere Nacht geleistet habe, will ich gar nicht erwähnen.

Ich klappe die Fensterläden zu, damit das Zimmer schön kühl bleibt, dann starre ich eine Weile die grellen waagerechten Linien an, die das Sonnenlicht ins Zimmer wirft. Es hilft nichts, ich komme nicht um den Schluss herum, dass Siegfried sich um Fairness bemüht. Es gefällt mir nicht. Viel einfacher wäre es gewesen, wenn er mir Vorwürfe machte, die ich parieren könnte, oder mit Vorhaltungen käme, für die ich jede Menge Erklärungen parat hätte, die allesamt gegen meinen Ehemann sprächen. Dieses Verständnis macht es mir wirklich nicht leicht.

Wer mag die Frau sein, mit der Siegfried eine Affäre hatte? Ich starre diese Frage in die sonnigen Schlitze der Fensterläden, dann wende ich mich ärgerlich um, verlasse das Zimmer und werfe die Tür hinter mir zu. Was geht mich das an? Siegfried hatte jedes Recht der Welt, sich mit einer Romanze über die Tatsache hinwegzutrösten, dass seine Frau auf und davon war. Und es spielt überhaupt keine Rolle, um welche Frau es sich handelt.

Stefanos Besuch kommt mir gerade recht. Siegfried hat sich ein Taxi gerufen, um in den Ort zu fahren, er will Chianciano erkunden. Vielleicht möchte er auch nur in Ruhe über die Zukunft seiner Ehe nachdenken? Ich bin froh, dass ich diese Gedanken abschütteln kann, zeige Stefano aber vorsichtshalber nicht, wie erfreut ich über seinen Besuch bin.

Er blickt sich um und stellt fest, dass Adam nicht anwesend ist, und noch erfreuter stellt er fest, dass die junge Anhalterin, die er zu Adams Haus gebracht hat, über den Hof schlendert und in die Küche kommt, als beträte sie die Bühne, um Dieter Bohlen den Kopf zu verdrehen. Nun fällt ihm auch wieder ein, dass es sich um Adams Tochter handelt. »Du hältst es mit dem Dichter noch aus? Hat er dich noch nicht mit dem Garderobenständer verwechselt und dir seine Jacke übergeworfen?«

»Deine Witze waren auch schon besser«, knurre ich Stefano an. »Lass Rebecca in Ruhe.«

»Rebecca?« Stefano sieht Adams Tochter erstaunt an. »Mir hast du gesagt, du heißt Anja.«

»Das mache ich immer so bei Fremden.«

Stefano erfreut die Tatsache, dass er nun scheinbar nicht mehr zu den Fremden zählt. »Bravo! Keine Vertraulichkeiten mit Männern, die du nicht kennst.« Er wendet sich mir zu, und ich stelle zufrieden fest, dass sein Lächeln so ist, wie ich es kenne, nicht strahlender als sonst und auch nicht verführerischer. Stefano mag eine Sechzehnjährige begehrenswerter finden als eine Frau von über fünfzig, aber derart größenwahnsinnig ist er doch nicht, dass er sich bei Rebecca Chancen ausrechnet. »Ich war länger nicht da. Hast du mich vermisst?«

»Ist mir gar nicht aufgefallen«, behaupte ich, obwohl es nicht stimmt. Aber auf keinen Fall möchte ich, dass Rebecca ihrem Vater später erzählt, sie hätte mich bei Vertraulichkeiten mit einem Carabiniere beobachtet. »In der Hauptsaison vermisse ich niemanden, der mir die Zeit stiehlt.«

Stefano steckt diese Antwort locker weg. »Ich habe in Chianciano davon reden hören, dass dein Wohnmobil bezogen wurde. Mir war gleich klar, von wem. Da dachte ich, es ist besser, mich zurückzuhalten.«

»Warum?«, fragt Rebecca, die mit ihren sechzehn Jahren

eben doch nicht über die Lebenserfahrung einer reifen Frau verfügt, obwohl es manchmal den Anschein hat.

Es gefällt mir, dass Stefano über ihre Frage hinweggeht. »An der Tankstelle habe ich gerade erfahren, dass er mit einer Frau im Café Continentale gesehen wurde. Diese gute Gelegenheit wollte ich nutzen.« Er beugt sich vor und spricht leise, als wollte er es Rebecca nicht hören lassen. »Was will er hier? Dich zurückholen?«

»Von wem reden Sie?«, fragt Rebecca.

»Von Elenas Mann.«

»Du bist verheiratet?« Rebecca sieht mich entgeistert an.

»Du hast meinen Mann gestern kennengelernt. Siegfried Mertens.«

»Der hat gesagt, er wäre mit Lenchen verheiratet.«

Dies wäre der richtige Augenblick, Rebecca darüber aufzuklären, wie aus der deutschen Helene die italienische Elena wurde, aber ich habe Sorge, dass Stefano seine Rolle in dieser Metamorphose zur Sprache bringen könnte. Deswegen verschiebe ich die Angelegenheit.

Auf der Suche nach einem anderen Gesprächsthema werde ich von Adam überrascht, der eigentlich angekündigt hatte, der Mutter seines Kindes keinen Augenblick früher als unbedingt nötig gegenübertreten zu wollen. »Aber nun dachte ich, es wäre unhöflich, wenn ich sie nicht hier begrüße.«

Er hat Angst vor der Szene, die Rebecca angekündigt hat, keine Frage. Und wahrscheinlich sagt er sich, dass er hier wenigstens auf meine Unterstützung hoffen darf. Ich lächle ihn an, und er begreift sofort, dass ich ihn durchschaue.

»Wer zugibt, dass er feige ist, hat Mut«, zitiert er und wird bestätigt, indem er nicht nur von mir, sondern auch von Rebecca ein anerkennendes Nicken erntet.

Adam begrüßt Stefano mit der steifen Höflichkeit, die zwischen den beiden zur Gewohnheit geworden ist, setzt sich zu seiner Tochter und sieht nun aus wie alle Männer, die an ihrer Seite ein junges, hübsches Mädchen haben. Ob es sich um eine Geliebte oder die eigene Tochter handelt, macht dabei keinen Unterschied. Männer bilden sich immer eine Menge ein, wenn sich weibliche Schönheit für ihren männlichen Dunstkreis entschieden hat beziehungsweise entscheiden musste. Adam jedenfalls strahlt Rebecca an, als habe er dieses zauberhafte Geschöpf eigenhändig aus einem Klumpen Lehm geformt und ihm höchstpersönlich Leben eingehaucht. Die Vaterschaft bekommt ihm gut. Und die Frage, wie er reagiert hätte, wenn seine Tochter sich als muffelige graue Maus entpuppt hätte, darf einfach nicht gestellt werden. Er legt sogar den Arm um Rebecca, als Stefano ihn anspricht, weil er natürlich genau weiß, dass es sonst der Carabiniere ist, der seinen Arm um die Schultern attraktiver Frauen legt. Adam scheint zu glauben, dass Stefano voller Neid ist, und das gefällt ihm.

Er sieht Rebecca an, als erwarte er Zustimmung von ihr. Vielleicht hätte er sie bekommen, wenn nicht in diesem Augenblick der kleine Peugeot einer Florenzer Leihwagenfirma auf den Hof der »Locanda Tedesca« gefahren wäre. Nur kurz recke ich den Hals. Das kann nicht Marily Mattey sein. Ich rechne fest mit einem Mercedes oder BMW. Mindestens!

»Mist«, murmle ich, »wir haben kein Zimmer mehr frei.«

Die Frau, die aussteigt, trägt am ganzen Körper Bescheidenheit, als habe sie sie beim Couturier bestellt. Bescheiden sind ihre hellblauen Jeans, obwohl sie verdächtig gut sitzen, bescheiden das schneeweiße T-Shirt, das außer seiner Makellosigkeit nichts Auffälliges hat, bescheiden auch die beige Strickjacke, die sie sich um die Schultern legt, die weißen Leinenschuhe und das gummierte Haarband, mit dem sie sich die halblangen blonden Haare im Nacken zusammengebunden hat. Bescheiden sind sogar ihre Bewegungen, mit der sie vorsichtig die Autotür ins Schloss drückt, als sollte niemand durch ein lautes Geräusch gestört werden.

Ich stehe auf, um ihr zu sagen, dass die Pension ausgebucht ist, da sagt Stefano: »Die könnte man glatt mit Marily Mattey verwechseln.«

»Mamma!« Rebecca springt auf und läuft in den Hof.

»Mein Kind!« Die Frau breitet die Arme aus, damit Rebecca sich hineinwerfen kann.

Und ich lasse mich entgeistert auf den Stuhl zurücksinken. Den Auftritt einer Diva hatte ich mir wirklich anders vorgestellt.

»Habe ich es nicht gesagt?«, höre ich Adams Stimme. »Ungeschminkt erkennt sie kein Mensch.«

Nun erst sehe ich, dass Marily Mattey nicht allein gekommen ist. Die Beifahrertür öffnet sich, und ein Mann steigt aus. Siegfried Mertens!

Zwei Stunden später bin ich allein mit Stefano, der gleich nach Marily Matteys Erscheinen in der Polizeistation angerufen und durchgegeben hat, dass es in der »Locanda Tedesca« einen Fall von Scheckkartenbetrug gäbe, dem er nachgehen müsse. Das könne dauern.

Nun läuft die Spülmaschine, die Reste des Frühstücksbuffets stehen im Kühlschrank, und Gabriella hat den Auftrag, die Rezeption im Auge zu behalten und mir Bescheid zu geben, wenn ich dort gebraucht werde. »Auf keinen Fall den Namen unseres neuen Gastes laut aussprechen!«, zische ich ihr noch einmal zu. »Niemand darf wissen, dass Marily Mattey hier wohnt. Capito?«

Gabriella verdreht die Augen, weil es nicht das erste Mal an diesem Tag ist, dass ich ihr diese Anweisung gebe, nickt aber brav. Dennoch bin ich davon überzeugt, dass eine Stunde nach ihrem Feierabend jeder der umliegenden Weinbauern wissen wird, dass in der »Locanda Tedesca« ein Filmstar abgestiegen ist. Was das für Folgen haben könnte, weiß ich nicht, es ist mir auch egal. Marily Mattey kann mir keine Vorwürfe machen, ich habe getan, was ich konnte, um ihr Inkognito zu wahren.

Stefano meint, dass dieser aufregende Tag einen kleinen Rotwein verlangt, aber ich koche ihm stattdessen einen weiteren Espresso. »Alkohol ist keine Lösung.«

Ich selbst gieße mir etwas von dem Kamillentee ein, den ich jeden Morgen für einen magenkranken Pensionsgast koche und von dem noch etwas übrig ist. Mich verlangt es eher nach Beruhigung als nach zusätzlicher Stimulation.

Siegfried kehrt in die Küche zurück, nachdem er es für nötig erachtet hat, dem Star persönlich den Koffer ins Zimmer zu tragen. Dass er sich damit Gabriellas Zorn zugezogen hat, ist ihm sicherlich nicht aufgegangen. Mein Zimmermädchen, das sich sonst vor jeder Arbeit drückt, hätte diese schwere Aufgabe gerne selbst übernommen, um der berühmten Schauspielerin so nahe wie möglich zu kommen. Mir scheint, dass sie sich soeben entschlossen hat, eine andere Karriere ins Auge zu fassen als die der Ehefrau, deren Mann dafür sorgt, dass sie ein bequemes Leben hat. Ich muss aufpassen, dass Marily Mattey nicht über kurz oder lang von Gabriella verpflichtet wird, zum Dank für aufopferungsvollen Service mit der Adresse eines Filmproduzenten herauszurücken. Welches Motiv Siegfried beflügelt hat, weiß ich nicht, aber ich könnte mir vorstellen, dass es nicht weit von Gabriellas entfernt ist.

»Was für ein Zufall!« Siegfried lässt sich in meiner Küche nieder, als wären wir in Düsseldorf und als wäre die Küche Teil unseres gemeinsamen Hauses. »Da bekomme ich mit, dass eine Dame im Café Continentale nach der ›Locanda Tedesca‹ fragt! Natürlich habe ich mich gleich erboten, sie hinzuführen!« Dass es sich um einen Filmstar handelte, will er angeblich nicht bemerkt haben. »Auch im Café Continentale hat sie kein Mensch erkannt. Dabei sind doch einige ihrer Filme auch in Italien in den Kinos gelaufen.«

Stefano kennt den Grund. »Im normalen Leben sieht sie eben nicht aus wie ein Star. Und sie benimmt sich auch nicht so.«

Er wirft Siegfried einen Blick zu und macht Anstalten zu gehen, weil ihm die Gegenwart meines Ehemannes noch immer nicht behagt und weil er Siegfried keinen Aufschluss darüber geben will, warum er sich gern hier aufhält.

Aber ich halte ihn zurück, weil es mir ebenso wenig behagt, mit meinem Mann allein zurückzubleiben. Seit Marily Mattey hier erschienen ist, hat er so ein Glitzern in den Augen, als fände er das Leben in einer toskanischen Pension mit einem Mal sehr interessant und viel aufregender, als er erwartet hatte.

Stefano findet im Nu einen Grund, noch zu bleiben, ohne einem misstrauischen Ehemann unangenehm aufzufallen. »Ich werde die Mattey gleich zu Adam Nockes Haus bringen. Den Weg findet sie allein ja nie! Den kennt das beste Navigationsgerät nicht.« Er lacht und zeigt Siegfried, falls dieser es noch nicht bemerkt haben sollte, wie ungewöhnlich attraktiv er ist. »Ich werde ihr vorausfahren. Polizeischutz kann bei einer solchen Frau nicht schaden!«

Siegfried scheint sich zu ärgern, dass er den Weg zu Adams Haus nicht kennt und sich somit nicht als Lotse für Marily Mattey zur Verfügung stellen kann. Aber er gleicht diesen kleinen Nachteil aus. Er kann nämlich damit trumpfen, dass er die Pläne des Filmstars kennt. »Sie ist ja ganz versessen auf das Drehbuch, das Adam Nocke schreiben will.« Er schafft es nun sogar, den Namen meines Geliebten auszusprechen, ohne so zu tun, als erzeugte er Brechreiz oder täte auf der Zunge weh. Als jemand, der in seine Frau verliebt ist, war Adam Nocke bisher ein trotteliger Autor und ich so dumm, ihm die

Realität des Lebens zu ersparen. Nun ist er zu einem Drehbuchautor aufgestiegen, der einem Star zum Comeback verhelfen wird. Dass dieser Star sogar mal in ihn verliebt war und von ihm schwanger wurde, hat der Hochachtung für Adam Nocke einen mächtigen Schub gegeben. Was für ein Glück, dass Siegfried nicht mehr mitbekommen hat, worum es in dem Drehbuch geht, das Adam Nocke plant! Denn Rebecca hatte Siegfried unmissverständlich klargemacht, dass seine Anwesenheit in der Küche der »Locanda Tedesca« nicht länger erwünscht war. Auch Stefano wurde hinauskomplimentiert, der schnell im Polizeirevier nach dem Rechten sah und genau in dem Moment zurückkehrte, als Siegfried dem Star die Koffer ins Zimmer trug. Anscheinend hatte er sich in der Nähe herumgedrückt und auf seine Chance gehofft.

Nun setzen sich die beiden zu mir und sehen mich erwartungsvoll an. Abgesehen davon, dass ich selbstverständlich nichts davon verraten werde, was in dieser Küche beredet und beschlossen wurde, dass ich es auch gar nicht will, weil es eine Menge mit mir zu tun hat, was Siegfried auf keinen Fall erfahren darf, kann ich es nicht ertragen, diese beiden Männer nebeneinander sitzen zu sehen, in der Intimität meiner Küche. Siegfried, für den ich immer noch sein Lenchen bin, und Stefano, der aus mir die italienische Elena gemacht hat. Er hat hier schon lange seinen Platz, aber Siegfried sollte nie so tun, als wäre er hier zu Hause. Das muss ich schleunigst beenden, ehe er sich in dieser Küche breitmacht, wie er sich früher in meinem Leben breitmachte.

Es klopft leise an der Küchentür. Auf meinen ermunternden Ruf öffnet sie sich zaghaft. Ein Feriengast, eine blasse Frau in mittleren Jahren, steckt den Kopf herein. »Ich habe da mal eine Frage«, beginnt sie, ohne die Türklinke aus der Hand zu geben. »War das gerade Marily Mattey?«

Ich schüttle den Kopf und hoffe, dass der Dame die leuchtenden Mienen und das wissende Grinsen der beiden Männer entgehen oder dass sie sie zumindest falsch interpretiert. »Nein! Nur eine gewisse Ähnlichkeit! Das ist mir auch aufgefallen.« Ich schaffe es sogar, fröhlich zu lachen. »Was sollte Marily Mattey in der ›Locanda Tedesca‹ suchen?«

»Stimmt. Das habe ich meinem Mann auch gesagt.«

Sie schließt die Tür wieder, und ich hege die Hoffnung, dass sie nun im Garten die Kunde verbreiten wird, dass die Sensation, auf die man dort hofft, keine ist.

Siegfried kreuzt zufrieden die Arme vor der Brust und schlägt die Beine übereinander, als wollte er es sich in meiner Küche gemütlich machen.

»Ich habe zu tun«, sage ich unmissverständlich und stehe auf, um meinen Worten Nachdruck zu verleihen.

Stefano versteht sofort und murmelt, dass es sich bei dem Scheckkartenbetrug scheinbar um einen Irrtum gehandelt habe, und Siegfried, der zunächst glaubt, dass er als Ehemann andere Rechte hat, fällt nun ein, dass er sämtliche Stuhlbeine festdrehen will, damit die Gäste nicht mehr auf wackelnden Stühlen sitzen. Ich bin erleichtert, als sich die Tür hinter den beiden schließt, finde es unerträglich, als ich vom Fenster aus sehe, dass sie einträchtig den Hof betreten, und bin heilfroh, als Siegfried sich auf die Suche nach Werkzeug macht und Stefano in seinen Wagen steigt. Dass er Marily Mattey auf dem Weg zu Adams Haus Geleitschutz geben wollte, hat er anscheinend vergessen.

Ich lasse mich auf den Stuhl zurückfallen. Jetzt kann ich endlich in Ruhe nachdenken und mich ganz allein darüber wundern, wie das Wiedersehen zwischen Adam und Marily Mattey verlaufen ist. Und vielleicht kann ich mir jetzt auch die Frage beantworten, was es bedeuten wird, wenn die Drehbuchpläne weiter gedeihen. Sie werden mir immer unheimlicher, und ich habe schon jetzt das Gefühl, dass mir mein Leben aus der Hand genommen wird und ich es demnächst im Kino wieder aufsammeln kann. Mir wäre erheblich wohler, wenn Siegfried in Düsseldorf geblieben wäre. Denn mein Leben ist zu einem großen Teil ja auch sein Leben.

Ich bin noch immer verblüfft, wenn ich daran denke, wie Marily Mattey siebzehn Jahre nach der Trennung den Vater ihres Kindes begrüßte. Lächelnd und mit dem Charme, den ich bisher für das Ergebnis großer Schauspielkunst hielt.

»Nett, dich wiederzusehen, Adam. Als du mich wegen der Italienerin verlassen hast, habe ich dir die Pest an den Hals gewünscht, aber nun bin ich dir nur noch dankbar, dass du mir dieses wunderbare Kind geschenkt hast.« Marily Mattey legte den Arm um ihre Tochter und drückte sie an sich.

Adam, der auf alles eingestellt war, auf Bussi-Bussi genauso wie auf eine Ohrfeige, lächelte erleichtert, als beides ausblieb.

Rebecca war genauso verblüfft wie ich, aber glücklich, während ich selbst eher misstrauisch war. Konnte diese Freundlichkeit die Ruhe vor dem Sturm sein? Ich schob Marily Mattey einen Espresso hin, nachdem ihre Tochter Siegfried und Stefano hinauskomplimentiert hatte, und fügte die Frage an, ob es ihr in dieser Küche komfortabel genug sei. Die Antwort blieb aus, doch ich nahm an, Marily Mattey war zufrieden mit diesem Arrangement, weil sie vermutlich immer zufrieden war, wenn sie sich irgendwo aufhielt, wo sie keine Autogramme geben, dumme Fragen beantworten und in Handys lächeln musste, die Selfies schossen.

Sie sprach ausschließlich mit Adam. »Rebecca hat mir erzählt, dass du ein Drehbuch planst.«

Adam lächelte sie unbefangen an. »Eigentlich wollte ich aus dem Stoff ein Buch machen, einen neuen Toskanakrimi, aber Rebecca hat mich davon überzeugt, dass ich es mal mit einem Drehbuch versuchen soll. Dir möchte ich die Hauptrolle auf den Leib schreiben.«

In Sekundenschnelle wurde aus der bescheidenen Marily Mattey der Filmstar, auf den hier alle gewartet hatten. »Was ist das für eine Rolle?« Sie fragte nicht den Vater ihres Kindes, sondern einen Drehbuchautor, mit dem sie ins Geschäft kommen wollte. Und vor allem fragte sie in der ihr eigenen Unnahbarkeit, die sie in keiner Rolle ganz verlor, und der sanften Überheblichkeit, die den Star von einem Sternchen unterschied. »Erzähl mir etwas von der Handlung.«

»Es ist Elenas Geschichte«, erklärte Adam und schenkte mir ein so inniges Lächeln, dass es mehrere Explosionen in meinem Herzen gab, die in meinem Gehirn einiges lahmlegten. Dennoch gelang mir ein Hinweis, der mir sogar leicht von den Lippen ging: »Ich bin allerdings zehn Jahre älter als Sie, Marily. Wird es Ihnen da nicht schwerfallen, in meine Rolle zu finden?«

»Sie sind fünfundfünfzig?«

»Nein, einundfünfzig.«

»Oh, trotzdem Kompliment! Also sind Sie nur sechs Jahre älter.« Der Star winkte ab. »Unerheblich! Ich bin wandlungsfähig.«

Adam griff nun sogar nach meiner Hand, und mein Herz floss über vor Dankbarkeit. Franziska schien es die Sprache verschlagen zu haben. Anscheinend hatte sie sich schon gerüstet und wusste nun nicht, ob sie die Waffen wirklich wieder einstecken sollte. Die Gegenwart eines Filmstars war für das Selbstbewusstsein einer sechs Jahre älteren durchgebrannten Ehefrau nun mal äußerst bedrohlich. Und das, obwohl ich mich heute natürlich für die am besten sitzenden Jeans, das nagelneue gelbe T-Shirt und den ausgefallenen Ohrschmuck entschieden hatte. Meine Fingernägel waren perfekt manikürt, meine Haare frisch gewaschen und mit viel Haarwachs in Form gebracht. Trotzdem war jede Sympathiebekundung, die den Selbstwert steigerte oder auch nur erhielt, ein Grund zur Freude. Ich drückte Adams Hand ebenso zärtlich.

»Meine süße Elena«, begann Adam und entging einem dankbaren Kuss nur knapp, »hat sich, obwohl sie nicht mehr die Jüngste und sogar schon Großmutter ist, als ziemlich böses Mädchen erwiesen. Allerdings … heiraten möchte ich sie trotzdem.«

Rebecca kicherte, Marily lächelte, und ich fühlte mich immer wohler. Ohne ihn zu unterbrechen, hörte ich Adam zu, der von den Erlebnissen der Constanze Weidenfeld berichtete, die Mann und Kinder verließ, weil sie zum fünfzigsten Geburtstag ein Wohnmobil geschenkt bekam, das sie nicht haben wollte, einen neuen Lebensinhalt, den sie sich ebenfalls nicht selbst ausgesucht hatte, und sich auch nicht wirklich darüber freute, dass ihr Mann ihr zuliebe beruflich kürzertreten wollte. Vor diesen drei unerwünschten Geschenken floh sie nach Italien. Ihr war aufgegangen, dass es gar nicht um sie ging, sondern nur um die Bedürfnisse der anderen, und damit sollte Schluss sein. »Die Geschenke galten nicht ihr, der Geburtstag war nur ein Vorwand gewesen«, schloss Adam.

Marily Mattey murmelte: »Bei so einer Sippschaft wäre ich auch abgehauen.«

Adam bestätigte: »Der Ehemann – ich nenne ihn Lorenz – hat sich mit dem Wohnmobil einen Wunsch erfüllt, und die Tochter hoffte auf kostenlose und engagierte Kinderbetreuung.«

Marily Mattey unterbrach noch einmal: »Außerdem glaubt Constanze, dass sie sich ihre Jugend erhalten kann, wenn sie ignoriert, dass sie Großmutter wird?«

Dieser Einwand gefiel mir überhaupt nicht, aber ich kam nicht dazu, ihn zu korrigieren. Adam ignorierte ihn, fuhr fort und war im Nu am Gardasee angekommen, wo Constanze Weidenfeld eine seltsame Entdeckung machte. »Nun wird aus der Geschichte ein Krimi«, erklärte er und erzählte, was ich unter dem doppelten Boden meines Kleiderschranks gefunden hatte. Erst auf meinen warnenden Blick hin ergänzte er hastig: »Das ist natürlich fiktiv. Das hat mit Elena nichts zu tun.«

»Gut so«, sagte Rebecca. »Ich habe doch gleich gesagt, da muss noch ein zusätzliches Problem rein. Eifersucht ist nicht genug.«

»Viel Geld?«, fragte Marily Mattey.

Adam zögerte, dann antwortete er: »Etwa eine Million«, und schien stolz darauf zu sein, dass ihm eine andere Zahl als achthunderttausend eingefallen war. »Constanze nimmt das Geld an sich und fährt weiter.«

»Was ist das für Geld?«, fragte Marily Mattey.

Adam zögerte. »Vielleicht ... Schwarzgeld«, antwortete er dann und warf mir einen verlegenen Blick zu, weil ihm wohl in diesem Moment einfiel, dass ich ihn gebeten hatte, eine andere Erklärung für das viele Geld zu suchen. »Der Ehemann rast vor Wut, weil seine Frau ihm das Geld gestohlen hat, und noch mehr, als er feststellt, dass sie sich in der Toskana in einen Mann verliebt hat, den sie heiraten möchte.«

Umgekehrt, dachte ich, ohne es auszusprechen. Nicht sie will ihn heiraten, sondern er sie!

»Dafür muss sie natürlich von ihrem Mann geschieden werden, und das will dieser unbedingt verhindern.«

»In Wirklichkeit ist er nur an der Kohle interessiert«, wandte Rebecca ein. »Der hatte mehrere Immobilien in den USA, aber die sind seit der Finanzkrise nichts mehr wert. Durch den Bankencrash hat er auch noch viel Geld verloren.«

Adam verzog das Gesicht. »Rebecca meint, die Geschichte müsse mit solchen oder ähnlichen Problemen aktualisiert werden.«

Er war heilfroh, als auch Marily Mattey zweifelte und Rebecca damit die Unterlegene war. »Über diese Figur können wir noch in aller Ruhe diskutieren. Das Entscheidende scheint mir das Geld zu sein, das Constanze in ihrem Wohnmobil findet. Dort setzt die Kriminalhandlung ein, nicht bei der Eifersucht des Ehemannes.« Sie setzte das Lächeln auf, das sie neben ihrer unbestritten glanzvollen Schauspielkunst berühmt gemacht hatte. »Ich habe übrigens eine viel bessere Idee als Schwarzgeld.«

Über der »Locanda Tedesca« liegt tiefer Frieden. Adam ist in sein Haus zurückgekehrt und hat Rebecca mitgenommen. Zu meiner Aufgabe war es nach Stefanos Verschwinden eigentlich geworden, Marily Mattey nach einer angemessenen Zeit der Ruhe den Weg zu Adams Haus zu zeigen, wo sie sich vergewissern möchte, dass ihre Tochter dort gut aufgehoben ist. Aber Gabriella überraschte mich mit außerordentlichem Pflichteifer. Sie stellte augenblicklich den Schrubber in die Ecke und bot großherzig an, dem Filmstar den Weg zum Haus des Schriftstellers zu weisen. Selbstverständlich aus reinem Altruismus. Das Wort kennt sie zwar nicht, auch nicht, wenn ich es ins Italienische übersetzen würde, aber wie man Eigennützigkeit mit Altruismus verschleiert, das wusste sie genau. Angeblich war sie lediglich um die Sicherheit des Stars besorgt und befürchtete außerdem, dass Marily Mattey sich unterwegs langweilen könnte, wenn sie nicht von einem Zimmermädchen unterhalten wurde.

Auf meinen deutlich ausgesprochenen Verdacht, dass Gabriella sich wichtigmachen wollte, indem sie an der Seite eines Promis durch Chianciano fuhr, reagierte sie ungehalten. Und dass ich sogar mutmaßte, sie würde Marily Mattey zu einem Umweg nötigen, um auf der Piazza Italia huldvoll den staunenden Kurgästen zuwinken zu können, machte sie wütend. So wütend, dass ich wusste, wie recht ich mit meiner Vermutung hatte.

»Kommt nicht infrage, Gabriella! Selbstverständlich darfst du deine Siesta machen, so wie immer. Deine Großzügigkeit kann ich einfach nicht annehmen.«

Die Diskussion wurde zum Glück gestoppt, als Gabriella feststellte, dass Siegfried die Aufgabe, Marily Mattey zu Adams Haus zu fahren, bereits mit großer Begeisterung übernommen hatte. Und das, obwohl er selbst keine Ahnung hatte, wie er dorthin kam. Doch Siegfried war zuversichtlich, und Marily schien sein Angebot zu gefallen. Gabriella und ich schauten dem kleinen weißen Auto mit Siegfried am Steuer verwundert hinterher, und ich fürchtete, dass ich in diesem Augenblick keinen Deut intelligenter wirkte als mein beschränktes Zimmermädchen.

Ja, mein Mann kann sehr charmant sein, wenn er will. Nachdem ich ihn jahrelang mit den Augen der Ehefrau betrachtet habe, die nichts Neues mehr an ihm entdecken kann, fällt mir nun wieder auf, dass auch er ein gut aussehender Mann ist. Anders als Adam und Stefano, aber dennoch attraktiv. Adams Anziehungskraft besteht nicht nur aus seinem objektiv guten Aussehen, sondern vor allem aus seiner Ausstrahlung, von der er keine Ahnung hat, während Stefano alles aufbietet, was zu einem feurigen Italiener gehört. Siegfried dagegen schöpft seine Attraktivität aus seiner psychischen und auch physischen Kraft, die sich jedem auf der Stelle vermittelt. Er ist ein Macher, ein Gewinner, ein Mann, der Macht braucht und bekommt. Sein Körper ist nicht sportlich gestählt wie Stefanos und nicht so schlank wie Adams, der das Essen oft vergisst, seine Augen sind nicht so dunkel wie Stefanos und nicht so sprechend wie Adams, und sein Haar ist lichter. Aber mit seinem Auftreten würde er, wenn die drei in einen Wettstreit träten, vielleicht sogar als Sieger hervorgehen. Frauen lieben solche Männer, jedenfalls so lange, bis sie merken, wie schwach ihre Stärke macht. Marily Mattey hat sich anscheinend von Siegfried beeindrucken lassen. Sie hat es ja nicht nötig, wie eine Hausfrau um ihre eigene Stärke zu bangen.

In der Zeit der Siesta habe ich keine Störungen zu befürchten. Gabriella ist sie heilig, wenn sie nicht gerade einem Filmstar imponieren will, sie verbringt diese Zeit im Haus ihrer Eltern, und auch die Pensionsgäste wissen, dass die Uhren in südlichen Ländern anders ticken. Sie merken schnell, dass es sinnvoll ist, während der Mittagshitze auszuruhen und den lauen Abend dann mit Kraft und Ausdauer zu begrüßen.

Ich dagegen wage es nicht, mich in meine Wohnung zurückzuziehen und die Rezeption sich selbst zu überlassen. Aber ich bin zufrieden, wenn ich in der Küche an einem Espresso nippen und die Füße hochlegen kann.

Cocco hat sich vor der Tür ausgestreckt, als wollte sie niemanden hereinlassen, der mich stören könnte. Wieder einmal bin ich dankbar für Adams Geburtstagsgeschenk. Seit er den Ring, den ich ebenfalls bekam, nicht mehr einen Verlobungsring nennt, bin ich auch mit ihm sehr glücklich, und von Heirat redet er gottlob nur noch selten. Siegfrieds Anwesenheit lähmt jeden diesbezüglichen Wunsch, und die Frage, wie lange mein Ehemann eigentlich bleiben wolle und was er mit seinem Besuch bezwecke, konnte ich ihm bisher nicht beantworten. Genauso wenig die Frage, die er mir vorhin beim Abschied ins Ohr flüsterte. Aber was soll ich darauf antworten? Ich weiß auch nicht, was aus unserer Liebe werden soll, wenn es keinen Ort gibt, an dem wir ungestört sind. In Adams Haus verhindert seine Tochter jede Annährung, in meinem Apartment fühlt Adam sich genauso unfrei, weil er, um zur Haustür zu gelangen, an dem Wohnmobil vorbeimüsste, in dem Siegfried das Messer schärft, das er seinem Nebenbuhler in den Rücken jagen will. Seit Adam an dem Drehbuch arbeitet, hat er eine ganz neue Einstellung zum Thema Eifersucht bekommen.

Dass er jetzt mit Marily und Rebecca zusammen meine Geschichte zerhackt und neu zusammensetzt, macht mir Sorgen. Aber der Zeitpunkt, aufs Persönlichkeitsrecht zu pochen, ist längst verpasst. Es bleibt mir nur noch, darauf aufzupassen, dass die Fantasie mit keinem der drei durchgeht. Zum Glück war Marily weit weniger geneigt, die Ideen ihrer Tochter zu verwirklichen, als Adam, der jeden Gedanken, den Rebecca äußert, für genial hält. So kann ich einerseits hoffen, dass die Story nicht zu einer Räuberpistole verkommt, muss aber andererseits natürlich befürchten, dass sie so realitätsnah bleibt, dass der Wiedererkennungswert nicht zu leugnen ist. Dabei kenne ich die Auflösung des Falls, aus dem Adam einen Krimi machen will, ja selbst nicht. Ob er damit die Wahrheit trifft oder nicht, kann ich also nicht sagen.

Marilys Idee hat Adam und Rebecca sofort überzeugt. »Der Ehemann hat einen Deal mit einem Kriminellen gemacht. Der hat ein Ding gedreht, der Ehemann ist bereit, die Beute zu verstecken, bis Gras über die Sache gewachsen ist. Eigentlich ist Lorenz ein anständiger Kerl, aber er hat etwas getan, was ihn erpressbar gemacht hat. So muss er sich auf den Vorschlag des Ganoven einlassen. Und dafür bekommt er dann später die Hälfte der Kohle. In dem Wohnmobil, das er seiner Frau zum Geburtstag geschenkt hat, wird niemand so viel Geld vermuten. Nicht einmal die Ehefrau selbst! Ein tolles Versteck! Und da der Ehemann nicht die Absicht hat, das Wohnmobil seiner Frau allein zu überlassen, fühlt er sich sicher …«

Dann aber läuft die Sache aus dem Ruder, habe ich staunend vernommen. Die beschenkte Ehefrau macht sich mit dem Wohnmobil aus dem Staub, und der Kriminelle ist um sein Geld besorgt. Er fährt los, um sich die Beute zurückzuholen, ehe sie in die Hände der Fünfzigjährigen fällt, die damit womöglich zur Polizei gehen wird.

Ich stehe auf, weil ich noch einen Espresso brauche. Könnte es so gewesen sein? Dann aber muss ich über mich selbst lachen. Siegfried und irgendein Krimineller, der mit ihm die Beute teilt? Was für ein Unsinn! Und Siegfried erpressbar? Geradezu lächerlich! Adam soll diese Idee also ruhig verfolgen. Sie ist garantiert sehr weit von der Wirklichkeit entfernt. Es sei denn … nicht der Ehemann, sondern jemand anders hat gemeinsame Sache mit dem Gauner gemacht und die Beute dort versteckt. Aber wer?

Vor dieser Frage erhebt sich eine ganz andere Antwort, die ich immer wieder beiseitegeschoben habe, weil sie mich quält wie ein Steinchen im Schuh, das sich nicht herausschütteln lässt. Sollte Rebecca trotz all meiner Zweifel mit ihrer Vermutung ins Schwarze getroffen haben, dann habe ich mir Geld angeeignet, das ich zur Polizei bringen müsste. Geld, das jemandem gehört, dem es gestohlen wurde. Achthunderttausend Euro, die mein Mann in meinem Wohnmobil versteckt hat, konnte ich als mein Eigentum betrachten, als den Teil unseres Vermögens, der mir zusteht. Ich fand es gerecht, mir auf diese Weise zu holen, was Siegfried mir nie freiwillig gegeben hätte. Aber nun? Ich bin nicht besser als ein Dieb, wenn ich Geld an mich genommen habe, das einem Menschen gehört, dem es gestohlen wurde.

Franziska krümmt sich und kommt mir mit faulen Ausreden. *Unwissenheit schützt zwar vor Strafe nicht, aber man kann sich trotzdem darauf berufen, von nichts gewusst zu haben. Das hilft, glaub mir!*

Ich versuche also, den Gedanken abzuschütteln, aber es fällt mir schwer. Ich kann das Geld nicht zurückgeben! Ich besitze nur noch einen Teil davon. Also darf niemand erfahren, dass ich es an mich genommen habe. Cora und Adam werden schweigen, darauf kann ich mich verlassen, aber… was ist mit meinem Gewissen? Werde ich mit dem Schuldgefühl leben können?

Ich lasse mich auf den Stuhl zurückfallen und stoße die Luft aus, die sich in mir angestaut hat.

Ruhig, Elena! Noch ist nichts bewiesen. Bis jetzt gibt es nur Vermutungen, sonst gar nichts. Erst mal abwarten, wie sich alles entwickelt. Dann kannst du immer noch überlegen, wie es weitergehen soll.

Ich kann nicht einschlafen. Marily Matteys Bild geistert durch meinen Kopf, Rebeccas schiebt sich darüber, Adam taucht zwischen den beiden auf, und Siegfried, ein mir fremder Siegfried, sorgt dafür, dass Adam und Rebecca verschwinden und er allein mit Marily Mattey zurückbleibt. Dann aber erkennt er mich, lässt den Filmstar stehen und kommt auf mich zu. Lachend und siegessicher.

Ich schrecke auf, und mir wird klar, dass ich geträumt habe. Nicht Gedanken sind durch meinen Kopf gegangen, Träume waren es, die meinen Schlaf zerrissen und mich schließlich in die Wirklichkeit zurückgeholt haben. Ich sehe zur Uhr, deren Leuchtziffern zu erkennen sind. Halb drei! Sonst wache ich nie mitten in der Nacht auf. Warum heute?

Aber dann höre ich es. Jemand pocht an die Haustür. Oder täusche ich mich? Als ich mich aufsetze, ist das Klopfen nicht mehr zu hören. Die Reste eines Traums?

Ich erhebe mich, um nachzusehen, denn ich merke, dass ich ohne die Gewissheit nicht wieder in den Schlaf finde. Als ich das Wohnzimmer durchquere, dringt ein neues Geräusch an mein Ohr. Kein Pochen und Klopfen mehr, sondern feines Prasseln. Steinchen schlagen ans Fenster und fallen auf meinen Balkon.

Erschrocken reiße ich die Balkontür auf und zucke zurück,

als mich ein Kieselregen trifft. Siegfried steht unter mir, im Schlafanzug, und hat gerade wieder eine Hand erhoben, mit Kieseln gefüllt.

»Bist du verrückt geworden?«

Er lässt die Kiesel zu Boden fallen. »Komm herunter, Lenchen. Bitte! Komm sofort!«

Ich will nach dem Grund fragen, aber seine Stimme ist so flehend und verzweifelt, dass ich keinen Moment zögere. Schnell werfe ich mir meinen Morgenmantel über und laufe hinaus. Siegfried steht nicht mehr unter meinem Balkon, er wartet am Wohnmobil auf mich. Als ich sein Gesicht im Mondlicht erkennen kann, erschrecke ich heftig. »Was ist passiert?«

Bleich ist er, dicker Schweiß steht auf seiner Stirn, die Haare hängen ihm ins Gesicht, er zittert am ganzen Körper. So habe ich ihn noch nie gesehen.

Erschrocken greife ich nach seinem Arm. »Sag schon!«

Er antwortet nicht, sondern öffnet die hintere Tür des Wohnmobils, die in den Küchen- und Wohnbereich führt. Schwerfällig steigt er die beiden Stufen hoch und weist zu Boden. Mir stockt der Atem, als ich zwei Füße sehe. Männerfüße! Sie stecken in hellen, weichen Turnschuhen, darüber sehe ich beige Socken.

»Wer ist das?« Ich weigere mich, ins Wohnmobil hineinzublicken.

Siegfried zuckt die Achseln. »Ich weiß es nicht. Er ist hier eingedrungen.«

»Ist er… tot?«

So schwer es mir gefallen ist, das schreckliche Wort auszusprechen, so schwierig ist es für Siegfried, zu nicken und mir zu erklären, was passiert ist.

»Ich wurde von einem Geräusch geweckt. Jemand machte sich an der Tür zu schaffen.« Er öffnet einen Klappschrank, befördert eine kleine Taschenlampe zutage, klettert wieder aus dem Wohnmobil und beleuchtet das Schloss, sodass ich es sehen kann: Es ist aufgebrochen worden. So wie damals am Gardasee! Die Kfz-Werkstatt von Lazise hat das komplette Schloss aus- und ein neues eingebaut. Jetzt befindet es sich in dem gleichen Zustand wie vorher.

»Als ich endlich richtig wach war«, fährt Siegfried fort, »stand der Kerl schon vor meinem Bett.«

»Hat er dich angegriffen?«

»Dazu habe ich ihn nicht kommen lassen. Ich bin aufgesprungen und auf ihn los.«

»Du hast ihn umgebracht?«

»Es war Notwehr! Ich wollte mich verteidigen, ihn hinausdrängen. Er hat mich abgewehrt, wir haben miteinander gerungen, dann hat er mir das Knie in den Bauch gerammt. Erst wurde mir schwarz vor Augen, dann habe ich rot gesehen.« Siegfried schließt die Tür, als wollte er mir den Anblick der beiden Füße ersparen. Er spricht nun so leise, dass ich ihn kaum verstehen kann. »Es gab ein Gerangel, mal war ich stärker, mal er. Er war kleiner als ich und schmächtiger, aber dafür skrupellos. Ich hatte meine liebe Mühe. Als ich das Gefühl bekam, die Obermacht zu gewinnen, habe ich ihn Richtung Tür gestoßen. Er sollte endlich verschwinden. Aber er …« Siegfried schluckt schwer, ehe er fortfährt: »Er ist unglücklich gestürzt. Er hat mich mitgerissen, ich bin über ihn gefallen, das hat die Kraft des Sturzes verdoppelt. Er ist mit dem Hinterkopf aufgeschlagen. Direkt auf die Ecke des Küchenschranks. Er hat noch zwei-, dreimal gezuckt, dann hat er sich nicht mehr bewegt.«

»Bist du ganz sicher, dass er tot ist?«

Siegfrieds Stimme hört sich jetzt so an, als würde er gleich in Tränen ausbrechen. »Kein Puls, kein Herzschlag. Er lebt nicht mehr, keine Frage. Und wenn du dir die Kopfwunde ansehen würdest …«

Ich wehre erschrocken ab. »Bloß nicht!«

Allmählich begreife ich, in welcher Situation wir uns befinden. »Wir müssen die Polizei holen. Ich rufe Stefano an. Vielleicht kann er sofort kommen, solange die Gäste noch schlafen. Dann ist zur Frühstückszeit alles erledigt.«

Siegfried greift nach meinem Arm. »Keine Polizei«, flüstert er. »Was ist, wenn ich nicht beweisen kann, dass es Notwehr war? Ich bin Rechtsanwalt und Notar, Lenchen. So was kann mich ruinieren.«

Ich muss mich umdrehen, weil ich plötzlich Angst habe, Siegfried könnte mir meine Gedanken vom Gesicht ablesen. Das Geld im Kleiderschrank, der Mann, dessen Silhouette in der Nacht nach meinem Geburtstag vor dem Wohnmobil erschien, der kleine Dünne vom Gardasee, das Auto, das mich verfolgt hat! Wenn dieser tödliche Unfall etwas mit den achthunderttausend Euro zu tun hat, dann hatte nicht nur Siegfried etwas mit dem Tod dieses Mannes zu tun, sondern auch ich. Dann muss es auch in meinem Interesse sein, die Polizei aus dem Spiel zu lassen. Wer kann schon wissen, was die Ermittlungen zutage bringen? Meine Angst, als Diebin entlarvt zu werden, war nie so groß wie in diesem Moment. Und es war mir nie derart deutlich bewusst, dass ich gegen das Gesetz verstoßen habe. Ich habe Geld genommen, das mir nicht gehört. Und ein Teil dieses Geldes ist nicht mehr auf meinem Konto, ich könnte es nicht einmal zurückgeben. Coras Leben wäre ebenfalls ruiniert, wenn sie die zweihunderttausend zurückzahlen müsste.

Ich drehe mich wieder zu Siegfried um, der mich erwartungsvoll anblickt. »Dann müssen wir die Leiche loswerden.«

Es ist ihm anzusehen, dass er nicht weiter gedacht hat als bis zu dem Moment, in dem der Entschluss fällt, die Polizei nicht zu verständigen. Jetzt erst befasst er sich mit den Folgen. »Wo sollen wir ihn hinbringen? Wenn uns dabei jemand beobachtet!«

Ich bin selbst erstaunt, wie schnell mir die rettende Idee kommt. »Der Bettkasten!«

Der Wohnbereich liegt in der Mitte des Wohnmobils, zwischen dem Fahrerhaus, der Küche und der Nasszelle. An der einen Seite gibt es einen Tisch mit zwei Polsterbänken, daraus lässt sich ein Doppelbett machen, wenn man den Tisch absenkt und die Polster darüberbreitet. Auf der anderen Seite, parallel zur seitlichen Karosserie, gibt es ein Sofa, das sich zu einem bequemen Einzelbett verbreitern lässt. Dort habe ich geschlafen, solange das Wohnmobil mein Zuhause war, damit ich die Sitzgruppe lassen konnte, wie sie war. Das Bettzeug habe ich im Bettkasten darunter aufbewahrt.

Ein kurzer Blick ins Innere des Wohnmobils sagt mir, dass Siegfried es genauso gemacht hat. Die Sitzgruppe ist unverändert, auf dem Einzelbett liegen Betttuch, Zudecke und Kopfkissen.

Er versteht sofort und steigt über die beiden Füße hinweg. Ich höre das Bettzeug rascheln, dann die Scharniere knarren. Siegfried hat den Bettkasten geöffnet.

Ich starre weiterhin die beiden Füße an und schaffe es nicht, den Kopf ins Wohnmobil zu stecken, um auch den Rest des Menschen zu sehen, der leblos vor dem Kleiderschrank liegt. Ich bin überzeugt, dass er sich dort vergewissern wollte, ob der doppelte Boden noch unversehrt ist und darunter achthunderttausend Euro liegen.

Siegfried erscheint in der Tür. »Das bewerkstellige ich nicht allein. Du musst mir helfen.«

Mir wird schlagartig übel. Einen Toten anfassen? Das schaffe ich nicht!

Siegfrieds Stimme wird eindringlicher. »Es geht nicht anders. Nimm seine Füße, und schau um Himmels willen nicht auf seinen Kopf.«

Zögernd steige ich die beiden Stufen hoch. Ein widerlicher

Geruch kommt mir entgegen. Ich würde mir gerne die Nase zuhalten, aber jetzt habe ich beide Hände nötig. Ich beuge mich über die Füße des Toten, Siegfried greift unter seine Achseln.

Doch schon lässt er von dem Mann ab und richtet sich wieder auf. »Und dann? Wenn er in dem Bettkasten liegt?«

Ich unterdrücke nur mit Mühe einen Würgreiz. »Das erzähle ich dir nachher«, presse ich hervor und greife nach den Füßen in den hellen Turnschuhen, während Siegfried sich erneut über den Toten beugt.

»Eins, zwei, jetzt«, kommandiert er leise.

Zum Glück ist der Mann nicht besonders schwer. Es gelingt uns auf Anhieb, ihn in den Bettkasten zu befördern.

Siegfried lässt sich entkräftet auf die Sitzbank gegenüber sinken. »Ich kann nicht mehr.«

Aber der Anblick dieses Mannes im Bettkasten, der beinahe wie ein Sarg aussieht, erzeugt plötzlich eine Kälte in mir, die ich nie für möglich gehalten hätte. Die Sache muss jetzt durchgezogen werden! Wer A sagt, muss auch B sagen! Wenn wir so etwas tun, dann dürfen wir keine halben Sachen machen.

Ich beuge mich über den Toten, ohne ihm ins Gesicht zu sehen, und greife in die Innentasche seiner braun-beige karierten Jacke.

»Was tust du da?«, fragt Siegfried entsetzt.

»Ich nehme ihm alles ab, womit er identifiziert werden kann.«

Augenblicke später habe ich eine Brieftasche und ein Mobiltelefon in der Hand. Ich richte mich auf und atme tief durch. »Jetzt noch die Hosentaschen. Die musst du abklopfen, Siegfried. Das kann ich nicht.«

Siegfried sieht ein, dass er seinen Beitrag leisten muss, und tut, was ich verlange. Er befördert einen Autoschlüssel zutage. Ich nehme ihn ebenfalls an mich und lasse alles in den

Taschen meines Morgenmantels verschwinden. »Das verstecke ich in meinem Apartment. Später werde ich es dann irgendwo entsorgen, wo es garantiert niemand findet.«

Als Siegfried sich daranmacht, den Bettkasten zu schließen, ist es mit meiner Beherrschung vorbei. Ich stürze hinaus und laufe zum nächsten Gebüsch. Dort würge und spucke ich, aber mein Mageninhalt bleibt zum Glück dort, wo er hingehört. Trotzdem bin ich in Schweiß gebadet, als ich meinen Oberkörper wieder aufrichte.

Siegfried tritt hinter mich und legt eine Hand auf meinen Rücken. »Danke.« Und dann, nach einer kurzen Pause: »Was nun?«

Ich reiße mich zusammen. »Erst mal musst du das Wohnmobil sauber machen.«

Franziska, die bis zu diesem Augenblick nicht wusste, wie ihr geschah, beglückwünscht mich zu dieser Formulierung. *Früher hättest du gesagt »wir müssen«, und im Ergebnis wärst du mit der Arbeit allein geblieben. Wenn in Düsseldorf etwas sauber zu machen war, blieb es immer an dir hängen.*

Nein, diesmal werde ich mich nicht darauf einlassen, nach Schrubber und Eimer zu greifen. Ich werde nicht einmal meine Hilfe anbieten.

»Es dürfen keine Blutspuren zurückbleiben!«

Ich wende mich ab, um ins Haus zu gehen, aber Siegfried hält mich zurück. »Ich mache alles sauber, danach komme ich zu dir.«

Ich starre ihn erschrocken an, aber dann verstehe ich. Siegfried will nicht in einem Bett schlafen, wenn unter der Matratze ein Toter liegt. Dafür muss ich wohl Verständnis haben. »Okay, ich lasse die Tür offen.«

Marily Mattey nimmt mein Angebot an, statt in ihrem Zimmer in der Pensionsküche zu frühstücken, wo sie ebenso vor Neugierigen, Autogrammjägern und Promisammlern sicher sein wird. Sie erscheint in zartem Rosa. Das leichte Sommerkleid, die Schuhe, das Haarband – alles in der gleichen Farbe. Perfekt, aber dennoch unauffällig.

Franziska fängt prompt an zu maulen. *Wie du wieder aussiehst! Adam hatte früher mal so etwas Properes morgens am Frühstückstisch sitzen. Und du?*

Ja, mir ist heute Morgen nicht mehr Zeit geblieben, als in die nächstbeste Jeans zu springen, ein buntes T-Shirt über den Kopf zu ziehen und mit viel Gel meine Haare in alle Richtungen zu strubbeln. Auch mein Make-up ist keines, das Guido Maria Kretschmer loben würde, wenn es ihm bei *Shopping Queen* unter die Augen käme. Wenn ich nicht gewusst hätte, dass ich auch an diesem Tag einem Filmstar gegenüberstehen würde, hätte ich mich sogar mit einer getönten Creme begnügt. So waren immerhin noch Kajalstift und Wimperntusche zum Einsatz gekommen. Und ich bin mir sogar ein paarmal mit dem Rougepinsel über die Wangen gefahren.

Gabriella hat augenscheinlich mehr Zeit für ihr Make-up gehabt und eine ungestörte Nachtruhe hinter sich. Die dunklen Locken türmen sich anmutig auf ihrem Kopf, was durch viele kleine Spangen in Form von Schmetterlingen unterstützt wird, ihre Augen haben einen schwarzen Rahmen erhalten, ihre Wimpern sind so dick getuscht, dass sie damit den Staub von den Gardinenleisten klimpern könnte. Die Bluse hat sie so weit geöffnet, dass der Rand ihres roten BHs sichtbar ist, und sie schwingt ihren Hintern, als hätte sie keinen weiblichen Filmstar, sondern einen männlichen Filmproduzenten vor sich. Aber vermutlich hofft sie, dass dort, wo Marily Mattey sich aufhält, über kurz oder lang einer erscheinen wird, der Gabriellas Schönheit erkennt und sie für den Film entdeckt.

Marily hat keinen Blick für sie, sondern betrachtet mich so aufmerksam, wie Gabriella es vermutlich gern hätte. »Sie sehen blass aus. Haben Sie schlecht geschlafen?«

Schlecht? Eigentlich gar nicht. Ab halb drei hatte ich damit zu tun, eine Leiche zu verstecken, danach habe ich bis zum Morgengrauen Schmiere gestanden, damit niemand merkte, dass das Wohnmobil zu einem Tatort geworden war und Siegfried dort emsig die Spuren beseitigte. Aber das sage ich natürlich nicht, sondern nuschle nur: »Geht so.«

Franziska tut versöhnlich, aber ihre Worte hören sich zynisch an: *Wenn man dann noch dein hohes Alter berücksichtigt, bist du eigentlich noch ziemlich fit.*

Ich sehe mit einem Mal, dass Marily Mattey zusammenzuckt und ihren Stuhl so zurechtrückt, dass sie dem Fenster den Rücken zudreht. Anscheinend gibt es unter den Gästen immer noch einige, die nicht an eine zufällige Ähnlichkeit zwischen der Frau in meiner Küche und einem bekannten Filmstar glauben wollen. Oder hat Gabriella etwa nicht den Mund halten können? Jedenfalls ist es merkwürdig, dass drei oder vier Gäste sich direkt vor dem Fenster herumdrücken. Sollte jemand seine Nase an die Scheibe drücken, werde ich ihm was erzählen!

Im selben Augenblick sehe ich, dass Rebecca sich längst darum kümmert. Als sie kurz darauf die Küche betritt, klopft sie die Handflächen aneinander, als hätte sie mit Sandsäcken hantiert. Aber tatsächlich verdrücken sich die Neugierigen nun in Richtung der Liegestühle.

»Ciao!« Rebecca verrät uns nicht, was sie meinen Gästen erzählt hat. Vielleicht hat sie ihnen weisgemacht, diese Frau, die Ähnlichkeit mit Marily Mattey hat, sei in Wirklichkeit eine Phonotypistin, die sich um Adam Nockes Manuskript kümmert. Jedenfalls dann, wenn er endlich aufgewacht ist …

Der Schriftsteller schmiegt sich natürlich noch in Morpheus' Arme. Seine Tochter hat daher beschlossen, das Frühstück lieber bei seiner Geliebten und gemeinsam mit ihrer Mutter einzunehmen. Mit dem ungewöhnlichen Arrangement kommt sie augenscheinlich bestens zurecht. Mittlerweile hat sie sogar akzeptiert, dass der Mann, der mich Lenchen nennt, tatsächlich mit mir verheiratet ist.

»Was macht der eigentlich in der ›Locanda Tedesca‹?«, fragt sie, kaum dass sie ihren Platz auf der Arbeitsfläche, direkt neben der Kaffeemaschine, eingenommen hat. »Will er die Scheidung verhindern?«

Was soll ich darauf antworten? Dass Siegfried seine Absichten zwar nicht deutlich beim Namen genannt hat, aber zu vermuten ist, dass er genau dieses Ziel verfolgt?

»Das wäre Adam aber gar nicht recht. Er hofft sehr darauf, dass du ihn heiratest. Was für ein Spießer!«

Ich bin froh, dass Rebecca zu den Menschen gehört, die zwar Fragen stellen, aber nicht unbedingt auf Antworten bestehen. Die meisten erscheinen ihr vorhersehbar, sodass sie nicht ausgesprochen werden müssen.

»Und wieso ist er gerade aus deinem Apartment gekommen? Hat der etwa bei dir gepennt?«

Diese Frage will ich nun aber doch beantworten. Auch deswegen, weil Marily Mattey aufmerkt und ich nicht möchte, dass etwas zu Adam getragen wird, was zu Komplikationen führen könnte. Gottlob habe ich mich auf diese Frage eingestellt und mir eine Antwort zurechtgelegt. »Ich habe Siegfried erlaubt, bei mir zu duschen. Es ist ja zurzeit kein Gästezimmer frei, dessen Bad er benutzen könnte.«

»Kann man in so einem Wohnmobil nicht duschen?«, fragt Rebecca.

Ich werde nervös. »Doch, möglich ist es, aber natürlich sehr beengt. Und das Wasser, das man dafür braucht, kommt nicht direkt aus dem Wasserhahn. Vorher muss man den Wassertank befüllen und später das Abwasser entsorgen.«

»Ich würde mir so ein Ding gern mal ansehen. Meinst du, das geht? Ich habe noch nie ein Wohnmobil von innen gesehen. Ist schon Wahnsinn, was man alles auf kleinstem Raum unterbringen kann.«

Notfalls sogar eine Leiche, ohne dass man sie auf Anhieb sieht.

»Am besten, ich frage mal deinen Mann.«

Solange die Leiche noch nicht stinkt…

Ich gehe nicht weiter auf Rebeccas Wunsch ein, sondern stelle nur den Camembert weg, der, wie mir scheint, heute besonders streng riecht. Und als mir klar wird, dass ich eigentlich gar nicht weiß, wie eine Leiche riecht, wenn sie zu stinken beginnt, stelle ich auch den Brie in den Kühlschrank zurück.

Meinen Frühstücksgästen entgeht meine Nervosität zum Glück. Rebecca schlürft ihren Espresso, Marily Mattey köpft ein Ei, das sie mit kalorienarmem Hüttenkäse verspeist.

»Machen wir gleich mit dem Drehbuch weiter?«, fragt Rebecca ihre Mutter. »In ein bis zwei Stunden dürfte Adams Denkapparat langsam in Fahrt kommen.«

Ihre Mutter nickt. »Ich will unbedingt bei der Entwicklung der Figur dabei sein. Die Constanze könnte mir zu einem Comeback verhelfen. Ich habe gestern Abend noch mit Reinolf Spitz telefoniert. Er ist an dem Stoff interessiert.«

»Fernsehen?« Rebecca kocht sich einen weiteren Espresso, sie fühlt sich in meiner Küche schon wie zu Hause.

Marily Mattey nickt. »Aber es gibt auch einen Filmproduzenten, dem ich den Stoff vorstellen werde. Ein Kinofilm wäre die Krönung.«

Rebecca ist ganz ihrer Meinung. »Natürlich müssen wir den Stoff von Conrad Petersen und Arturo Dotta trennen.

Adam muss einsehen, dass diese beiden die Helden seiner Bücher sind, aber nicht dieses Films. Mir scheint, er tut sich noch schwer damit.«

Aber ihre Mutter winkt ab. »Das habe ich mit ihm geklärt. Er hat letzte Nacht angefangen, das Exposé umzuschreiben.«

»Und was ist mit deiner Idee, dass Lorenz sich auf einen Bankräuber eingelassen hat?«

»Findet er prima. Das kommt heute auch noch ins Exposé. Dann kann Adam sich bald ans Treatment machen.«

»Was ist das?« Schließlich geht es um meine Geschichte, da wird man ja mal eine Frage stellen dürfen.

Ich darf! Rebecca erklärt mir gönnerhaft, dass es sich beim Exposé um eine kurze Darstellung des Stoffes handelt, der im Treatment dann schon in Szenen aufgeteilt wird. »Aber noch nicht dialogisiert.«

Ihre Mutter unterbricht sie. »Ich könnte Adam bitten, für dich eine Rolle reinzuschreiben. Und wenn ich mit Reinolf Spitz rede …«

Rebecca springt von der Arbeitsfläche herunter. »Wie oft noch? Ich will mit diesem Zirkus nichts zu tun haben. Wann kapierst du das endlich?«

Die Antwort schluckt Marily herunter, weil Siegfried in diesem Augenblick die Küche betritt, der scheinbar zu der Ansicht gekommen ist, dass auch er das Frühstück unter den Privilegierten der »Locanda Tedesca« einnehmen darf. Vielleicht will er auch nur nicht allein sein und sich über den Toten in seinem Bettkasten Gedanken machen. Er sieht schlecht aus an diesem Morgen. Das Strahlen, das Marily Mattey ihm bisher entlockt hat, ist nicht ansatzweise vorhanden. Blass und mitgenommen trottet er in die Küche und holt sich einen Stuhl heran. Kein einziges Kompliment hat er für den Star, der offenbar etwas Derartiges erwartet hat. Marily Mattey sieht ihn erstaunt an.

»Störe ich?«, fragt Siegfried, der ihren Blick wohl falsch interpretiert.

Ich ergreife die Chance. »Sollen wir bald aufbrechen?« Und an Marily gewandt erkläre ich: »Wir wollen nach Pienza fahren. Ein Schloss des Wohnmobils ist kaputt. Siegfried kennt hier ja keine Kfz-Werkstatt, und sein Italienisch ist mehr als dürftig. Also fahre ich mit und regle das für ihn.«

»Am Ende der Via della Valle ist doch eine Werkstatt«, sagt Rebecca. »Direkt gegenüber der Kreuzung.«

»Die ist zu teuer«, behaupte ich. »Die Werkstatt kurz vor Pienza ist die beste und preiswerteste weit und breit.« Ich blicke Siegfried aufmunternd an. »Wenn du willst, zeige ich dir bei dieser Gelegenheit Pienza. Eine schöne Stadt! Es wird zwar nicht leicht sein, für das Wohnmobil einen Parkplatz zu finden, aber vielleicht haben wir ja Glück.«

Am liebsten hätte ich ihm zugezwinkert, damit er endlich kapiert, dass ich mit diesen Worten unsere Pläne vorbereite. Aber Siegfried starrt in seine Kaffeetasse und lässt nicht einmal erkennen, ob er mich überhaupt verstanden hat.

Ich gehe in den Garten, decke die Frühstückstische ab und bemühe mich, keinen einzigen Blick zum Wohnmobil zu werfen. Die meisten Gäste sind schon zu ihren Ausflügen aufgebrochen, nur einige sitzen noch da, genießen die schöne Aussicht ins Tal und die Sonne. Sie steht direkt über dem Wohnmobil, das ohne jeden Schatten auskommen muss. Wenn meine Gäste wüssten, dass sie diese Urlaubstage in unmittelbarer Nähe zu einer Leiche verbringen! Ich sehe in ihre ahnungslosen Gesichter und muss mich abwenden. Hastig trage ich die Teller ins Haus und ermahne Siegfried, so bald wie möglich loszufahren. Was die Mittagshitze mit dem Toten im Bettkasten anrichten könnte, will ich mir nicht ausmalen.

Wir verlassen Chianciano in nördlicher Richtung. Am archäologischen Museum geht es links ab und auf Serpentinen den Berg hinauf nach Montepulciano.

Siegfried sitzt neben mir, als wäre ich eine Fahranfängerin, der ein leichtsinniger Verwandter einen Ferrari zur Verfügung gestellt hat. In Düsseldorf hätte ich das Wohnmobil vermutlich nicht einmal aus der Garage fahren dürfen, nun aber muss Siegfried einsehen, dass ich es, nachdem ich es von Düsseldorf bis nach Chianciano gefahren habe, wohl auch nach Pienza bringen werde. Außerdem ist an seiner finsteren Entschlossenheit zu erkennen, dass er mir auf keinen Fall widersprechen will, so gern er es auch täte. Ich glaube, insgeheim ist er sogar voller Bewunderung für meinen Plan. Es fällt ihm lediglich schwer, es zuzugeben.

Ich glaube, er kapiert langsam, frohlockt Franziska, *dass er mit dir nicht mehr so umspringen kann wie früher. Von wegen, was er sagt, wird gemacht, und er hat sowieso immer recht…*

Am Fuß von Montepulciano steht die Kirche San Biagio, losgelöst von der Stadt auf dem Berg. Einsam erhebt sie sich aus dem Tal heraus und ist durch diesen Umstand besonders schön. Siegfried würde gern anhalten und die Kirche besichtigen, aber ich mache ihn darauf aufmerksam, dass er scheinbar vor lauter Begeisterung vergessen hat, was hinter uns im Bettkasten liegt. Das Leuchten auf seinem Gesicht, das ich kenne, weil sich seine Miene immer erhellt, wenn er ein interessantes Bauwerk vor sich hat, verschwindet augenblicklich wieder. Bis das Ortsschild von Pienza in Sicht kommt, sagt er kein Wort mehr.

Dann aber stellt er eine Frage, die nach mir schnappt wie ein Krokodil nach einem ahnungslos ans Ufer tretenden Springbock. »Was ist das für ein Drehbuch, von dem dauernd geredet wird? Was ich bisher gehört habe, gefällt mir gar nicht.«

Mein Schreck ist so groß, dass ich beinahe den Wagen

übersehen hätte, der die Tankstelle verlässt, mit der Pienza die Autofahrer begrüßt. Was hat Siegfried mitbekommen?

Ich hoffe, er nimmt mir meinen Gleichmut ab. »Ein Krimi«, gebe ich zurück. »Mord aus Eifersucht. Nicht gerade ein ausgefallenes Thema, aber Rebecca sagt, man kann aus jedem Thema was machen.«

Siegfrieds Entgegnung kommt düster: »Es geht dabei um eine Frau, die ein Wohnmobil geschenkt bekommen hat und damit durchbrennt.«

Ich bin froh, dass ich meine ganze Aufmerksamkeit darauf richten muss, links abzubiegen. »Adam hat sich inspirieren lassen«, antworte ich erst, als das Abbiegemanöver gelungen ist.

»Er soll sich in Acht nehmen.« Siegfrieds Stimme klingt drohend, und ich kenne ihn gut genug, um zu wissen, dass er meint, was er sagt. »Irgendwelche Ähnlichkeiten mit der Familie Mertens werden ihn teuer zu stehen kommen.«

»Wo denkst du hin?«, gebe ich mich empört. »Dass eine Ehefrau durchbrennt, kommt täglich vor.«

»Auch in einem Wohnmobil, das sie von ihrem Ehemann geschenkt bekommen hat, der ihr eine Freude machen wollte?«

Auf diese Frage muss ich nicht antworten. Ich bin heilfroh, dass mir mein gerechter Zorn wieder einfällt.

Dir eine Freude machen?, zischt Franziska aufgeregt. *Dass ich nicht lache!* Sie stachelt mich an, bezichtigt Siegfried der Lüge und ist hochzufrieden, als ich seine Frage mit nichts als eisigem Schweigen quittiere.

Es scheint großen Eindruck auf meinen Mann zu machen. Denn er besteht nicht auf einer Antwort und schweigt ebenso, als wäre ihm gerade wieder der Tote im Bettkasten eingefallen und als hielte er es für klüger, die Frau, die er zu seiner Komplizin gemacht hat, nicht zu verärgern.

Wir stellen das Wohnmobil auf dem großen Parkplatz am südlichen Stadtrand ab. Als wir aussteigen, fallen mir sofort die drei jungen Männer auf, die in der Nähe herumlungern. Sie beobachten uns, und ich lasse sie merken, dass das Wohnmobil eine Tür hat, die sich nicht mehr verschließen lässt. »Nimm nur das mit, was ein Tourist in einem solchen Fall mitnimmt«, ermahne ich Siegfried. »Alles andere wäre auffällig.«

Ich sehe zu, wie er Brieftasche und Handy einsteckt und seine Kamera an sich nimmt. Dann verlassen wir den Parkplatz, überqueren die Straße, die an Pienza vorbeiführt, und tauchen am Largo Roma in das Gewirr der Gassen ein, die uns zum Corso il Rossellini führen, die Straße, die von einem Ende des Ortes zum anderen führt, voller Geschäfte, Bars und Restaurants. Wir gehen gemächlich, wie es Touristen tun, mit dem Blick auf die alten Häuser und der Kamera im Anschlag. Erst als wir um eine Ecke herum sind, fange ich an zu lachen. Zugegeben, es ist Galgenhumor, der mich schüttelt, dennoch bin ich froh, dass er etwas in mir löst, das sich wie Erleichterung anfühlt.

»Ein unverschlossenes Wohnmobil auf einem italienischen Parkplatz! Das steht keine zehn Minuten dort.« Mein Lachen wird immer lauter, immer schriller.

Nun kann Siegfried sogar in meine überspannte Heiterkeit einstimmen. »Dann müssen die Diebe sehen, wie sie mit der Leiche zurechtkommen.«

»Die werden sie wahrscheinlich erst entdecken, wenn sie anfängt zu stinken.« Ich bringe es vor lauter Lachen kaum heraus.

Auch Siegfried prustet jetzt in die Handflächen. »Und wenn sie sich erwischen lassen, wird ihnen kein Mensch abnehmen, dass sie mit dem Toten nichts zu tun haben.« Siegfried beruhigt sich allmählich wieder. Nun sieht er mich sogar anerkennend an. »Eine tolle Idee, Lenchen! Nur schade, dass das Wohnmobil weg ist. In diesem Fall wird vermutlich nicht einmal die Versicherung zahlen.«

Kichernd mache ich eine wegwerfende Handbewegung und ziehe Siegfried Richtung Dom. »Ich werde das Wohnmobil keinen Moment vermissen.« Auf seine pikierte Miene gehe ich nicht weiter ein. Will er mir etwa immer noch weismachen, er hätte mir ein großzügiges Geschenk gemacht, über das ich glücklich sein sollte?

Der Platz Pio II. vor dem Dom ist voller Menschen. Kein großer Platz, eingeschlossen vom Dom, hinter dem sich ein grandioser Ausblick verbirgt, und den Bischofs- und Papstpalästen rechts und links von ihm. Auf der anderen Straßenseite des Corso erhebt sich der Bürgerpalast. Daneben liegt das Café »La Posta«. Vor der Tür auf der winzigen Terrasse ist noch ein Tischchen mit zwei Stühlen frei, wir können den Dom betrachten und beim Käserollen zusehen. Am ersten Septemberwochenende, wenn das Käsefest in Pienza gefeiert wird, ist das Käserollen ein großes Ereignis, ein Wettbewerb zwischen den verschiedenen Stadtteilen, aber es finden sich auch zu anderer Zeit häufig junge Leute, die sich einen Spaß daraus machen, ein Käserollen zu veranstalten. Diesmal scheint es eine Schulklasse zu sein, die ihren Toskanaausflug mit dieser lustigen Tradition krönen möchte.

Der ziegelrote Platz wird durch marmorne Linien in Vierecke geteilt, das mittlere hat einen Kreis erhalten, ebenfalls aus Marmor gebildet, in dem heute ein Holzkegel steckt. Mit Kreide wurden um den Kreis weitere Kreise gemalt, in denen Zahlen stehen. Schräg gegenüber liegt ein Teppich, auf den sich die Teilnehmer des Wettbewerbs knien, mit einem Käse in der Größe eines Kuchentellers in der Hand, einem Pecorino, den schon Papst Pius zu schätzen wusste, der in Pienza geboren wurde und aufwuchs. Der Pecorino, der an diesem Tag zum Einsatz kommt, hat eine dunkle Kruste, weil man ihn mit Öl und Asche eingerieben hat. Wurde er mit Tomaten und Öl behandelt, ist er rot, so wie der, den ich im Vorratsraum habe.

Ich raune Siegfried zu: »Heute Abend können wir Pecorino mit Walnüssen und Birnen essen. Dazu ein Glas Chianti! Buono!«

Der erste Spieler rollt den Käse auf den Holzkegel zu. Er beschreibt eine Kurve und landet im äußeren Kreis. Nicht schlecht, aber nicht gut genug. Der nächste Käse kommt schon näher an den Kegel heran, aber es dauert noch eine ganze Weile, bis es endlich einem Spieler gelingt, den Käse in die Mitte des Kreises zu rollen, direkt neben den Kegel, und die höchste Punktzahl zu erhalten.

Großer Jubel, auch Siegfried und ich applaudieren und stellen beide im gleichen Moment fest, dass wir für einige Augenblicke den Toten im Bettkasten vergessen haben. Erschrocken und schuldbewusst trinken wir unseren Cappuccino, dann frage ich vorsichtig: »Dir war dieser Mann gänzlich unbekannt?«

Siegfried weiß, von wem ich spreche, und nickt.

»Du hast ihn gesehen, als er noch lebte. War das ein kleiner Dünner?«

Diese Frage bekommt Siegfried in den falschen Hals. »Willst du mir damit sagen, ich hätte ihn nur in den Schwitzkasten nehmen müssen, damit er schnell aufgibt?«

Nein, das hatte ich nicht sagen wollen. Aber nun weiß ich, wie der Dieb aussah, den ich mir, als ich seine Füße nahm, nicht genau angesehen habe. Derselbe Mann wie am Gardasee? Ich bin ziemlich sicher. Er hatte also noch immer die Hoffnung, dass das Geld unentdeckt geblieben war. Von wem ist er geschickt worden? Warum war das Geld ausgerechnet in meinem Wohnmobil versteckt? Und woher wusste er, wo ich bin?

»Was glaubst du? Was wollte er? Warum ist er in das Wohnmobil eingebrochen?«

Siegfried blickt mich an, als hielte er mich für hoffnungslos begriffsstutzig. »Weil er es klauen wollte! Warum sonst? Oder weil er es zumindest ausräumen wollte. Er konnte ja nicht ahnen, dass da jemand drin schläft. Er hat natürlich gedacht, das Wohnmobil steht auf dem Hof der Pension, weil der Besitzer es vorgezogen hat, für eine Weile ein Hotel garni zu genießen.«

Wir schweigen eine Weile, dann frage ich: »Hast du in letzter Zeit mal nach dem Ferienhaus deiner Eltern gesehen?«

Siegfried antwortet, ohne mich anzusehen. »Ich nicht, aber Friederike war mit Udo und Maximilian für zwei Wochen dort.«

»Du hast es also wirklich nicht verkauft?« Obwohl ich mit Madame Duval gesprochen habe, möchte ich es noch einmal aus Siegfrieds Mund hören.

Er blickt mich überrascht an. »Du weißt, das würde ich nur im äußersten Notfall tun. Ich hänge an dem Haus.«

»Man hat dir schon eine Million dafür geboten.«

Siegfried zieht die Stirn kraus. »Das war jemand, der wusste, dass ich nicht verkaufe. Andererseits … sieben- oder achthunderttausend könnte ich schon dafür bekommen.« Er starrt den Brunnen auf der rechten Seite des Platzes an, den Rossellino erschaffen hat. »Auf das Haus in Nizza zu verzichten, das wäre Kapitulation. Dann würden alle glauben, dass es mit mir bergab geht.« Er blickt auf die Uhr. »Wie lange müssen wir noch warten?«

Ich zögere. »Eine halbe Stunde noch. Wenn es nicht geklappt hat, fahren wir nach Siena. In der Nähe des Campo wird dir sogar der Stuhl unter dem Hintern weggeklaut.«

Als der Taxifahrer sicher ist, dass er das Ziel der Fahrt richtig verstanden hat, tritt er derart flott aufs Gas, als ginge es darum, uns in Rekordzeit nach Chianciano zu befördern. Er prescht die Viale Enzo Mangiavacchi hinab, hupt die Fußgänger von der Straße und alles, was Räder hat, zur Seite. Ich bin sicher, dass bei den Verkehrsteilnehmern der Eindruck entsteht, dass einer von uns schwer erkrankt ist, ins Ospedale gebracht werden muss und es auf jede Minute ankommt. Das Mindeste ist, dass wir frischgebackene Großeltern sind und auf der Stelle unseren Enkel in Augenschein nehmen wollen. Dafür hat jeder Italiener großes Verständnis und würde uns, wenn er davon wüsste, trotz eines gefährlichen Ausweichmanövers Glückwünsche nachrufen.

Siegfried greift nach meiner Hand, was den Taxifahrer wohl auf die Idee bringt, dass wir entweder so schnell wie möglich miteinander ins Bett oder zu den Trümmern unseres abgebrannten Hauses wollen, um nach den Resten von Hab und Gut zu suchen. Großes Glück oder großes Unglück! Italiener neigen immer dazu, sich das Beste oder das Schlimmste auszusuchen. Der Fahrer drückt erneut das Gaspedal durch. Erst als ich ihm erkläre, dass wir die Strecke nur deshalb per Taxi zurücklegen wollen, weil unser Auto gestohlen wurde, kommt er zur Mäßigung und fängt sogar an zu trödeln, während er uns von den unzähligen Autodiebstählen berichtet, die in der Toskana Tag für Tag geschehen. Dabei gelingt es mir, mich Siegfrieds Hand zu entziehen, weil ich schon so weit zur Italienerin geworden bin, dass ich beide Hände brauche, um zu berichten, wie es auf der Polizeistation von Pienza zugegangen war. Zum Glück bin ich erst bei dem rauchenden, Wein trinkenden und Trüffel naschenden Polizisten angekommen, als ich erfahre, dass der Leiter der Dienststelle ein entfernter Verwandter des Taxifahrers ist. So erspare ich ihm den Rest meiner Erzählung, in der von inkompetenten, arbeitsscheuen und großsprecherischen Beamten die Rede gewesen wäre, und erwähne lediglich die Freundlichkeit, mit der man uns begegnete. Daran war tatsächlich nichts zu beanstanden gewesen. Als man unsere Anwesenheit endlich bemerkte und bereit war, die Diebstahlanzeige aufzunehmen, ging es wirklich sehr liebenswürdig zu. Vor allem, nachdem ich Siegfried angewiesen hatte, eine Flasche Grappa zu kaufen und im Polizeirevier kreisen zu lassen. Danach wussten alle Bescheid, dass es uns lieber wäre, die Versicherungssumme zu kassieren, als das Wohnmobil zurückzuerhalten. Dass mein an Ehrlichkeit gewöhnter Mann mich darauf hinwies, dass mit einer Zahlung der Versicherung sowieso nicht zu rechnen sei, da das Wohnmobil nicht verschlossen war, verstanden die Polizisten, von denen niemand Deutsch sprach, zum Glück nicht.

Siegfried ist immer noch entrüstet, wenn er sich daran erinnert, wie unsere Diebstahlanzeige unter den Berg anderer Anzeigen geschoben wurde, obwohl er ebenso wie ich hofft, dass sie dort in Vergessenheit geraten wird. Da geht es ihm ums Prinzip. Zum Glück versteht er nicht das rasende Italienisch des Taxifahrers, der die Ansicht vertritt, dass viele Autofahrer ihren alten Wagen loswerden wollen, indem sie dafür sorgen, dass er geklaut wird. Und dann wird den Italienern nachgesagt, in ihrem Land würde viel gestohlen! Der Taxifahrer ist empört über den schlechten Ruf, der in anderen Ländern verbreitet wird. Völlig zu Unrecht!

Er ist verblüfft, dass auf dem Hof der »Locanda Tedesca« ein Polizeiwagen steht, und will daraus den Beweis ableiten, sein Verwandter sei ein überaus gewissenhafter Polizeistellenleiter, der in einem Tempo arbeite, das nur gesundheitsschädlich sein könne. In der ganzen Verwandtschaft mache man sich große Sorgen darum, behauptet er, dass der Polizist in absehbarer Zeit das Opfer seines Arbeitstempos würde. »Gerade erst in Pienza die Anzeige aufgenommen und nun schon vor Ort, um zu ermitteln.« Er seufzt theatralisch und sehr besorgt.

Ich beruhige ihn diesbezüglich, wünsche ihm und auch seinem Verwandten ein langes Leben, lasse Siegfried bezahlen und sorge dafür, dass er mit dem Trinkgeld nicht geizig ist. Dann teile ich Gabriella mit, dass ich mich wieder selbst um die Rezeption kümmern werde, und gehe in die Küche, wo ich Stefano neben der Kaffeemaschine antreffe. Dort ist er immer zu finden, wenn er auf mich wartet.

Dass Siegfried mir auf dem Fuße folgt, gefällt ihm nicht. Am allerwenigsten gefällt ihm, dass mein Ehemann notgedrungen in mein Apartment ziehen muss, weil das Wohnmobil in Pienza gestohlen wurde. Dass auch mir dieser Umstand kein bisschen gefällt, behalte ich für mich. Stattdessen ergehe ich mich in der Empörung, die Stefano von mir erwartet, während er versichert, dass er die dreisten Autodiebe zur Strecke bringen würde, weil er glaubt, dass das von ihm erwartet wird. Dass mein Wunsch, auf der Stelle Adam zu sehen, nicht Siegfrieds Erwartungen entspricht, kann Stefano verstehen, ich aber will es in diesem Augenblick nicht verstehen. Ich will nur eins: zu Adam. Und zwar so schnell wie möglich.

Da Stefano genauso wenig dabei zusehen will, wie Siegfried sich in meinen vier Wänden einrichtet, ist er dennoch bereit, mich zu Adam zu fahren. Wie nett von ihm! »Grazie, Stefano!«

Siegfrieds fragende Geste übersehe ich. Glaubt er etwa, wir seien nun zu Komplizen geworden, die nach begangener Tat zusammenhocken und auf Entlarvung warten? Nein, da hat er sich verrechnet. Zwar fühle ich mich ein wenig schäbig, als ich ihn auf das ausgeleierte Scharnier an der Tür des Hühnerstalls aufmerksam mache, aber Franziska redet mir erfolgreich ein, dass es zu Siegfrieds Bestem ist, wenn ich ehrlich mit ihm umgehe.

Er muss kapieren, dass Adam wichtiger für dich ist.

Wichtiger als Siegfried? Wichtiger auch als meine Kinder und mein Enkel? Dies ist wieder so ein Moment, in dem ich Friederike zu Maximilian sagen höre: »Deine Oma hat uns nicht lieb gehabt, sonst hätte sie uns nicht verlassen.«

Während Stefano durch den Weinberg prescht, auf dem Fußweg, auf dem Fahrzeuge streng verboten sind, sagt er: »Schon merkwürdig! Dem einen Fahrer wird das Auto geklaut, dem anderen Auto der Fahrer.«

Ich verstehe kein Wort, werde aber hellhörig, als Stefano mir von einem Auto berichtet, das den Weg durch diesen Weinberg genommen haben muss. Stefano ist empört. »Sind die Schilder nicht groß genug? Sieht man nicht, dass hier die Durchfahrt verboten ist? Accidenti!«

Ich greife nach seinem Arm, um sein Tempo zu mäßigen, denn die Stelle, wo es den Erdrutsch gegeben hat, kommt in Sicht. Sie ist so schmal, dass sie nur sehr langsam passiert werden kann.

»Vielleicht musste der Fahrer pinkeln«, meint Stefano, »ist ausgestiegen und den Abhang hinuntergefallen.« Er bremst vor der Absperrung, mit der die Sicherheitskräfte von Chianciano ihre Hände in Unschuld waschen, und steigt aus. »Lass uns mal nachsehen, ob der Kerl da unten liegt.«

Ich folge ihm nur ungern. Wenn am Fuß des Weinbergs jemand liegt, wäre er ohnehin nur mit großem Glück von hier oben zu erkennen, andererseits habe ich das dumme Gefühl, dass ich genau weiß, wo der arme Mann liegt, den Stefano vermisst. Meine Handflächen werden feucht, ich spüre, wie mir der Schweiß aus allen Poren dringt. Aber ich darf mich nicht verdächtig machen. Also steige ich ebenfalls aus, gehe zu Stefano und schiebe ganz cool die Hände in die Hosentaschen. Neben ihm stehe ich nun vor dem Abgrund und spähe mit einem langen Hals hinab. Nichts zu sehen, was nicht auch gestern schon dort zu sehen war!

»Wo hast du das herrenlose Auto denn gefunden?«

Er zieht mich an seine Seite und murmelt die Antwort in mein Haar. Wenn ich ihn richtig verstehe, stand der Wagen direkt neben den Rebstöcken von Signora Curtis Schwiegersohn.

Ich entziehe mich seiner Umarmung. »Vielleicht hatte er eine Panne und musste zu Fuß weitergehen?«

Stefano hält noch immer meinen Arm fest. »Wir haben uns das Auto angesehen. Alles war okay, tutto bene. Es hatte übrigens ein deutsches Kennzeichen.«

Diesen Zusatz überhöre ich einfach. Ich wüsste nicht, wie ich darauf reagieren sollte, damit meine Überraschung ehrlich klingt. »Wo ist das Auto jetzt?«

»Im Hof der Carabinierestation. Der Fahrer wird sich bei uns melden, wenn er sein Auto vermisst.«

Das bezweifle ich, äußere meinen Verdacht aber natürlich nicht. Ich bin froh, dass Stefano so zuversichtlich ist, und hoffe, dass viele Tage vergehen werden, ehe er stutzig wird.

Meine Stimmung ist gedämpft, als Stefano mich vor Adams Haus absetzt. Hoffentlich findet sich in dem Auto nichts, was die Identität des Fahrers verrät! Dann hätten Siegfried und ich umsonst in die Taschen des Toten gegriffen. Bis Stefano auf die Idee kommt, deutsche Amtshilfe in Anspruch zu nehmen, und sich den Namen des Fahrzeughalters geben lässt, wird einige Zeit vergehen. Bis dahin muss mir was eingefallen sein. Aber was? Ich merke, dass ich mit den Fingerspitzen auf meinen Oberschenkeln Klavier spiele. Verdammt, ich darf Stefano nicht zeigen, wie nervös ich bin!

»Was ist mit dem Autoschlüssel?«, frage ich noch, bevor ich aussteige. »Steckte er? Konntet ihr deswegen den Wagen wegfahren?«

»Wir haben ihn kurzgeschlossen. No, no, den Schlüssel hat der Fahrer mitgenommen. Morgen sehen wir uns den Wagen genauer an. Irgendeine Spur werden wir schon finden. Die Sache kommt uns komisch vor. Molto strano!«

»Warum eigentlich?« Mir fällt ein, dass Cora einmal vergessen hatte, wo der Bulli abgestellt worden war, und dieser zwei Wochen auf dem Parkplatz des coop-Marktes stand, ohne dass er jemandem aufgefallen war oder ein Carabiniere vermutet hatte, dass dem Besitzer etwas zugestoßen sei. »Wir leben in einem freien Land. Wenn jemand Lust hat, sein Auto in der Landschaft abzustellen und zu Fuß weiterzugehen, dann ist das doch seine Sache.«

»Ein Wagen allein mitten im Weinberg!« Stefano scheint sich zu fragen, warum ich nicht von selbst darauf komme, dass diese Angelegenheit sehr brisant ist. »Kein Haus weit und breit! Nur die ›Locanda Tedesca‹ und die Schreinerei von Signor Rondinone.« Plötzlich kommt ihm eine Idee. »Oder ist bei dir ein Gast abgestiegen, der sein Auto verloren hat? Un tedesco?«

»Natürlich nicht! Ich hätte sofort bei dir nachgefragt, ob sein Auto gefunden worden ist.«

»Na also! Bei den Rondinones hat es auch keinen Besuch gegeben. Dort habe ich mich schon erkundigt.«

»Ein Wanderer vielleicht«, schlage ich vor, während Franziska meinen Oberkörper aufrichtet, damit ich lügen kann, ohne es mir anmerken zu lassen. »Jemand, der sein Auto abgestellt und es dann nicht wiedergefunden hat.«

»Wenn das so ist, dann hat er die ganze Nacht und auch heute Vormittag vergeblich danach gesucht. Meinst du nicht, er sollte langsam auf die Idee kommen, die Carabinieri anzurufen?« Stefano sieht mich an, als hätte er mehr von mir erwartet. Schließlich hat er oft genug darüber gelacht, dass ich als Deutsche lange an italienische Pünktlichkeit geglaubt habe und immer wieder darauf hereinfiel, als ein Handwerker mir schwor, am nächsten Tag alle Arbeiten zu beenden, mit denen er noch nicht einmal angefangen hatte.

»Könnt ihr euch nicht bei der deutschen Polizei erkundigen, wem der Wagen gehört?«, frage ich, damit der Eindruck, den er von den korrekten Deutschen hat, nicht völlig verloren geht.

»Naturalmente! Das werde ich gleich morgen früh erledigen, wenn der Fahrer sich dann immer noch nicht gemeldet hat.«

Ich halte mich mit weiteren Meinungsäußerungen zurück, bedanke mich bei Stefano fürs Fahren und gehe auf die Haustür von Adams Haus zu. Mir ist überhaupt nicht wohl.

Auf mein Klingeln reagiert niemand. Also gehe ich ums Haus herum und finde Adam, Marily und Rebecca friedlich vereint auf der Terrasse vor. Wie eine kleine heile Familie. Anscheinend hat niemand die Türglocke gehört. Wie es aussieht, könnte es aber auch sein, dass niemand sie hören wollte.

Es gibt mir einen Stich, als ich die drei dort sitzen sehe, gemeinsam über ein Blatt Papier gebeugt. Der zweite Stich wird mir verpasst, als ich merke, mit welcher Gleichgültigkeit ich empfangen werde. Adam steht nicht einmal auf, von einem Begrüßungskuss ganz zu schweigen.

»Setz dich«, sagt er nur. Und ich warte auf die Ergänzung: aber stör uns nicht.

Zwar bleibt sie aus, aber sie steht trotzdem über den drei Köpfen. Ich warte so lange, bis alle zur gleichen Zeit aufblicken, dann erzähle ich von dem gestohlenen Wohnmobil. »In Pienza! Auf dem Parkplatz Disco Orario.«

Adams Gesicht zeigt keine Spur von Mitleid. »Rebecca hat mir erzählt, dass das Schloss des Wohnmobils kaputt ist. Hat dein Mann es denn nicht reparieren lassen?«

»Das wollte er. Später! Aber da … war es schon weg.«

»Wie kann man ein Wohnmobil, das sich nicht abschließen lässt, in Pienza abstellen!« Adam schüttelt den Kopf, als gehörte er zu den Menschen, denen ein solches Fehlverhalten nie in den Sinn käme. Anscheinend hat er vergessen, dass seine Haustür einen ganzen Monat lang nicht zu verschließen war, ehe Adam auf die Idee kam, Signora Curtis Mann um

Hilfe zu bitten. Dass ihm während dieser Zeit nichts gestohlen wurde, war natürlich kein reiner Zufall. In Chianciano glaubt niemand, dass bei einem Mann, der sich der brotlosen Kunst des Schreibens hingibt, was zu holen ist. Dass Adams Bücher in Deutschland regelmäßig auf den Bestsellerlisten stehen und seine Verkaufszahlen beachtlich sind, kann sich in Italien niemand vorstellen. Adam Nocke ist einfach nicht der Typ, der gute Geschäfte macht. Also ist es sinnlos, in seinem Haus nach Wertgegenständen zu suchen.

Als ich anbiete, für alle Kaffee zu kochen, bedankt sich Rebecca für dieses Angebot, indem sie mich in den Stand ihrer Arbeit einweiht. »Die Sache mit dem Schwarzgeld haben wir nun endgültig verworfen.«

»Gut!« Ich nicke zufrieden. »Ihr müsst wirklich aufpassen. Siegfried hat sich schon bei mir beklagt. Er wird dich in Teufelsküche bringen, Adam, wenn es zu viele Ähnlichkeiten gibt. Die Tatsache, dass die Heldin nach ihrem fünfzigsten Geburtstag in ein Wohnmobil steigt und abhaut, ist ihm schon zu viel der Ähnlichkeit.«

»Woher weiß er das?«, fragt Adam.

»Von mir nicht«, gebe ich zurück. »Einer von euch muss darüber geredet haben, sodass er es mitbekommen hat.«

»Ich nicht«, sagt Rebecca, während Marily Mattey schweigt.

Adam denkt nach. »Wenn es um einen Toskanakrimi ginge, würde ich Charlot bitten, sich juristisch rückzuversichern. Aber ich glaube, aus der Ausgangssituation kann er uns keinen Strick drehen. Notfalls streichen wir, dass Constanze Weidenfeld ihren fünfzigsten Geburtstag feiert. Sie kann das Wohnmobil auch zur Silberhochzeit geschenkt bekommen.«

»Also gut.« Mit dieser Änderung bin ich zufrieden.

Rebecca wendet sich an mich. »Dass dein Mann einen Deal mit einem Kriminellen gemacht hat, liegt ja wohl nicht im Bereich des Möglichen?« Schon nickt sie zufrieden, obwohl sie keine Antwort erhalten hat. »Also gut! Dann machen wir's so. Lorenz hat die Beute in dem Wohnmobil versteckt, das seine Frau zum Geburtstag bekommen hat. Ein super Versteck, hat er sich gesagt. Da wird niemand nach dem Geld suchen. Aber dann haut Constanze ja mit dem Wohnmobil ab, womit niemand gerechnet hat. Zack, die Kohle ist weg! Der Kriminelle fährt hinter Constanze her, versucht, das Geld aus dem Wohnmobil zu holen, wird dabei aber entdeckt und verhaftet. Er soll übrigens Ralf Beckmann heißen. Wie findest du den Namen?«

»Ausdruckslos«, antworte ich spontan.

Rebecca wird nachdenklich, Marily und Adam werden es zu meiner Freude ebenfalls. »Wir dachten«, sagt Marily unsicher, »dass ein unauffälliger Name, der vermutlich häufig vorkommt, am besten zu ihm passt.«

Aber ich bin anderer Meinung. »Der Name klingt bieder, hausbacken. So heißt ein Mann, der im Restaurant die Rechnung prüft und wenn sie um zwei Euro zu hoch ausgefallen ist, zehn Cent von dem Trinkgeld zurückverlangt.«

»Du meine Güte!« Adam sieht mich an, als hätte ich eine Lebensweisheit von mir gegeben. »Was schlägst du vor?«

Ich überlege nicht lange. »Wie wär's mit Karl, den alle Charly nennen? Und da er einen schwedischen Vater hat, heißt er Charly Andreasson.«

Ich freue mich, dass ich für Verblüffung gesorgt habe, und stehe auf, um den versprochenen Kaffee zu kochen. »Charly Andreasson«, wiederholt Marily nachdenklich, während ich in die Küche gehe. »Irgendwie stimmig. Ich habe einen kleinen Dünnen vor Augen. Ja, zu dem würde der Name passen.«

Ein kleiner Dünner! Ich verzähle mich, als ich das Kaffeepulver in den Filter löffle, kippe alles zurück und fange von vorne an. Mit einem kleinen Dünnen hat Lorenz, der Ehemann von Constanze Weidenfeld, einen Deal gemacht? Wäre

Siegfried zu so etwas fähig? Darüber brauche ich nicht lange nachzudenken. Natürlich nicht! Siegfried ist es immer darauf angekommen, so aufrichtig zu sein, wie es sich für einen Anwalt gehört. Dumme Gedanken! Dabei gibt es so viele andere, die näherliegen.

Ob die Autodiebe den Bettkasten schon geöffnet haben? Solche Kriminellen werden bestimmt einen Ort finden, an dem eine Leiche sicher entsorgt werden kann. Und selbst wenn man sie finden sollte, wird es schwer sein, sie zu identifizieren. Es sei denn, die Fingerabdrücke geben Aufschluss über die Identität des Mannes. Wenn er kein unbeschriebenes Blatt ist, wissen die Polizisten dann Bescheid. Und natürlich, wenn die Leiche gefunden wird, solange das Auto des Toten noch im Hof der Carabinieristation steht. Eine Halterabfrage will Stefano morgen früh erledigen, dann wird der Name bekannt sein. Das muss unbedingt vermieden werden. Noch heute muss etwas geschehen. Wir können uns nicht darauf verlassen, dass die Leiche so sicher entsorgt wird, dass sie nie wieder auftaucht. Mir bricht der Schweiß aus, in meinem Kopf kreischt eine Bremse, als könnte ich den Lauf der Katastrophe anhalten.

Rebecca erscheint in der Küche, um sich nach dem Fortgang des Kaffeekochens zu erkundigen. Sie ist enttäuscht, als sie sieht, dass ich noch nicht weit gekommen bin. »In diesem Tempo hätte selbst Adam eine Kanne Kaffee produziert.« Sie weist kopfschüttelnd zu der Kaffeemaschine, die ich nicht angestellt habe. »Da hätten wir lange warten können.«

Sie nimmt auch in Adams Küche den Platz ein, der ihr anscheinend der liebste ist: auf der Arbeitsfläche direkt neben der Kaffeemaschine. »Uns ist gerade eingefallen, dass es womöglich nicht überzeugend ist, wenn ein Mann, der vorher ein ehrliches Leben geführt hat, sich auf die Idee eines Kriminellen einlässt. Was meinst du? Hat Lorenz vorher schon gelegentlich ein krummes Ding gedreht, ohne dass Constanze es wusste? Oder ist er vielleicht gezwungen worden? Dann müsste er natürlich etwas auf dem Kerbholz haben. Er muss erpressbar sein.« Sie legt ihre Stirn in Falten und rümpft die Nase. »Ich glaube, das geht. Lorenz stelle ich mir zwar als totalen Spießer vor, aber gerade solche Leute haben es ja manchmal faustdick hinter den Ohren.«

Mir purzeln Rebeccas Ideen im Kopf herum. Siegfried sollte sich früher schon die eine oder andere krumme Tour geleistet haben? Nein, ich weiß genau, dass er an Recht und Gesetz glaubte, als er sich zum Jurastudium entschloss, und nichts als Gerechtigkeit im Sinn hatte, als er seine Kanzlei eröffnete. Siegfried hat niemals etwas Ungesetzliches getan. Deswegen war es auch eine dumme Idee von mir gewesen, zu vermuten, er wollte unversteuertes Geld außer Landes schaffen. Nicht Siegfried!

»Ich glaube, jeder Mensch kann in eine Situation geraten, in der er erpressbar wird«, höre ich mich sagen. »Eine einzige falsche Entscheidung und …« Ich kann nicht weitersprechen. Mit aller Macht muss ich mich von dem Gedanken lösen, dass hier von Siegfried die Rede ist.

Bist du verrückt?, fragt Franziska. *Was diese Drehbuchexperten sich ausdenken, ist reine Fiktion. Lorenz ist nicht Siegfried! Kapiert?*

Rebecca reißt mich aus meiner Verwirrung: »Wir haben noch eine neue Idee entwickelt. Was hältst du davon? Hör zu: Charly Andreasson gibt nicht auf. Als er aus dem Knast entlassen wird, findet er heraus, wo Constanze Weidenfeld hingefahren ist.«

»Wie macht er das?«

Rebecca ist nur kurz verunsichert. »Er kennt jemanden aus Lorenz' Umfeld. Durch geschicktes Fragen bekommt er raus, dass Constanze in die Toskana abgehauen ist. In Chianciano muss er ein bisschen suchen, aber irgendwann findet er sie. Und er entdeckt auch das abgestellte Wohnmobil. Er bricht es noch einmal auf und schaut in den Kleiderschrank. Aber der doppelte Boden ist weg und die Kohle auch.«

Ich spüre, dass mir eine Gänsehaut über den Rücken rieselt. »Und dann?«

Rebecca schnappt sich die Kaffeekanne und geht auf die Terrasse zurück. »Charly könnte überrascht werden«, wirft sie über die Schulter zurück. »Von Constanze! Sie hält ihn für einen ganz normalen Autodieb und gibt ihm eins über den Schädel.«

Ich bin ihr gefolgt. »Einen Autodieb umbringen? Wer tut denn so was?«

»Unsinn, Rebecca«, tadelt Marily Mattey ihre Tochter. »Constanze ist der Sympathieträger. Die macht so was nicht.«

»Dann eben der Antagonist.«

»Der Ehemann also«, sagt Adam. »Der sieht die Chance, die Beute nicht teilen zu müssen, schlägt zu … und tut hinterher so, als wäre es ein tragischer Unfall gewesen.«

»Oder er schiebt Constanzes Liebhaber die Schuld in die Schuhe«, schlägt Rebecca vor. »Dann hat er zwei Fliegen mit einer Klappe erledigt.«

Ich mache auf dem Absatz kehrt und gehe in die Küche zurück, als hätte ich etwas vergessen. Franziska kann reden, wie und was sie will, ich schaffe es einfach nicht, Fiktion und Realität auseinanderzuhalten. Kann es sein, dass Siegfried nur vorgegeben hat, es habe sich bei dem Tod des Autodiebes um einen Unglücksfall gehandelt? Hat er in Wirklichkeit …? Nein, diesen Gedanken will ich gar nicht zu Ende denken. Himmel, wenn Siegfried wüsste, zu welchen Verirrungen mich die Story bringt, die auf Adams Terrasse entsteht. Blanke Fantasie! Das Arbeitsergebnis von Menschen, die ihr Geld damit verdienen, dass sie das Schicksal am grünen Tisch entwerfen und es sich dann parallel zu Spannungsbögen und Wendepunkten entwickelt.

Ich fühle mich nicht wohl in dieser Runde, in der aus meiner Geschichte ein Film mit Mord und Totschlag gemacht wird. Zwar merkt Adam, dass ich gern mit ihm allein wäre, als ich mich über ihn beuge, aber er ist viel zu sehr mit seinem Drehbuchstoff beschäftigt, als meine Sehnsucht nach einem Kuss zur Kenntnis zu nehmen.

Er blickt auf und lächelt mich an. »Ich komme heute Abend zu dir.« Augenzwinkernd wendet er sich an seine Tochter. »Kannst du heute Nacht allein bleiben? Dann übernachte ich bei Elena.«

Ich warte Rebeccas Antwort nicht ab. »Das geht nicht. Siegfried schläft bei mir.«

Nun endlich wendet Adam sich mir voll und ganz zu. Er braucht manchmal eine Bombendetonation, wo bei anderen eine Knallerbse reicht. »Wie bitte?«

»Was soll ich machen?«, verteidige ich mich, noch ehe sein Vorwurf mich erreicht. »Das Wohnmobil ist weg. Ich kann Siegfried schlecht auf die Straße setzen.«

»Schick ihn nach Düsseldorf zurück«, fordert Adam mit düsterer Miene.

Ich warte auf die Aufforderung, Adam stattdessen in seinem Hause zu besuchen, aber ich hoffe vergeblich. Anscheinend weiß er, dass er sich in seinem Schlafzimmer, das neben dem Gästezimmer liegt, in dem Rebecca wohnt, nicht entspannen könnte. Und da ich das ebenso weiß, belasse ich es dabei. Rebeccas Ferien werden nicht ewig dauern, und Siegfried wird sich auch irgendwann damit abfinden, dass er mich nicht zwingen kann, mit ihm nach Düsseldorf zu kommen. Ich muss nur ein wenig Geduld haben …

Es ist eine Nacht mit vielen Geräuschen, stockfinster wie jede Nacht in Chianciano, aber noch voller Leben. Der Wind rauscht in den Bäumen, im Gebüsch wispert es, schwache Rufe sind zu hören, Hundegebell und Autohupen, der Straßenverkehr braust in der Ferne.

Die Finsternis setzte bereits gegen acht ein und war um halb neun vollkommen. Jetzt ist es halb zehn. Noch Abend, aber doch schon Nacht. Ein Meer von Zikaden zirpt, der Verkehr braust über die Viale della Libertà, mal gleichmäßig strömend, dann schwankend im Rhythmus der Ampelphasen und unterbrochen durch häufiges Hupen.

Um die Carabinieristation herum ist es ruhig und menschenleer. Gegenüber, auf der anderen Straßenseite, befinden sich zwei einfache Hotels, das Hotel Firenze und das Hotel Angela. Beide gehören zu denen, die um ihre Existenz fürchten müssen. Die Gäste kommen von Jahr zu Jahr spärlicher, viele Fenster bleiben verschlossen, nur wenige Lichter sind zu sehen. Die Therme wird nicht mehr gut besucht, der Staat hat kein Geld, um Gesundheitsvorsorge zu unterstützen. Seit die einfachen Leute sich die Therme nicht mehr leisten können, geht es bergab mit Chianciano, und seitdem kommen auch die reichen Leute nicht mehr. Wir müssen keine Angst haben, dass wir von Hotelgästen, die tagsüber auf ihre Gesundheit und am Abend auf Genuss und Spaß bedacht sind, beobachtet werden.

Siegfried versucht immer noch, mich von meinem Plan abzubringen. »In eine Carabinieristation einbrechen! Damit machen wir alles noch schlimmer. Wenn das schiefgeht!«

»Wird es nicht.«

Franziska kichert ausgelassen. *Merkst du nicht auch, dass sich eure Rollen vertauscht haben? Früher warst du der Bedenkenträger und Siegfried der Sichere, Coole, der wusste, dass alles, was er plante, funktionieren würde.*

Ich verscheuche mein Selbstbewusstsein, das mir etwas

einreden will, was ich selbst noch nicht glauben mag. Natürlich bin ich nicht halb so zuversichtlich, wie ich mich gebe. Indem ich Siegfried noch einmal auseinandersetze, worum es geht, mache ich mir vor allem selbst Mut. »Wir wissen nicht, was die Autodiebe mit der Leiche anfangen.«

»Sie werden sie irgendwo ablegen und das Wohnmobil schleunigst verhökern. Vermutlich ins Ausland.«

Siegfried will einfach nicht erkennen, worauf es mir ankommt. Noch einmal setze ich es ihm auseinander: »Wenn wir Glück haben, wird die Leiche nie gefunden. Wenn wir weniger Glück haben, wird sie gefunden, aber nicht identifiziert. Oder erst sehr spät. Niemand wird dann eine Verbindung zu uns herstellen können.«

Wir sind jetzt nur noch zweihundert Meter von der Carabinieristation entfernt. An dieser Stelle gibt es einen Baum auf der ansonsten unbepflanzten Straße, der seine Äste über eine Bank wölbt, die die Gemeinde dort aufgestellt hat. Wir lassen uns darauf nieder, angespannt, ohne uns anzulehnen.

»Wenn wir aber kein Glück oder sogar Pech haben«, fahre ich fort, »findet Stefano morgen heraus, wem das Auto gehört. Dann wird ihm, sobald die Leiche gefunden wird, schnell aufgehen, um welchen Mann es sich dabei handelt. Und falls Stefano morgen Fingerabdrücke am Auto sichert, wird er sogar zweifelsfrei wissen, dass der tote Mann mit diesem Auto gefahren ist, als er noch lebte.«

»Vorausgesetzt, man findet die Leiche. Vielleicht …«

»Wir können nicht davon ausgehen«, unterbreche ich Siegfried, »dass die Autodiebe so clever sind, die Leiche für immer verschwinden zu lassen. Und wenn der Zusammenhang zwischen Leiche und Auto hergestellt ist, wird nach dem Mörder dort gesucht, wo die ›Locanda Tedesca‹ steht. Das müssen wir unbedingt verhindern.«

Franziska tritt mir auf den Fuß und zwinkert mir zu. Ja, nun glaube ich auch, dass sie recht hat. Siegfried ist der Verzagte, ich bin die Tatkräftige, die genau weiß, was richtig ist! Dann tritt mir Franziska sogar vors Schienbein. Wahnsinn, wie gut es ist, mein Selbstbewusstsein zu spüren!

Siegfried sieht nun alles ein, nickt folgsam, fragt sich flüsternd, warum ich das alles für ihn tue, und schlussfolgert, dass eben eine lange Ehe nicht so einfach abzustreifen ist. Mit diesen leisen Selbstgesprächen macht er mich nervös, mit den Mutmaßungen, die er nicht ausspricht, erst recht. Und als er sogar noch fragt: »Woher kennst du diesen Stefano eigentlich so gut?«, bitte ich ihn, endlich den Mund zu halten.

Franziska wiederholt es ehrfürchtig. *Du hast ihm wirklich gesagt, er soll den Mund halten? Wahnsinn!*

Wenn Siegfried wüsste, warum auch ich darauf bedacht bin, dass von dem Einbruch ins Wohnmobil niemand etwas erfährt! Nur gut, dass er davon keine Ahnung hat! Zwar passt es mir gar nicht, dass er glaubt, ich täte das alles für ihn, weil er mir nach wie vor viel bedeutet, aber noch schlimmer wäre es, wenn er wüsste, dass ich einen großen Geldbetrag an mich genommen habe, den ich der Polizei hätte übergeben müssen. Gestohlen habe ich ihn, jawohl! Ich bin eine Diebin! Nein, davon darf Siegfried unter keinen Umständen etwas erfahren.

Wir sehen die Via della Valle hinauf und hinab, dann gebe ich Siegfried ein Zeichen. Es ist so weit! Wir können es riskieren.

Langsam stehen wir auf und wechseln die Straßenseite, Franziska hüpft uns voraus. Ohne zu zögern gehe ich auf die Carabinieristation zu, Siegfried muss sich viel Mühe geben, ebenso sicher aufzutreten, das merke ich genau. Er schafft es nur mit größter Anstrengung. Siegfried starrt das Schild an – »Comando Stazione Carabiniere« –, als wollte er nichts anderes sehen, was ihm vielleicht Furcht einflößen könnte.

Auf der brusthohen Mauer, die die Polizeistation umschließt, steht ein mannshoher Zaun, das beleuchtete Eingangstor ist hoch, unüberwindlich. Doch wir schenken ihm keinen Blick, es wird Tag und Nacht per Video überwacht. Dass sich irgendjemand ansieht, was die Kamera auf Video aufnimmt, bezweifle ich allerdings. Ich kenne Stefano lange genug, um zu wissen, wie die Carabinieri in Chianciano arbeiten.

Die Station besteht aus zwei Gebäudekomplexen. Vorne, an der Straße, das Gebäude mit den Büroräumen, dahinter, durch einen hohen Zaun getrennt, das Haus mit den Wohnungen der Bediensteten. Mehrere Polizisten wohnen hier mit ihren Familien, das Reinigungspersonal hat Anspruch auf Wohnraum und sogar der Anstreicher, der einmal im Jahr die Carabinieristation auf Hochglanz bringt, während er sonst seine liebe Mühe hat, an Aufträge zu kommen. Stefano wohnt hier nicht, er lebt bei seiner Mutter in einer großen Wohnung in der Nähe der Kuranlagen.

Die Bewohner betreten und verlassen die Wohnhäuser über die Gebäuderückseite, der hohe Zaun trennt sie von der Polizeistation. Und genau dort, vor diesem Zaun, steht ein blauer Golf. Durch ein zweites Tor an der rechten Seite der Mauer können wir ihn erkennen. Der Hof ist schwach beleuchtet, die Frage, ob er ebenfalls videoüberwacht ist, stelle ich mir einfach nicht.

Ich stoße Siegfried in die Seite und weise ihn auf das Auto hin. »Sieh doch!«

Ich fühle, dass meine Knie zu zittern beginnen. Zufall? Nein, das kann unmöglich ein Zufall sein. Das ist der Beweis!

Siegfried pfeift leise. »Düsseldorfer Kennzeichen! Ist das die Möglichkeit?«

Ich antworte nicht. Am liebsten würde ich mich heulend an Siegfrieds Brust werfen, ihm gestehen, was ich getan habe, und ihn um Verzeihung bitten. Hätte ich nicht achthunderttausend Euro an mich genommen und behalten, wäre er nicht in die schreckliche Situation gekommen, einen Menschen so heftig abzuwehren, dass er zu Tode kam. Zu allem, was ich an Schuld auf mich geladen habe, kommt nun auch noch, dass Siegfried unter einer Schuld leidet, die eigentlich mir anzulasten ist.

Bist du verrückt? Franziska macht sich kampfbereit. *Dich heulend an Siegfrieds Brust werfen? Diese Zeiten sind vorbei. Du brauchst keine Heldenbrust mehr, an der du Schutz suchst! Zeig ihm, dass du für das, was du getan hast, selber einstehst!*

Ich bin nun noch sicherer als zuvor, dass der kleine Dünne vom Gardasee in diesem Auto in die Toskana gefahren ist, um sich sein Geld zu holen. Sein Geld? Nein, vermutlich Geld, das er gestohlen hat, sonst hätte er es nicht zu verstecken brauchen.

Das Tor, vor dem wir stehen, ist genauso hoch wie das Haupttor, nur schmaler und natürlich verschlossen. An meinem ersten Abend in Chianciano hatte ich Angst, dass das Wohnmobil nicht hindurchpasste. Stefano, der mir die Möglichkeit gegeben hatte, an einem sicheren Ort zu übernachten, stoppte damals direkt hinter mir, lief zum Tor und griff durch die Gitterstäbe. Augenblicke später hatte er einen Schlüssel in der Hand, mit dem sich das elektrische Tor öffnen ließ. Als ich hindurchfuhr, musste ich die Seitenspiegel einklappen, sonst hätte es nicht gepasst.

Als ich Siegfried erkläre, dass ich weiß, wie die Carabinieri dieses Tor öffnen, ist er mit einem Mal gereizt. »Und du glaubst, du brauchst jetzt auch nur durchs Gitter zu greifen und hast den Schlüssel in der Hand?«

Sicher bin ich natürlich nicht, aber doch sehr optimistisch. Die Bequemlichkeit italienischer Beamter ist erheblich ausgeprägter als ihr Sicherheitsbedürfnis, das weiß ich inzwischen. Und da ich vermutlich nicht die Einzige bin, der Stefano im

Laufe der Jahre einen Platz zum Übernachten zur Verfügung gestellt hat, bin ich auch ohne Sorge, dass sich sein Verdacht ausgerechnet auf mich richten wird, falls er feststellt, dass das Tor durch einen Unbefugten geöffnet wurde.

Ich schließe die Augen, rufe mir in Erinnerung, in welcher Höhe Stefano damals nach dem Schlüssel tastete, und mache es wie er. An der linken Seite muss es irgendwo die Möglichkeit geben, einen Schlüssel abzulegen. Und tatsächlich! Auf der Rückseite der Mauer, genau dort, wo an der Vorderseite das helle Kästchen mit dem Schloss hervorsteht, findet sich auch eines auf der anderen Seite. Genauso tief und mit einer Fläche, auf der sich ein Schlüssel ablegen lässt.

Ich halte ihn triumphierend in die Höhe und höre Franziska juchzen. »Hast du an die Autoschlüssel gedacht?«

Siegfried greift in seine Hosentasche, und ich sehe, dass seine Hände zittern. Er bedenkt mich mit einem undefinierbaren Blick, als er den Autoschlüssel hochhält. So, als fragte er sich, wie er vor vielen Jahren eine Frau heiraten konnte, ohne zu merken, welch kriminelle Energie in ihr steckt.

Das Tor fährt zur Seite, langsam und fast geräuschlos. Kaum, dass die Öffnung breit genug ist, zwängt Siegfried sich hindurch und läuft zu dem blauen Golf. Es handelt sich um ein älteres Modell ohne automatischen Türöffner.

»Beeil dich!«, rufe ich ihm leise nach. »Wenn jemand aufmerksam geworden ist, müssen wir weg sein, ehe er den Notruf wählen kann.«

Atemlos sehe ich zu, wie Siegfried mehrere Versuche braucht, um den Schlüssel ins Schloss zu stecken, ehe sich die Tür endlich öffnet. Er schwingt sich in den Wagen, startet ihn augenblicklich, gibt viel zu viel Gas, als er sich bemüht, so zügig wie möglich zu wenden. Der Motor heult auf, ich blicke mich erschrocken um. Aber was in Deutschland Aufmerksamkeit erregt hätte, nimmt in Italien niemand zur Kenntnis. Der

Kies spritzt, als Siegfried den Wagen wendet, dann fährt er auf das Tor zu … das sich im selben Moment so langsam und leise, wie es sich geöffnet hat, wieder schließt. Ich stecke den Schlüssel erneut in das Kästchen, drehe, drehe wieder … doch nichts bewegt sich. Fassungslos starre ich auf das geschlossene Tor und kann es nicht glauben. Was nun?

Die Hitze brütet über Chianciano. Schon gegen neun ist sie schwer geworden, brennt nicht mehr, lastet nur noch. Die Sonne steht an einem wolkenlosen Himmel, lediglich ein paar weiße Schleier kränzen die Hügel, reglos, ohne die Kontur zu verändern.

Stefano hat begriffen, dass er Adams Anwesenheit in der Locanda nicht fürchten muss. Der Dichter ist beschäftigt. Durch Chianciano sickert zurzeit das Gerücht, er beherberge eine Schauspielerin in seinem Haus, der er eine Filmrolle auf den jungen, schönen Leib schreibe. Zum Glück weiß Rebecca nichts davon, dass sich das allgemeine Interesse nicht auf ihre Mutter, sondern auf sie selbst richtet.

Stefano fürchtet scheinbar auch Siegfrieds Anwesenheit nicht, oder sie ist ihm mittlerweile egal. Vielleicht kommt er auch zum Frühstücken, um herauszufinden, wie es eigentlich aktuell um meinen Ehestand bestellt ist. Möglich ist natürlich auch, dass er den Espresso mit Marily Mattey und ihrer Tochter einnehmen möchte und meine Anwesenheit ihm nicht besonders wichtig ist. Dass er mir einen Kuss auf beide Wangen haucht, mich fest an sich zieht und mit den Lippen mein Haar streift, werde ich nicht überbewerten. Das habe ich nie getan.

Marily hat ihr Frühstück schon beendet, obwohl Gabriella ihr Bestes getan hat, es durch Erzählungen aus ihrem ereignislosen Leben zu verlängern, und sich wieder in ihr Zimmer begeben, wo sie auf Adam und Rebecca warten will, die ihr heute den Weg zwischen der Locanda und Adams Haus abnehmen wollen. Mir wäre es lieber gewesen, ich müsste Adam nach der vergangenen Nacht nicht so schnell wiedersehen. Obwohl ich mich schlaflos im Bett gewälzt und nach einer Lösung gesucht habe, weiß ich noch immer nicht, wie sie aussehen könnte. Was letzte Nacht geschehen ist, wird er nicht verstehen und mir nie verzeihen können. Und seinen Blick, die grenzenlose Enttäuschung darin, werde ich niemals vergessen.

Dankbar nehme ich zur Kenntnis, dass Stefanos Blick nicht enttäuscht ist, als er erfährt, dass mit Marilys Anwesenheit nicht zu rechnen ist. Tatsächlich gilt sein Besuch nur mir. Er will etwas loswerden, ein Gefühl bei mir abladen, und ich kann mir denken, worum es geht.

»Ich habe dir von dem Auto erzählt, cara. Allora … es ist verschwunden. Letzte Nacht!«

Ich drehe ihm vorsichtshalber den Rücken zu, während ich ihm einen Espresso koche. »War das Hoftor nicht abgeschlossen?«

Stefano regt sich über diese dumme Frage auf. »Assurdo! Das Tor ist immer abgeschlossen. Sempre! Tag und Nacht!«

»Dann muss der Dieb einen Schlüssel gehabt haben.«

Stefano starrt mich an. »Du meinst … einer meiner Kollegen …?«

Ich stelle ihm die Tasse hin. »Kann doch sein. Der Besitzer des Wagens hat sich gemeldet, ein Kollege hat dafür gesorgt, dass er sein Auto nehmen und damit nach Hause fahren kann. Ganz einfach.«

Stefano ist verunsichert. »Ich muss die Nachtschicht fragen.«

Mir fährt der Schreck in die Glieder, ich muss mich setzen, weil meine Knie so sehr zittern. »Die Carabinieristation ist nachts besetzt?«

»Das nicht. Aber der Kollege, der Nachtschicht hat, muss zu Hause erreichbar sein. Falls mal was ist.«

Ich habe Mühe, mir meine Erleichterung nicht anmerken zu lassen. »Na siehst du!«

Ich bin sehr beruhigt. Bis Stefano sich erkundigt hat, wer für den Nachtdienst zuständig war, und diesen Kollegen erreicht hat, werden ein paar Tage vergehen. Die Mühlen der Carabinieri mahlen langsam. Genauso gut kann es sein, dass er in diesem Augenblick das Interesse an dem Auto bereits verloren hat und sich gar nicht weiter darum kümmern wird. Ich bin da sehr zuversichtlich.

»Es kann nicht gestohlen worden sein.« Dieser Satz klingt nicht gerade, als wäre die Sache für ihn bereits abgeschlossen. »Niemand weiß, wo der Schlüssel zum Tor aufbewahrt wird.«

Ich werfe ihm einen Blick zu. Kann er sich tatsächlich nicht mehr daran erinnern, dass ich vor einem Jahr zusehen durfte, wie er das Tor geöffnet hat?

»Es gibt sogar eine zusätzliche Sicherheit. Das Tor schließt sich automatisch nach einer kurzen Zeit wieder. Wer eingedrungen ist, kommt so schnell nicht wieder raus. Die Zeit ist kurz. Den Wagen aufschließen, starten … das ist während der paar Sekunden nicht zu schaffen.«

Dass ich seufze, entgeht ihm. Und wenn er es bemerkt hätte, würde er dennoch nicht darauf kommen, dass ich mit Schrecken an die vergangene Nacht zurückdenke. Ich befand mich vor dem Tor, Siegfried dahinter. Sein entsetztes Gesicht hinter der Windschutzscheibe des Golfs hat mich die ganze Nacht in meinen Träumen verfolgt.

»Danach lässt es sich eine halbe Stunde lang nicht wieder öffnen.«

Ich hatte nicht gewusst, wie lang eine halbe Stunde sein kann. Dreißig Minuten, die ich nie vergessen werde …

Zum Glück besitzt Siegfried erheblich mehr technischen Sachverstand als ich. Ihm ging irgendwann auf, was es mit dem Tor auf sich hatte. Ich stand ihm gegenüber wie eine Frau, die einen Häftling besucht, dessen Zelle nicht geöffnet werden darf. Beide klammerten wir uns an den Gitterstäben fest. So nah und doch unmöglich, zueinanderzukommen.

»Mein Gott, Lenchen…« Mehr brachte Siegfried nicht heraus.

Ich wusste, was er sagen wollte, und hoffte, dass er es nicht tun würde. Siegfried Mertens, angesehener deutscher Rechtsanwalt und Notar, gefangen im Hof einer italienischen Polizeistation, in Erwartung vieler Unannehmlichkeiten, wenn man ihn dort erwischte!

»Wie kann das sein?«, fragte ich verzweifelt.

Aber Siegfried, der Mann mit seinem Verständnis für Technik und dem Interesse an allem, was mit Werkzeugen herzustellen ist, hatte schon von solchen Sicherheitsmaßnahmen gehört. »Das Tor wird sich erst nach einer vorher festgelegten Zeit wieder öffnen lassen. Aus Sicherheitsgründen.«

»Sicherheitsgründe?« Meine Stimme kippte. »Wieso braucht die Carabinieristation von Chianciano, wo nie etwas passiert, solche Sicherheitsmaßnahmen?« Ich steckte den Schlüssel erneut ins Schloss… aber nichts geschah. »Wie lange kann das dauern?«

Siegfried hielt mich zurück, als ich den Schlüssel immer wieder aufs Neue drehte. »Versuch's nicht noch einmal. Es kann sein, dass die Uhr jedes Mal von vorn zu ticken beginnt. Auf diese Weise vergeht die Zeit nie.«

»Aber wie sollen wir wissen, wie lange wir warten müssen?«

Siegfried kam nicht mehr zum Antworten. Ein knatterndes Moped näherte sich. »Weg!«

Mehr konnte ich nicht sagen. Ich fuhr herum, huschte um

die Mauerecke, Siegfried versteckte sich hinter dem Torpfeiler. Während wir warteten, dass das Moped die Via della Valle herunterschoss und der Lärm erträglicher wurde, geschah jedoch genau das Gegenteil. Das Geräusch erstarb ein paar Meter weiter, mädchenhaftes Kichern und eine freche Männerstimme waren zu hören. Es half nichts, ich musste so schnell wie möglich fliehen, tief in das unbebaute Nachbargrundstück hinein, immer dicht an der Mauer entlang. Das Gras stand hoch, das Vorankommen war nicht leicht und auch nicht geräuschlos möglich. Aber die beiden schienen zum Glück keine Augen und auch keine Ohren für ihre Umgebung zu haben.

Am Ende der Mauer duckte ich mich und hoffte, nun in der Dunkelheit dieses Winkels unsichtbar geworden zu sein. Ungläubig lauschte ich den Schritten entgegen, die ganz deutlich zu hören waren. Sie kamen näher, schon raschelten sie im Gras, in wenigen Sekunden würden die beiden zu erkennen sein. Und ich auch!

Entsetzt rettete ich mich hinter das erstbeste Gebüsch. Viel Schutz bot es nicht, aber da der Abend dunkel war, hoffte ich, nicht gesehen zu werden.

Zum Glück hatte das Pärchen anderes im Sinn, als auf die Umgebung und verräterische Geräusche zu achten. Die beiden fühlten sich allein, über den Punkt, vernünftige Gedanken zu fassen oder Vorsicht walten zu lassen, waren sie längst hinaus. Die Beleuchtung der Carabinieristation schien sie eher zu motivieren als von dem abzuhalten, was nun folgte. Für mein Leben gern hätte ich mich tiefer ins Gebüsch zurückgezogen, stieß aber schon jetzt mit dem Rücken an die Mauer und durfte nur noch darauf achten, dass ich nicht gehört wurde. Hoffentlich musste ich nicht niesen oder bekam einen Schluckauf.

Die beiden waren höchstens drei Meter von mir entfernt, als die Wollust sie dahinraffte. Im schemenhaften Licht, von dem ich nur hoffen konnte, dass es weniger von meinem Versteck preisgab als von ihrem Begehr, gaben sie es auf, sich an den Lippen des jeweils anderen festzusaugen, stattdessen rissen sie sich die Klamotten vom Leib, jedenfalls die Teile, die bei der Umsetzung ihrer Pläne hinderlich gewesen wären. Der Slip des Mädchens hing schon Augenblicke später am Ast des Gebüschs, hinter dem ich hockte, den Atem anhielt und eigentlich die Augen schließen wollte. Wenn… ja, wenn mir die Stimme des Mädchens nicht bekannt vorgekommen wäre!

»Nicht so schnell«, sagte sie, und daran erkannte ich sie zweifelsfrei.

»Nicht so schnell« sagte sie täglich mehrmals zu mir, wenn ich von ihr erwartete, dass sie sich mit dem Bettenbeziehen beeilte, oder ihr vorhielt, dass die Reinigung eines Badezimmers schneller vonstattenginge, wenn sie sich währenddessen nicht ständig im Spiegel betrachtete.

In diesem Moment hätte ich von ihr gern zu hören bekommen: »Mach, so schnell du kannst.« Aber unglücklicherweise nahm der junge Mann ihre Bitte ernst. Sehr ernst sogar! Mit einer Ausdauer, die ich in seiner unbequemen Körperhaltung nicht für möglich gehalten hätte, kümmerte er sich um Gabriellas Lustgewinn. Die Position, die mein Zimmermädchen einnahm, würde ich ihr vorhalten, wenn sie demnächst wieder über Rückenschmerzen klagte, sobald ich von ihr verlangte, auf den Fußleisten Staub zu wischen. Auch als Gabriella endlich mit den Bemühungen des Mannes zufrieden war und nun so heftig atmete, wie sie es sonst nicht einmal tat, wenn sie hinter den ausgebüxten Hühnern herjagte, dauerte es noch sehr, sehr lange. Zunächst hoffte ich ja, als endlich der altbekannte Rhythmus an mein Ohr drang, auf ein schnelles Ende, aber auch hier nötigte mir der junge Mann Respekt ab. Aus Gabriellas Stöhnen war längst ein Wimmern geworden, das nur der Wohlwollendste mit sexueller Lust verbunden hätte, aber der Mann ließ weder in Kraft noch in Ausdauer nach.

Mein Wohlwollen war mittlerweile komplett dahin. Konnte er nicht endlich zum Ende kommen? Meine Knie taten mir weh, mein Nacken schmerzte, irgendwelche Dornen piekten mich, und der Gestank an dieser Mauer behagte mir gar nicht. Wenn Gabriella die Stirn haben sollte, sich am nächsten Tag krankzumelden, würde sie was von mir zu hören bekommen.

Endlich wurde das furiose Finale eingeleitet. Der männliche Teil stöhnte in einem Tempo, dass ich mir Sorgen um seine Gesundheit machte … da beendete jedoch ein Geräusch die Leidenschaft kurz vor dem Ziel. Wenn ich nicht selbst so verblüfft gewesen wäre, hätte ich mir vielleicht einen Augenblick der Schadenfreude gegönnt. Nun aber fragte ich mich genauso erschrocken wie die beiden, warum sich das Tor der Carabinieristation öffnete, scheinbar wie von Geisterhand bewegt. Mir kam sofort der Gedanke, dass Siegfried dahinterstecken musste.

»Polizei!«, hörte ich den Mann sagen, woraufhin Gabriella, die gerade noch mit einer besonders akrobatischen Übung brilliert hatte, die Trägheit, für die sie bekannt war, schlagartig überwand und zur Straße rannte, ohne ihren Slip mitzunehmen, der noch immer vor meiner Nase baumelte.

Der Mann brauchte ein paar Sekunden länger, wofür ich größtes Verständnis hatte, und als er Gabriella nun folgte, tat er mir sogar ein bisschen leid. Vor dem Moped richtete er nur kurz seine Kleidung, dabei stellte ich fest, dass er gar nicht mehr so jung war, wie ich angenommen hatte. Und damit erklärte sich auch die Angst der beiden, erwischt zu werden. Bei dem Mann handelte es sich um den Sohn des Kurdirektors von Chianciano Terme, der vor ein paar Monaten die Tochter des Bürgermeisters von Montepulciano geheiratet hatte.

Ich brauchte nicht lange zu warten, das Knattern des Mopeds entfernte sich in rasender Geschwindigkeit. Als ich an das Tor trat, wurden gerade die Vorderräder des blauen Golfs sichtbar. Siegfried ließ mich einsteigen und fuhr auf die Straße, ohne sich noch einmal umzublicken. Dass das Tor sich schließen würde, wussten wir ja.

»Innen gibt es eine Kontrolllampe«, erklärte Siegfried mir, als wir auf der Viale della Libertà angekommen waren. Als sie von Rot auf Grün wechselte, war ihm klar geworden, dass die Sicherheitszeit vorbei war. »Eine halbe Stunde! Ich war es leid, mir anzuhören, was auf der anderen Seite der Mauer abging.«

»Und ich erst!«

Während ich Siegfried erzählte, was ich hatte beobachten müssen, amüsierten wir uns köstlich, und schon, als wir über die hohe Brücke fuhren, die die Wohn- und Geschäftsstraßen Chiancianos mit der Therme verbindet, kicherten wir so albern wie ausgelassene Teenager. Aber es war ein überspanntes, erkünsteltes Hochgefühl, das fiel mir erst später auf. Die Erleichterung war wie ein Vogelschwarm aufgestiegen, flatterte nun aufgeregt über unseren Köpfen herum und fand nur ganz allmählich in eine geordnete Formation. Erst als das endlich geschehen war, konnten wir mit der Vernunft von Menschen unseres Alters und der Kaltblütigkeit von Gesetzesbrechern unsere Pläne weiter verfolgen. Es ging darum, den Weg zurückzulegen, ohne einer Polizeistreife aufzufallen, was bedeutete, dass Siegfried nicht durch Raserei auffallen, sich aber auch nicht konsequent an die Mindestgeschwindigkeit halten durfte. So was fällt in Italien noch sicherer auf als zu schnelles Fahren.

Eine knappe Viertelstunde später kamen wir ohne Zwischenfall in Sarteano an, einer kleinen Stadt etwa zehn Kilometer südlich von Chianciano. Kurz vor dem Zentrum gab es auf der rechten Seite einen großen Parkplatz, der niemals leer war. Dort würde der Golf höchstwahrscheinlich erst auffallen, wenn das Unkraut die Kotflügel hinaufgewachsen war. Wir mussten nur darauf achten, dass er montags, wenn dort der Markt abgehalten wurde, nicht im Wege war.

Wir fanden schnell eine Ecke, wo der Wagen niemandem auffallen und keinem Menschen ein Dorn im Auge sein würde. Anschließend machten wir ein weiteres Mal einen Taxifahrer glücklich, der auf der Piazza Bagagli in seinem Wagen döste und ganz sicher nicht von einer Fahrt nach Chianciano träumte. Umso erfreuter war er, als wir ihm unseren Wunsch vortrugen, und revanchierte sich mit einer Fahrt in absoluter Rekordzeit. Als wir am Fuß des Berges ausstiegen, auf dem die »Locanda Tedesca« lag, musste ich mich an der offenen Tür festhalten, während Siegfried bezahlte, weil ich mich fühlte wie nach einer Fahrt in der Achterbahn. Nachdem der Taxifahrer sich mit einem Kavalierstart für das üppige Trinkgeld bedankt hatte, ging es mit meinem Kreislauf zum Glück schon wieder bergauf, mein Herzschlag hatte sich stabilisiert. Die durchdrehenden Reifen konnten mir keine Angst mehr einjagen.

»Auf geht's«, flüsterte Siegfried, als das Motorengeräusch verklungen war.

Wir blickten einer schwarzen Nacht und tiefem Frieden entgegen, als wir losgingen. Die Straße, die zur »Locanda Tedesca« hinaufführte, wollten wir auf jeden Fall zu Fuß zurücklegen. Den Bewohnern der Häuser, die weiter unten lagen, hätte ein Taxi auffallen können, und das wollten wir vermeiden.

Nur leise sprachen wir miteinander, um die wunderbare Stille nicht zu stören. Den größten Teil des Weges brachten wir schweigend hinter uns. Als wir die erste Steigung geschafft hatten, waren wir in Schweiß gebadet. Die Erholungspause war kurz. Nach wenigen Metern bergab bogen wir in die Strada dei Vigliani ein, wo es erneut aufwärts ging.

Es war bereits nach Mitternacht, als der schmale Weg in Sicht kam, der auf das Grundstück der »Locanda Tedesca« führte. Ein klarer Mond stand über Chianciano. Den Schatten, der auf den Weg fiel, sah ich, noch ehe ich die knirschenden Schritte hörte.

Ogottogott, wimmerte Franziska, die zu ahnen schien, was auf mich zukam.

Siegfried griff nach meiner Hand, als witterte er eine Gefahr, aber ich schüttelte sie sofort ärgerlich ab. Nein, keine Gefahr! Ich wusste, wer da auf mich wartete. Eine Hitzewelle fuhr durch meinen Körper. Wie sollte ich diese Situation erklären?

Adam blieb stehen, als er uns erkannte, und Siegfried besaß zum Glück den Anstand, nach einem flüchtigen Gruß den Weg weiterzugehen und uns allein zu lassen. »Buona notte«, sagte er nur leise, als hätte er vergessen, dass Adam Deutscher war.

Ein anderer Mann hätte jetzt vielleicht mit einer zynischen Bemerkung reagiert, aber Adam ist für Vergeltung und Retourkutschen viel zu geradlinig und zu schlicht in seiner Auffassung von falsch und richtig.

Er fragte geradeheraus: »Wo warst du?«

Ich zögerte – und wusste sofort, dass ich nicht hätte zögern dürfen. Aber wie sollte ich Adam erklären, was geschehen war? Ein Toter im Wohnmobil, ein vorgetäuschter Diebstahl, ein Einbruch in die Carabinieristation … so etwas kam in Adams Schriftstellerfantasie häufig vor, in der Wirklichkeit konnte ich es unmöglich mit ihm teilen. Er hätte mich im Nu davon überzeugt, dass ich zur Polizei gehen und dort alles gestehen müsse, angefangen mit den achthunderttausend Euro unter dem doppelten Boden … Unmöglich! Ich hätte ja nicht nur mich selbst, sondern auch Siegfried ans Messer geliefert. Von Cora ganz zu schweigen.

»Wir sind spazieren gegangen. Die Luft war so angenehm, und da dachten wir …«

Weitere Lügen blieben mir im Halse stecken, als ich trotz der Dunkelheit die Enttäuschung in Adams Gesicht sah. Ich wusste, es war nicht nur die Enttäuschung über das, was für Adam Tatsache war, sondern vor allem die Enttäuschung über deren Verschleierung. Ich griff nach seinen Armen, aber er machte einen Schritt zurück, sodass meine Hände herabfielen. »Adam…«

»Schon gut. Die Nacht ist ja auch wirklich schön.«

»Adam, du verstehst das falsch!«

»Was gibt es da falsch zu verstehen?«

»Es ist nicht so, wie du denkst.«

Aber Adam wollte keine Rechtfertigungen hören. Diskussionen dieser Art, wie sie in Heftromanen und billigen Fernsehschnulzen vorkommen, hatte es in keinem seiner Bücher gegeben. Wahrscheinlich war er erschüttert, dass es solche Rechtfertigungen in der Wirklichkeit tatsächlich gab, während er vorher wohl damit argumentiert hatte, dass Autoren, die solche Dialoge schrieben, keine Ahnung vom Leben hätten.

»Wo wird dein Mann schlafen?«, fragte er.

»Auf dem Sofa. Wo sonst?«

»Versprich mir, dass du mir sagst, wenn er in deinem Bett schläft. Lass mich nicht warten, wenn das Warten längst keinen Sinn mehr macht.«

»Ich werde dafür sorgen, dass Siegfried so bald wie möglich nach Düsseldorf zurückfährt.«

»Allein? Ohne dich?«

Es ist wie verhext. Müsste ich in diesem Augenblick die Entscheidung treffen, vor der ich mich seit einem Jahr fürchte, würde sie mir nicht schwerfallen. Aber gerade in diesem Augenblick würde Adam dieser Entscheidung nicht vertrauen können.

»Ich glaube… ja, ohne mich.«

Aber ich hatte wohl auch diesmal zu lange gezögert, weil

die Erkenntnis, dass die »Locanda Tedesca« zu meinem Zuhause geworden war, auf mich zugeflogen war und zunächst aufgefangen werden musste, ehe ich antworten konnte. Und da ich plötzlich auch die Erkenntnis im Arm hielt, dass das Geld, um alleinige Besitzerin der Pension zu werden, nicht mir gehörte, war meine Antwort zu spät gekommen.

Adam wandte sich ab und ging ohne ein Wort davon. Ich sah ihm lange nach, aber er drehte sich nicht zu mir um. Kein einziges Mal …

Gabriella versteht die Welt nicht mehr, als ich ihr nichts durchgehen lasse und ihr trotz der Hitze zumute, auf einen Hocker zu steigen und eine Gardine anzubringen, die sie überdies vorher waschen musste. Als sie merkt, dass heute mit mir nicht zu spaßen ist, murrt sie zwar, kommt meinen Anweisungen jedoch zügig nach. Gelegentlich fange ich einen Blick von ihr auf, in dem die Frage steht, ob mein fehlendes Mitgefühl für ihre angeblich schwache Konstitution einen Grund hat, von dem sie nichts weiß.

Dann aber meint sie, ihn gefunden zu haben. Nachdem sie womöglich vermutet hatte, der Verlust des Wohnmobils sei mir aufs Gemüt geschlagen, merkt sie nun, dass mein Ehemann in mein Apartment gezogen ist, woraufhin ihr auch aufgegangen sein muss, dass mir dieses Arrangement nicht besonders gut gefällt. Gabriella wird, wenn sie jemals Karriere machen sollte, nur mit Busen und Hintern erfolgreich sein, auf keinen Fall mit ihrer Intelligenz. Dennoch wird ihr einiges klar, als Siegfried ihr aufträgt, mir mitzuteilen, dass er die Absicht habe, das Sofa, auf dem er die letzte Nacht verbracht hat, mit vier kräftigen neuen Holzbeinen zu versehen. Er möchte sich in den folgenden Nächten umdrehen, ohne von dem Knarren des morschen Holzes aufgeweckt zu werden.

Gabriella setzt eine Miene auf, als hätte sie ein mathematisches Problem gelöst. Mein Mann wird also auf dem Sofa und nicht in meinem Bett schlafen. Diese Erkenntnis lacht in ihren Augen.

Mein »Soll er doch machen, was er will« erhält sie als zusätzlichen Beweis. Und spätestens als Adam die »Locanda Tedesca« betritt, muss ihr überdies aufgehen, dass mir der Dichter wesentlich lieber ist als mein Ehemann. Nun erkennt sie vielleicht sogar, dass Adam Nocke das neue Arrangement ebenso wenig gefällt, denn er geht mit einem kurzen Gruß an der offenen Küchentür vorbei und begibt sich schnurstracks in die erste Etage, wo Marily Mattey auf ihn wartet, die schon seit mindestens zwei Stunden mit Rebecca an dem Drehbuch arbeitet.

Ich springe auf und laufe Adam nach, ohne auf Gabriellas freches Grinsen zu achten. Auf dem oberen Treppenabsatz hole ich ihn ein, und mir ist klar, dass er schnurstracks das Zimmer der Mattey betreten hätte, wenn es mir nicht gelungen wäre, ihn vorher zurückzuhalten.

»Adam! Bitte, verzeih mir!«

Er betrachtet mich aus einem Abstand von Enttäuschung, Trauer und zu Herzen gehender Tapferkeit, aber ich sehe trotzdem das kleine Flämmchen der Liebe in seinem Blick flackern. »Es gibt nichts zu verzeihen, Elena. Wie könnte ich dir Vorwürfe machen, wenn du zu deinem Mann zurückfindest? Ich kann das verstehen. Ehe und Familie bedeuten dir eben doch mehr, als du dir vorher eingestehen wolltest.«

Sein Ernst beeindruckt mich. Ich wäre froh, wenn ich ihm ebenso ernst antworten könnte. Aber was soll ich ihm sagen?

»Man soll schweigen oder etwas sagen, was noch besser ist als das Schweigen«, zitiert Adam, klopft an Marilys Tür, betritt ihr Zimmer, ohne auf eine Aufforderung zu warten, und lässt die Tür hinter sich zufallen. Bis zu diesem Augenblick war mir nicht klar, mit welch hässlichem Geräusch die Türen der »Locanda Tedesca« ins Schloss fallen.

Ich lasse mich gegen die Wand sinken und schließe die Augen. Wenn ich Adam doch nur erklären könnte, warum ich gegen Mitternacht mit Siegfried in die Locanda zurückkehrte!

Franziska gibt keinen Ton von sich. In mir ist alles still und leer. Mein Selbstbewusstsein ist genauso ratlos wie meine Liebe und mein Mut, der auf dem besten Wege zur Feigheit ist.

Ich trotte die Treppe hinab, setze wie ein Kind beide Füße nacheinander auf jede Treppenstufe, damit es lange dauert, bis ich wieder dort bin, wo die Pflicht auf mich wartet.

Oder hat Adam mit seinem Verdacht recht? Bedeuten mir Ehe und Familie doch mehr, als ich selbst gedacht habe? Wenn ich Siegfried allein nach Düsseldorf zurückkehren lasse, verliere ich womöglich meine Kinder, wenn ich sie in Düsseldorf besuche, werde ich wahrscheinlich bereuen, was ich getan habe. Dann würde ich Maximilian in meinen Armen halten und mich nur unter Tränen von ihm trennen können. Und wenn ich nach Düsseldorf zurückgehe, um dort zu bleiben? Dann könnte ich später davon träumen, dass ich einmal an der Freiheit genascht habe, aber feststellen musste, dass sie mir nicht bekommt. Und ich werde Sehnsucht nach Adam haben, große Sehnsucht. Was, wenn sie nie vergehen wird?

Siegfried treffe ich zu meinem Erstaunen an der Rezeption an, den Telefonhörer in der Hand. »Es war niemand hier, da dachte ich …«

Ich bin zu traurig, um wütend zu sein. Dass Siegfried sich nun sogar untersteht, in den Geschäftsablauf der »Locanda Tedesca« einzugreifen, geht zu weit, aber ich schaffe es einfach nicht, mich darüber aufzuregen. Franziska sitzt irgendwo in der Ecke meines Herzens und heult, mit ihr ist zurzeit nicht zu rechnen.

»Wo ist Gabriella?«

Siegfried nickt bedeutungsvoll zu einer Tür, hinter der

prompt die Toilettenspülung ertönt. »Es war jemand am Apparat, der eine der beiden Besitzerinnen der ›Locanda Tedesca‹ sprechen wollte.«

Nun richtet Franziska sich auf. *Vorsicht, Elena! Jetzt nichts Falsches sagen!*

»Es gibt nur eine Besitzerin«, sage ich, ohne Siegfried anzusehen. »Cora Brandstätter.«

Siegfried schüttelt den Kopf. »Das war der Steuerberater. Er hat von zwei Besitzerinnen gesprochen. Und der Steuerberater sollte es wissen.«

»Sein Deutsch ist miserabel«, erkläre ich. »Du hast ihn falsch verstanden. Aber Cora war froh, dass sie überhaupt einen Steuerberater mit Deutschkenntnissen gefunden hat.«

Siegfried will protestieren, aber ich lasse ihn einfach nicht zu Wort kommen. Als er mir in die Küche folgt, hat er anscheinend eingesehen, dass es sich um ein Missverständnis handeln muss, und fragt nicht weiter nach der zweiten Besitzerin. »Wo bekomme ich Holz für die neuen Sofabeine?«

Ich bin erleichtert über den Themenwechsel und weise durchs Fenster auf das Haus, das hinter den Olivenbäumen zu sehen ist. Der Holz verarbeitende Betrieb von Signor Rondinone, Gabriellas Vater, liegt oberhalb der Locanda, auf der Kuppe des Berges. »Schreinerei, Zimmerei, Sargtischlerei! Da bekommst du alles, was du brauchst.«

Siegfried ist zufrieden und macht sich auf den Weg. Ich atme tief ein und aus, heilfroh, dass er nicht auf einer Erklärung bestanden hat, wer die zweite Besitzerin der Pension ist. Gabriella braucht zwar immer sehr lange für die Benutzung der Toilette, weil sie diese Gelegenheit stets dazu nutzt, ihr Make-up zu erneuern, ihre Frisur aufzufrischen und sich ausgiebig an ihrem Spiegelbild zu erfreuen, aber jetzt höre ich endlich die Tür und wage nicht mir vorzustellen, wie sie sich eingemischt hätte, wenn sie Zeugin dieses Gesprächs geworden wäre. Noch hatte ich keine Gelegenheit, ihr einzuschärfen, dass sie über meine Teilhaberschaft schweigen soll. Bei nächster Gelegenheit, wenn niemand in Hörweite ist, sollte ich es endlich tun.

Ich habe kaum damit begonnen, die Spülmaschine auszuräumen, da höre ich Rebeccas Schritte auf der Treppe. Kurz darauf sitzt sie neben der Kaffeemaschine, nachdem sie Gabriella gebeten hat, für ausreichend stilles Wasser zu sorgen, weil la Mamma damit die Frische ihrer Haut erhält. »Sie braucht mindestens drei Liter pro Tag.«

Als Gabriella sich mit vier Flaschen im Arm auf den Weg in die erste Etage macht, platzt es aus Rebecca heraus: »Was ist los? Du guckst wie drei Tage Regenwetter. Adam ist auch so mies drauf. Habt ihr Stress?«

»Kommt schon mal vor«, weiche ich aus.

Sie merkt schnell, dass aus mir nichts herauszuholen ist, und wechselt das Thema. »Wir brauchen einen Wendepunkt. Am Ende des ersten Aktes ist immer einer fällig. Ich bin dafür, dass der Italiener, in den Constanze sich verknallt hat, auf Charlys Leiche stößt.«

»Charly ist tot?« Die beiden Teller, die ich gerade aus der Spülmaschine hole, klirren hässlich aneinander, bei einem springt ein Stück Porzellan aus dem Rand. »Der Kriminelle, der mit Lorenz einen Deal gemacht hat?«

»Du warst doch gestern dabei, als wir diese Idee entwickelt haben.« Rebecca verdreht die Augen. »Sorg dafür, dass zwischen Adam und dir alles in Ordnung kommt. Ihr seid ja beide nicht zu gebrauchen.«

Ich nicke zerknirscht, hole die Gläser aus der Maschine und bemühe mich um vorsichtiges Hantieren. »Wer hat Charly umgebracht? Seid ihr euch da inzwischen einig?«

»Lorenz, der Antagonist. Aber der italienische Liebhaber von Constanze …«

»Habt ihr für den schon einen Namen?« Mir ist, als käme ich am besten aus diesem Gespräch heraus, wenn ich Interesse signalisiere.

»Gaetano! Das klingt stolz und mächtig.«

»Seht ihr ihn wirklich so? Stolz und mächtig? Ich dachte, Adam ist sein Vorbild.«

»Wir wollen es mit der Ähnlichkeit nicht zu weit treiben.«

»Wie wär's mit Fabio? Klingt besser, finde ich.«

Anscheinend bin ich, nachdem ich aus Ralf Beckmann Charly Andreasson gemacht habe, zum Experten wohlklingender und passender Namen geworden. Rebecca geht sofort auf meinen Vorschlag ein.

»Okay, ich werde Adam und la Mamma überreden. Also … Fabio stößt auf Charlys Leiche. Lorenz hat ihn an den Tatort gelockt. Er lauert mit den Polizisten hinter einer Ecke. Denen hat er erzählt, Fabio würde zum Tatort zurückkehren, um Charly die Papiere abzunehmen, damit er nicht so schnell identifiziert werden kann. Dabei hat er Charlys Brieftasche längst selbst an sich genommen und verschwinden lassen. Dem toten Ganoven hat er falsche Papiere zugesteckt.«

Ich sehe überrascht auf. »Warum denn das?«

»Er will dessen Identität verschleiern. Charly hat jetzt die Papiere eines Mannes bei sich, der Fabio einmal die Frau ausgespannt hat. Die Polizei wird zu der Ansicht kommen, dass Fabio auf späte Rache aus war.«

Meine Fantasie ist, wie sich mal wieder herausstellt, urwüchsiger und nicht halb so ausufernd. »Wie kommt Lorenz so schnell an falsche Papiere? Wie kommt er an ein Foto dieses Mannes? Und wie dreht er es, dass der sich nicht meldet, wenn in den Zeitungen von seiner Ermordung berichtet wird?«

»Er ist nach Neuseeland ausgewandert, als die Frau ganz plötzlich starb, die er Fabio ausgespannt hat. Seine Familie weiß nicht, wo er geblieben ist.«

»Und die falschen Papiere? Hat Lorenz Kontakt zur Unterwelt?« Ich sehe Rebecca kopfschüttelnd an. »Ich glaube, ihr übertreibt es mit den Verwicklungen ein wenig.«

»Meinst du?« Rebecca wird nachdenklich und verzieht schließlich das Gesicht, als hätte sie aufs Pfefferkorn der Erkenntnis gebissen. »Das müssen wir wohl noch mal überdenken, kann sein, dass das nicht rundläuft. Aber der erste Wendepunkt ist klar. Der funktioniert.«

»Als Lorenz Fabio zu der Leiche gelockt hat?« Ich verkneife mir die Frage, wie Lorenz das gelungen ist. Ich will mich nicht in meine eigene Geschichte verstricken.

»Genau! Die Polizei stürzt sich auf Fabio, nimmt ihn als Mörder fest. Und dann fährt die Kamera auf Lorenz zu, der hinter den Polizisten auftaucht und hämisch grinst. Peng! Klassischer Wendepunkt!«

Cocco erscheint in der Küche, obwohl ihr der Zutritt strengstens verboten ist. Das hat sie im Prinzip verstanden, kann aber anscheinend noch nicht richtig daran glauben, dass ich es ernst meine. Sie soll doch ein Hofhund sein, der die Locanda bewacht, und nicht einer, der in der Küche nach Resten bettelt.

Bevor ich etwas sagen kann, nimmt Rebecca eine Scheibe Schinken von einem Teller und wirft sie Cocco zu. Das Lebendige, das meine Liebe zu Adam krönen sollte, wird von nun an wohl jeden Morgen sabbernd in der Küche erscheinen. Ich habe nicht die Kraft, diese Entwicklung im Keim zu ersticken. Kinder entwickeln sich ja auch nicht immer so, wie die Eltern es sich erträumt haben.

Ich mache das Maß der Fehlerziehung voll und kraule Cocco hinter den Ohren, nachdem sie den Schinken verschlungen hat und sich nun das Maul leckt. Aber wer zweischneidige Fragen stellt, sorgt wohl immer dafür, dass sie in Begleitung einer banalen Verrichtung daherkommen, die ihnen das Heikle nimmt. Cocco schließt hingerissen die Augen, während ich frage: »Wie ist Charly eigentlich zu Constanzes Wohnmobil gekommen? Zu Fuß?«

Rebecca zuckt die Achseln, antwortet aber nicht. Sie sieht mich aufmerksam an, weil sie merkt, dass die Antwort gleich kommen wird.

Sie hat recht. »Vermutlich mit dem Auto. Und wo hat er es abgestellt? Auf einem Parkplatz, wo es wochenlang niemandem auffällt? Oder etwa in der Nähe, weil Charly sicherstellen wollte, dass er so schnell wie möglich abhauen kann, wenn er das Geld im Wohnmobil gefunden hat?«

Rebecca hat verstanden. Mit einem Satz springt sie von der Arbeitsfläche herunter. Cocco erschreckt, denkt aber trotzdem, dass von dort, wo einmal eine Schinkenscheibe gekommen ist, eine weitere folgen könnte. »Das Auto wird auffallen! Das könnte ein Problem werden. Wenn die Polizei darauf aufmerksam wird …«

Schon ist sie aus der Küche, und ich höre, wie sie die Treppe hochspringt. Cocco hinterher. Als oben die Tür zufällt, ist auch von Cocco nichts mehr zu hören. Sie wird jetzt zu Rebeccas Füßen liegen und von nun an jedes Mal an Schinken denken, sobald sie sie sieht.

Der Hof der »Locanda Tedesca« liegt ruhig da. Die Pensionsgäste sind zu ihren Exkursionen aufgebrochen, nur der halbwüchsige Sohn eines Mannes, der in den Ferien sein Sorgerecht ausübt, sitzt mit seinem Smartphone im Schatten und wandert durchs Internet, nachdem sein Vater vergeblich versucht hat, ihn zu einer Wanderung durch die Weinberge zu bewegen. Er beachtet mich nicht, als ich um das Haus herumgehe, zu der Treppe, die in den Gebäudeteil führt, in der sich die beiden Privatwohnungen befinden, meine kleine und Coras große. Hinter der Haustür gibt es einen schmalen Flur, von ihm gehen zwei Türen ab. Die rechte führt in die geräumige Vierzimmerwohnung, die eine große Terrasse besitzt, mit einem herrlichen Blick ins Tal, auf die Therme dahinter mit dem großen Kurgebäude, dessen kupferfarbenes Dach in der Sonne glänzt. Rechts kann man die große Brücke mit den sechs hohen Pfeilern sehen, die ins Kurviertel führt, dahinter die großen Hotels, majestätisch aus der Ferne, aus der Nähe betrachtet sehen sie aber oft schäbig aus und zeigen in ihren Fassaden, wie sich der italienische Staat entwickelt hat. Links kann man zum Chiusi-See blicken, vormittags in das berühmte milchige Licht der Toskana getaucht. Dahinter wellen sich schattenhaft die Hügel und Wälder, mal tiefer verschleiert, mal hinter hellem Dunst. Dort ist die Sonne aufgegangen, die Schleier werden sich erst lichten, wenn sie in den Zenit steigt. Im Westen sind die Konturen schon am frühen Morgen klar umrissen.

Ich betrachte Coras Wohnungstür eine Weile. Wir hatten verabredet, dass sie während ihrer Anwesenheit verschlossen bleibt, dass niemand dort wohnt, wenn die Zimmer in der Locanda auch noch so knapp sind. Ich habe keine Sekunde mit dem Gedanken gespielt, Siegfried dort einziehen zu lassen. Aber vielleicht könnte ich Cora anrufen und sie fragen, ob ich in ihrer Wohnung leben kann, solange Siegfried in Chianciano ist? Ich nehme mir vor, es zu versuchen.

Die linke Tür führt in meine kleine Zweizimmerwohnung, mit der ich bisher zufrieden gewesen bin, weil sie mir allein gehörte. Jetzt öffne ich die Tür mit einem Gefühl des Missbehagens. Das Apartment gehört mir nicht mehr allein. Der große Raum ist Küche und Wohnzimmer zugleich, nun ist er auch zum Schlafzimmer geworden. Auf dem Sofa liegt das Bettzeug, das ich in der Nacht für Siegfried bereitgelegt habe, auf dem Tisch davor liegen die Sachen, die er aus dem Wohnmobil geholt hat, als wir es auf dem Parkplatz in Pienza abstellten. Das Hemd, das er gestern trug, hängt über einer Sessellehne. Mit fast geschlossener Knopfleiste, da Siegfried immer nur zwei, drei Knöpfe öffnet und es dann über den Kopf zieht. Eine kleine Tasche finde ich ebenfalls, in der er noch in der Nacht ein paar Utensilien in die Wohnung gebracht hat. Alles andere musste er zurücklassen. Sicher ist sicher! Der Diebstahl muss glaubhaft sein.

Ich öffne die Balkontür, als könnte ich Siegfrieds Gegenwart hinauslüften, dann gehe ich in mein Schlafzimmer. In der Nacht war es mir wichtig gewesen, alles gut zu verstecken, was wir dem Toten abgenommen hatten. Bloß weg damit! Siegfried wünschte, dass ich ihm Brieftasche und Handy gab, beides wollte er an sich nehmen, um mich nicht damit zu belasten, wie er sagte. Aber er musste einsehen, dass diese kompromittierenden Gegenstände tief unten in meinem Kleiderschrank besser aufgehoben sind als in seinem leichten Gepäck. Später werde ich mir überlegen, wo sie am besten zu entsorgen sind. Auf Nimmerwiedersehen!

Bevor ich die Tür des Kleiderschrankes öffne, lasse ich mich auf mein Bett sinken. Bis zu diesem Zeitpunkt ist es mir einigermaßen gelungen, die Schrecken der vergangenen Nacht zu verdrängen und zu handeln, wie es von mir erwartet wird. Nun plötzlich, als ich die Absicht habe, das Eigentum des Toten hervorzuholen, ist es, als müsste ich nach ihm selbst greifen. Das Entsetzen schüttelt mich, die Angst springt mich an. Die Frage, was werden soll, schaut unter dem Bett hervor, die Ernüchterung, weil es für diese Frage längst zu spät ist, kriecht mir die Beine hoch. Aber nur kurz, dann höre ich Cocco fiepen, den Postwagen auf den Hof fahren, den Briefträger ein paar Worte mit Gabriella wechseln und Signor Rondinones Stimme, der es sich anscheinend nicht hat nehmen lassen, Siegfried das Holz, aus dem er vier Sofabeine machen will, persönlich in die Locanda zu tragen. Ich muss mich beeilen. Siegfried kann schon bald mit Säge und

Maßband hier auftauchen. Ich will nicht, dass er mir über die Schulter schaut.

Die Eile vertreibt prompt die Angst. Ich lasse mich auf den Knien nieder, schiebe eine Wolldecke zur Seite, die auf dem Boden des Kleiderschranks liegt, und nehme einen der Kartons heraus, in denen ich die Schuhe aufbewahre, die ich im Herbst und im Winter brauche. In dem zuunterst liegenden mit den schwarzen Stiefeletten, die ich mir ein paar Tage vor Weihnachten gekauft habe, stecken die Brieftasche und das Handy des Toten. Ich nehme beide mit spitzen Fingern heraus, als wären sie mit dem Tod infiziert, und öffne die Brieftasche. Um das Geldfach kümmere ich mich nicht, nur um die Einsteckfächer auf der anderen Seite. Einen Führerschein, einen Personalausweis und mehrere Karten gibt es dort. Als ich den Ausweis hervorziehe, sieht mich ein Mann an. Er hat ein schmales Gesicht und kurz geschnittene Haare. Ein unauffälliger Mensch, wie es scheint. Ich bin sicher, dass er schlank ist, vielleicht sogar dünn. Ob er auch klein ist, lässt sich auf dem Bild nicht erkennen.

Leo Beck! Habe ich den Namen schon mal gehört? Nein, in meiner Erinnerung regt sich nichts. Ich drehe den Personalausweis um und betrachte die Rückseite. Augen: graublau, Größe: 1,68 m. Für einen Mann wirklich nicht besonders groß. Wieder betrachte ich sein Foto. Sehe ich in das Gesicht des kleinen Dünnen, der am Gardasee vor meinen Augen verhaftet wurde? Möglich ist es, aber sicher bin ich mir nicht.

Ich zucke zusammen, als sich die Apartmenttür öffnet. »Lenchen?«

Im Nu stecken die Brieftasche und das Handy wieder unter meinen Stiefeletten. Ich schiebe den Karton zurück und schließe den Schrank. Warum ich Siegfried ausschließen will? Ich weiß es nicht genau. Vermutlich will ich verhindern, dass er noch einmal den Versuch macht, mir die Papiere des

Toten abzunehmen, weil er noch immer glaubt, dass ein Mann mit solchen Indizien besser umgehen kann als eine schwache Frau.

Siegfried erscheint in der Tür. »Stört es dich, wenn ich mich jetzt um die Beine für das Sofa kümmere?« Er sieht zwischen der Schranktür und mir hin und her, als fragte er sich, was ich in meinem Kleiderschrank gesucht habe.

»Nein, natürlich nicht.« Was mich stört, ist, dass Siegfried mein Schlafzimmer betritt, ohne zu klopfen. Er will mir weismachen, dass seine Anwesenheit in meiner Wohnung völlig normal ist, da wir ja Eheleute sind. Es ist für ihn auch normal, dass er mein Schlafzimmer betritt, gar nicht normal findet er wahrscheinlich, dass er nicht in dem breiten Doppelbett schlafen darf.

Als ich neben ihm im Wohnzimmer stehe, kommt mir all das Normale wie schlechte Luft vor, wie Bratengeruch, der nach dem Essen in der ganzen Wohnung hängt und den Appetit auf den nächsten Sonntagsbraten nimmt.

»Was ich noch sagen wollte, Lenchen…« So beginnt er jeden Satz, mit dem er mich zu etwas überreden will.

»Möchtest du nicht auch versuchen, Elena zu mir zu sagen?«, unterbreche ich ihn spontan.

Siegfried schüttelt energisch den Kopf. »Der Name passt nicht zu dir.«

Ich frage ihn nicht, warum er dieser Ansicht ist, ich kann es mir denken, während er es vermutlich nicht ausdrücken könnte. Elena klingt stolzer als Helene und erwachsener als Lenchen. Dass ich heute stolzer und erwachsener bin, mag Siegfried nicht gefallen.

»Du solltest mir die Papiere von dem Kerl geben, der in das Wohnmobil eingedrungen ist«, bricht Siegfried das kurze Schweigen. »Ich werde sie vernichten.«

Da habe ich also richtig vermutet! »Sie sind bei mir besser

aufgehoben, das habe ich dir schon mal gesagt. Ich werde mir überlegen, wo ich sie verschwinden lassen kann, damit sie nie gefunden werden. Ich kenne mich hier besser aus.«

Siegfried fährt sich durch die Haare. »Es gefällt mir nicht, dass ich dich da mit reingezogen habe. Ich hätte das nicht tun dürfen.«

»Jetzt ist es nicht mehr zu ändern.«

»Deswegen solltest du mir die Sachen von dem Kerl geben. Ich möchte, dass du so wenig wie möglich damit zu tun hast.«

»Nein, Siegfried. Ich hänge nun mal mit drin. Also ziehe ich die Sache auch mit dir zusammen durch.«

Siegfried scheint sich damit abzufinden, oder aber er ist so sehr mit einer weiteren Frage beschäftigt, dass er die erste nicht länger verfolgt. »Herr Rondinone sagt übrigens auch, dass dir die Pension zu einem Teil gehört.«

Franziska kreischt und zieht an meinen Haaren. *Vorsicht, Elena!*

Ich dagegen schaffe es, Siegfried ganz cool anzublicken. »Soll das heißen, du hast dem Steuerberater mehr geglaubt als mir? Und du gehst zu Signor Rondinone, um dich zu vergewissern?«

»Nein, nein, so war das nicht …«

»Woher sollte ich denn überhaupt so viel Geld haben, um Mitinhaberin der Pension zu werden?«

Siegfried wird nun tatsächlich unsicher. »Das Erbteil deiner Mutter …«

»Hast du dein Auto vergessen? Das ist von diesem Erbteil bezahlt worden.«

Ich sehe Siegfried an, dass er es wirklich vergessen hat. Wie wird er jetzt reagieren? Weiß er etwa, dass ich viel Geld in meinem Wohnmobil gefunden habe? Meine Augen werden zu Schlitzen, meine Sinne sind geschärft, ich bin sicher, dass sie jeden Zwischenton aufnehmen können.

Jetzt musst du aufpassen, Elena! Franziska ist total aufgeregt. *Nun könnte er sich verraten …*

Aber Siegfried verrät sich nicht. Er nickt nur, als sähe er ein, dass er nicht richtig nachgedacht hat. »Klar, du hast recht …«

»Ich bin zurzeit die Chefin hier«, erkläre ich vorsichtshalber ein weiteres Mal. »Da kann es sich bei sprachlichen Schwierigkeiten schon mal so anhören, als gehörte mir der Laden.« Ich höre ein Auto auf den Hof fahren. »Vermutlich der Gemüsebauer. Er bringt mir Melonen fürs Frühstücksbuffet. Wieso kommt der heute schon vor der Siesta? Sonst erscheint er immer erst am späten Nachmittag …«

Während ich die Treppe hinunterlaufe, höre ich ein weiteres Motorengeräusch, aber es ist noch weit entfernt, der Wagen ist noch nicht auf den Hof eingebogen, er müht sich noch auf dem schmalen Weg und in der engen Kurve ab.

Es ist nicht der Gemüsebauer. Der Wagen der Carabinieri kommt gerade zum Stehen, aber nicht Stefano steigt aus, sondern einer seiner Kollegen. Der Schreck fährt mir in die Glieder. Haben wir in der letzten Nacht einen Fehler gemacht? Kommt ein Verhör auf mich zu?

Doch der Carabiniere sieht mir lachend entgegen, und die Angst läuft wie Schweiß an meinem Körper herab. Ich kann sie abwischen.

Nun entsteht in der Hofeinfahrt Bewegung. An den tiefen Ästen der Bäume zerrt etwas, dann schnellen sie, wieder losgelassen, in die Höhe, reißen mit sich, was schwächer ist, und schließlich schiebt es sich in den Kies. Zögernd zunächst, dann schwungvoll, als brauche der leichte Anstieg der Hofeinfahrt Kraft. Und dann steht es da: das Wohnmobil! Hinter dem Steuer Stefano, der mir lachend zuwinkt.

Noch lange sitzen Siegfried und ich da wie erstarrt. Gabriella ist nach Hause gegangen, um sich auszuruhen, die Gäste haben sich zur Mittagsruhe niedergelegt, die Sonne steht über dem Haus, die Hitze lähmt uns genauso wie die Frage, was nun geschehen soll. Stefano ist mit seinem Kollegen in die Carabinieristation zurückgekehrt, schwer enttäuscht, weil sich partout niemand so richtig über die Rückkehr des Wohnmobils freuen wollte. Warum er statt Begeisterung Entsetzen geerntet hat, wird er wohl nie verstehen. Allenfalls Coccos Reaktion ging als Freudentaumel durch. Sie umkreiste das Wohnmobil fiepend, schnüffelte aufgeregt an ihm herum, und ich frage mich, welcher Geruch ihr in die Hundenase gestiegen ist, dass sie sich derart gebärdete.

Marily Mattey, Rebecca und Adam wurden von dem Fiepen aufgeschreckt und sitzen nun mit Siegfried und mir in der Küche. Sämtliche Mienen sind verschlossen, obwohl jeder versichert, wie groß die Freude darüber sei, dass das Wohnmobil wieder aufgetaucht ist. Trotzdem ähnelt das Zusammensein einem Kondolenzbesuch, den jeder so schnell wie möglich hinter sich bringen möchte. Aber niemand will der Erste sein, der die trauernden Hinterbliebenen allein lässt, und so bleibt jeder sitzen, in der Hoffnung, dass es ein anderer sein wird, der sich zuerst erhebt.

Adam dreht hilflos seinen Kuli mit der Aufschrift »Kaiser-Verlag« in der Hand und lässt die Mine vor- und zurückschnappen. Er weiß anscheinend nicht, ob er sich darüber freuen soll, dass Siegfried nun wieder ins Wohnmobil ziehen kann, oder ob er sich besser damit abfindet, dass mein Ehemann meine Wohnung nicht räumen wird. Rebecca dagegen macht sich Gedanken, ob das Wiederauftauchen des Wohnmobils ein interessanter Fakt für das Drehbuch sein könnte, und beginnt eine Diskussion mit ihrer Mutter darüber, die aber keine Meinung dazu zu haben scheint.

Marily Mattey hat an diesem Tag noch weniger von einem Star als sonst. Sie ist ungeschminkt und sehr blass, mit der

Frisur hat sie sich auch keine Mühe gegeben, und die Jeans mit dem hellgrauen T-Shirt ist derart unspektakulär, dass sogar Gabriella enttäuscht ist, die eigentlich findet, dass alles, was Marily Mattey umweht, reinster Glamour ist. Der Star hat heute sogar einen kleinen Spaziergang gewagt, und ich konnte beobachten, wie ein Pensionsgast glatt über sie hinwegsah.

»Ja, denn …« Siegfried hält die bleierne Stimmung nicht mehr aus und steht auf. »Ich glaube, es gibt Gewitter.«

Jeder gibt ihm recht. Zu diesem Thema haben zum Glück alle etwas zu sagen. Rebecca bedenkt lang und breit das Für und Wider der Entscheidung, die Locanda schon jetzt zu verlassen und somit trockenen Fußes in Adams Haus zu gelangen, oder aber zu warten und später nach einem Taxi zu rufen oder sich von ihrer Mutter chauffieren zu lassen. Marily scheint es ziemlich egal zu sein, was ihre Tochter plant, und Adam sieht mich einfach nur an. Mit der ihm eigenen Ruhe und Beharrlichkeit. So liebt er mich, das weiß ich. Ruhig und beharrlich. Und so möchte ich ihn auch lieben. In dieser Minute würde ich sogar seinen Heiratsantrag annehmen. Aber erst muss ich mir das Wohnmobil näher ansehen …

Siegfried verlässt die Küche, als wollte er mir den schweren Part abnehmen, in den Bettkasten zu schauen, doch er wendet sich nicht zum Wohnmobil, sondern verabschiedet sich mit dem Hinweis, dass er sich um die vier neuen Sofabeine kümmern wolle. Ich halte es nicht mehr auf meinem Stuhl aus und gehe ans Fenster, als wollte ich nach dem Wetter sehen. Aber ich blicke nicht in den Himmel, sondern auf das Wohnmobil, und frage mich, was mit ihm geschehen ist. Obwohl ich nicht weiß, wie es in dem Bettkasten aussieht, bin ich froh, dass die Sonne nicht mehr vom Himmel brennt. Die Wetterlage ist unentschlossen, aber die Gefahr, dass sich ein Unwetter entladen könnte, ist da. Das Schweigen des Sommers hängt so stumm und drückend über Chianciano, dass sogar Gabriella das

Gewitter herbeisehnt, obwohl sie sich davor genauso fürchtet wie vor Spinnen. Nichts hat seine Leichtigkeit bewahrt, die in den Morgenstunden über der Locanda schwebte. Jetzt ist der Windhauch ohne Kühlung, die Luft steht wie ein Tümpel, der bald zu stinken beginnen wird.

Fünf schwarz gekleidete Frauen kommen mit einem Mal auf den Hof. Ich kenne keine von ihnen, da bin ich sicher, obwohl ihre Gesichter unter den Kopftüchern kaum zu erkennen sind.

Froh, einen Grund zu haben, meine Küche zu verlassen, laufe ich hinaus. »Wollen Sie zu mir?«

Diese Frage kann keine der Frauen beantworten. Ihre verwirrten Mienen verraten mir jedoch schnell, dass sie sich im Haus geirrt haben. »Sie wollen zur Sargtischlerei?«

»Sì, unsere Cousine Donatella ist gestorben. Wir wollen einen letzten Blick auf sie werfen und uns von ihr verabschieden. Oder ist sie in ein Bestattungsinstitut gebracht worden?«

Da kann ich sie beruhigen. »Die Toten bleiben immer bei Signor Rondinone, bis sie zur Beerdigung abgeholt werden. Die Sargtischlerei ist gleichzeitig das Bestattungsunternehmen.«

Ich erkläre mich bereit, sie ein Stück des Weges zu begleiten, der zum Haus der Rondinones führt, wo in der Tischlerei ein Sarg steht, in dem Donatella Venerando morgen beerdigt wird. Als ich zurückkehre, fallen die ersten dicken Tropfen. Kurz darauf öffnet sich der Himmel, und eine Sintflut ergießt sich über Chianciano. Jeder rettet sich, wohin er kann und will.

Meine Zuflucht ist das Wohnmobil, das ich eher erreichen kann als die Tür zur »Locanda Tedesca«. Ich sehe, wie Gabriella sie ins Schloss wirft, nachdem ein paar Gäste aus dem Garten ins Haus geflüchtet sind. Kurz darauf stehe ich schwankend im Wohnmobil, weil ich mich mal wieder fühle, als hätte ich ein Schiff betreten, das mich vom Land wegtreibt. So ist es mir auf meiner Reise gen Süden häufig gegangen.

Ich stehe da und bereue im selben Moment, dass ich die letzten Schritte zur Haustür nicht mehr gewagt habe. Oder ist die Verlockung des Wohnmobils zu groß gewesen? Es ist einsam hier drinnen, wenn es draußen so heftig regnet. Über die Fenster strömt der Regen und bildet einen fast undurchdringlichen Vorhang, das Prasseln auf dem Dach trennt mich auch akustisch von der »Locanda Tedesca«. Ich fühle mich schlagartig von der Welt abgeschnitten. Ein gutes Gefühl! Hier wird mich niemand stören. Nicht, solange es regnet.

Ich lasse mich auf eine der beiden Sitzbänke fallen und starre den Bettkasten an. Soll ich …? Nein, ich brauche Zeit. Nur ein bisschen …

Stefano war mir, nachdem er aus dem Wohnmobil geklettert war, mit unsicheren Schritten in die Küche gefolgt. Er richtete mit nervösen Fingern seine Uniform und zog den Hemdkragen vom Hals weg, als wäre er ihm zu eng geworden. Dass die große Überraschung ausgeblieben war, schien ihn persönlich zu kränken. Vermutlich hatte er sich schon ausgemalt, dass ich ihm als Dank für die Wiederbeschaffung des Wohnmobils ein Essen kochen, den besten Wein aus dem Keller und den Grappa aus dem Vorrat holen würde. Und danach wollte er vermutlich gute Ratschläge geben, damit die Versicherung, falls ich den Diebstahl schon gemeldet haben sollte, nichts davon erfuhr, dass das Wohnmobil gefunden worden war, sondern trotzdem zahlte.

Die Autodiebe waren nicht weit gekommen. Schon kurz vor

Orvieto war das Wohnmobil einem Polizisten aufgefallen, als es vor einer Trattoria stand. Er nahm an, der Fahrer säße dort bei Primo und Secondo Piatto, und ging hinein, um ihn auf das defekte Schloss hinzuweisen. Es handelte sich um einen besonders gewissenhaften Polizeibeamten, der es für möglich hielt, dass das Schloss gerade erst aufgebrochen worden war, und in diesem Fall umgehend eine Anzeige aufnehmen wollte.

Die Reaktion auf seine Frage, wem das Wohnmobil vor der Trattoria gehöre, fand er sehr merkwürdig. Niemand meldete sich, nur die beiden Männer, die an der Theke an einem Espresso nippten, sprangen plötzlich auf, rannten auf die Straße, liefen, so schnell sie konnten, und waren im Nu hinter der nächsten Ecke verschwunden. Während der Wirt noch an Zechpreller dachte, kam dem Polizisten die Idee, dass er ganz aus Versehen zwei Autodiebe gestellt hatte …

Stefano war höchstpersönlich nach Orvieto gefahren, weil er es sich nicht nehmen lassen wollte, diverse Pluspunkte bei mir zu sammeln, die er nach und nach einzulösen gedachte. Daraus war nun nichts geworden, und Stefano verstand nicht, was da schiefgelaufen war. Warum hatten wir uns nicht auf das Wohnmobil gestürzt, die Türen aufgerissen, gejubelt, in alle Fächer geguckt, noch mal gejubelt und die Freude an dem Überbringer des Fundstücks ausgelassen? Stefano, der temperamentvolle Italiener, verstand die Welt nicht mehr.

Als er sich verabschiedete, brachte ich es nicht fertig, ihn ziehen zu lassen, ohne ihm etwas von seiner Enttäuschung zu nehmen. Ich umarmte ihn etwas inniger, als ich es unter anderen Umständen getan hätte … und bereute es schnell. Stefano flüsterte mir den Vorschlag ins Ohr, wenn es dunkel geworden sei, unsere erste Nacht zu wiederholen, die Nacht auf dem Hof der Carabinieristation. »Jetzt ist das Wohnmobil ja wieder da.«

Mich überlief ein Schauer des Unbehagens, was nicht nur

damit zusammenhing, dass die Zeit vorbei sein sollte, in der Stefano der Mann für die eine oder andere Nacht gewesen war. Nein, die Vorstellung, es mir mit Stefano über dem Bettkasten gemütlich zu machen, verursachte mir eine Gänsehaut. Ich war froh, dass sich ihm mein Widerstreben ohne Weiteres mitteilte, wenn er auch den Hintergrund meiner entschiedenen Absage nicht verstand. Egal! Hauptsache, ihm wurde endlich klar, dass unsere Zeit vorbei war. Sie war ohnehin nur ein kurzer Augenblick gewesen, und jetzt gab es nicht einmal mehr den. Wenn er das doch endlich einsähe! Aber ich wusste, dass Stefano erst kapitulieren würde, wenn ich ihm erklärte, dass eine Heirat mit ihm nicht ausgeschlossen sei. Das würde ihn schnell zur Vernunft bringen. Jetzt aber schien ich ihm erst mal klarmachen zu müssen, dass in der Konkurrenz zwischen Adam und meinem Mann er nicht unbedingt der lachende Dritte sein musste.

Ich erschrecke zu Tode, als die Tür des Wohnmobils aufgerissen wird. Ein Schwall feuchter Luft stürzt herein, helles Rauschen und Prasseln. Dann wird die Tür ins Schloss gezogen, das Rauschen und Prasseln bleibt draußen.

Siegfried ist nicht überrascht, als er mich sieht. »Du meinst auch, dass die Gelegenheit günstig ist?«

Aus seinen Haaren tropft der Regen, sein Hemd ist durchnässt, die Feuchtigkeit sickert die Hosenbeine hinab.

Ich rücke zur Seite, aber er bleibt stehen. Möglich, dass es ihm nur um die Sitzpolster geht, die trocken bleiben sollen, möglich aber auch, dass er wieder der Fels in der Brandung sein will, der sich vor jede Gefahr stellt, groß, breit, unüberwindbar. So war er immer. Da ihm das Hemd auf der Haut klebt, kann ich feststellen, dass er muskulöser geworden ist. Der kleine Bauchansatz, den es gab, als ich meinen fünfzigsten Geburtstag feierte, ist verschwunden. Anscheinend treibt er jetzt tatsächlich Sport, nachdem er es sich jahrelang vergeblich vorgenommen hatte.

Er nickt zum Bettkasten. »Hast du schon nachgesehen?«

»Ich hab's nicht geschafft.«

»Vielleicht sind die Autodiebe die Leiche bereits losgeworden.«

»Ich glaube eher, dass sie sie noch gar nicht bemerkt hatten.«

Siegfried kneift die Augen zusammen, dann zückt er sein Schwert und geht auf seinen Feind zu, tapfer, unerschrocken, vom Siegeswillen getrieben. Er öffnet den Bettkasten so todesmutig, als könnte darin das Untier sein, das ihm den Beinamen Drachentöter geben wird, und ich bin so unvorsichtig, hineinzugucken. Weiße Turnschuhe, beige Socken, braunbeige karierte Jacke!

Der Deckel des Bettkastens fällt zurück, Siegfried, der Recke, hat vor einem Schwächeren kapituliert. Sein bleiches Gesicht, der Schweiß auf seiner Stirn, das tiefe Seufzen sprechen Bände. Ich denke daran, ihn zu fragen, ob er den Namen Leo Beck kennt, aber eine innere Stimme rät mir, davon abzusehen. Vielleicht ist es das Drehbuch, das mit meinem Leben macht, was es will, sodass ich manchmal selber nicht mehr weiß, was Wahrheit und was Fiktion ist.

Nun sind Siegfried die Sitzpolster egal, er lässt sich, noch immer triefend, mir gegenüber nieder. Seine Hände, die er übereinanderlegt, wie er es im Gerichtssaal macht, wenn er der Gegenseite zuhört, beben. Kurz bevor er den Vorschlag zu einem Vergleich macht oder einsehen muss, dass der Prozess verloren ist, zeigt er stets, dass er sich dennoch für den Stärkeren hält und dass er nur verliert, weil es vernünftig ist, aufs Siegen zu verzichten. Siegfried ballt die Fäuste, während er sagt: »Wir haben verloren. Lass uns überlegen, wie wir jetzt vorgehen.«

Ich bin kein Strafverteidiger, habe nie ein Plädoyer gehalten, kenne keine einzige Strategie, die der Überzeugungskraft dient, habe mich jahrelang der Klugheit und Erfahrung meines Mannes anvertraut und untergeordnet. Aber jetzt bin ich eine Frau, die vor einem guten Jahr ein Wagnis eingegangen ist, die sich etwas getraut hat, die ein paar Schritte aus ihrer Vergangenheit heraustrat, wo es stürmischer, aber auch sonniger ist. Und diese Frau hat nun gelernt, nicht so schnell aufzugeben.

»Wir treffen uns heute Abend hier. Sagen wir… gegen zehn.«

Er sieht mich kritisch an. »Hast du etwa schon wieder eine Idee?«

Das klingt geringschätzig, so als misstraute er meinem Plan, nur weil der erste nicht zum Erfolg geführt hat. Aber obwohl ich nicht einmal einen Plan, sondern nur eine vage Vorstellung von einem guten Ende dieser schrecklichen Geschichte habe, sage ich selbstsicher: »Lass mich nur machen.«

Noch ehe Siegfried etwas Despektierliches erwidern kann, was ihm zweifellos auf der Zunge liegt, unterbricht ein helles Zirpen unser Gespräch. Siegfrieds Handy! Er zieht es hervor, und ich sehe, dass auf seinem Display ein M aufleuchtet.

»Schon wieder Martin«, brummt er, steckt das Handy wieder weg und wartet, bis es aufhört zu zirpen. »Er hat mich überredet, ihm bei einem Verkehrsdelikt zu helfen. Geschwindigkeitsübertretung! Dabei ist so gut wie sicher, dass er eine Weile ohne Führerschein auskommen muss. Vier Wochen mindestens. Ich soll jetzt Himmel und Hölle in Bewegung setzen, damit er mit drei Wochen davonkommt. Macht sich eigentlich mal jemand Gedanken über die Kosten-Nutzen-Rechnung? Natürlich nicht! Denn man hat ja einen Freund, der keine Rechnung schickt.«

Mit einem Mal trifft ein Sonnenblitz meine Nasenspitze. Der zweite folgt bald, der dritte ist kein Blitz mehr, sondern ein Strahl, der langsam breiter wird. Das Gewitter ist vorbei, der Regen lässt nach. Als wir das Wohnmobil verlassen, schwappt uns schwüle Luft entgegen. Zwischen den Wolken zeigt sich bereits ein blauer Himmel, die Sonne sticht hindurch, wo sich eine Lücke findet. Ein Regenbogen spannt sich von Chiusi bis nach Chianciano, der Rest des Nachmittags könnte noch sehr angenehm werden. Die Schwüle wird nachlassen, die Erfrischung, die der Regen gebracht hat, wird bis zum Abend halten.

Siegfried kann in der Sonne kein positives Symbol erkennen. »Mir wären ein paar kalte Tage lieber«, flüstert er. »Wenn diese schwüle Hitze anhält, müssen wir uns beeilen.«

Ich nicke schweigend. Eine Antwort fällt mir nicht ein. Der Name von Kathys Mann hat sich in meinem Kopf breitgemacht. Martin! Er war in der Nacht nach meinem Geburtstag nicht zu Bett gegangen, sondern bis zum Morgengrauen herumgelaufen. War er um das Wohnmobil geschlichen, als ich im Nachthemd dort saß und Angst vor einem Gewalttäter hatte? Martin … ein Kribbeln zieht über meinen Körper, als bekäme ich trotz der Hitze eine Gänsehaut. Sollten die Zeitungen etwa recht gehabt haben, die Martin verdächtigt hatten? Konnte es möglich sein, dass er mit dem Bankräuber unter einer Decke gesteckt hatte?

Schon eine halbe Stunde später ist das Gewitter vergessen. Rebecca hat sich die Haare im Nacken zusammengebunden und zeigt ihr schönes, ebenmäßiges Gesicht in voller Pracht. Als Kind attraktiver Eltern konnte sie natürlich nichts anderes als hübsch werden, aber ihre Ausstrahlung besteht aus viel mehr als aus ihrem schönen Äußeren. Nachdem ich sie eine Weile betrachtet habe, wird mir klar, was ihren besonderen Reiz ausmacht. Es ist die Mischung aus dem Überschwang ihrer Jugend, der frechen Intelligenz, der sie ihr

Selbstbewusstsein verdankt, und dem Verträumten, Versponnenen, das in ihrem Blick kiebitzt, aber noch nicht hervortritt, das noch weggelacht, weggespöttelt und weggewitzelt werden kann. Nur ich erkenne es, weil mir ihr Vater vertraut ist. Adams Erbteil! Das wird sie, wenn es erst einmal in ihrem Blick stehen darf, nicht nur zu einer schönen, sondern zu einer außergewöhnlichen Frau machen.

»Die beiden können froh sein, dass sie mich haben«, verkündet sie und beantwortet mir damit die Frage, die ich mir bereits heimlich gestellt habe. Warum lassen Adam und Marily Mattey, ein erfahrener Autor und eine erfolgreiche Schauspielerin, zu, dass eine Sechzehnjährige so viel Einfluss auf ihre Arbeit nimmt? Immerhin ein Projekt, das für Adam ein Neuanfang und für Marily ein Comeback werden soll!

»Kann ja sein«, fährt Rebecca fort, »dass mir zu viele Ideen aus dem Hirn purzeln, aber den beiden fällt gar nichts Aufregendes ein. Adam hat Angst vor Action, und la Mamma zuckt zusammen, wenn es um ausgefallenen Sex geht.«

Ich kann Marily Mattey verstehen. Wäre Friederike mir im Alter von sechzehn Jahren mit ausgefallenem Sex gekommen, wäre ich auch zusammengezuckt.

Rebecca sitzt wieder an ihrem Lieblingsplatz neben der Kaffeemaschine, Cocco zu ihren Füßen, die sie anschmachtet. Rebeccas Jeans sind an genau den richtigen Stellen durchlöchert, das winzige Top wirkt noch winziger, weil sie es durch ein weites transparentes Shirt, das sie darübergeworfen hat, zu einem Geheimnis gemacht hat.

Sie strahlt mich an. »Aber heute hatte ich eine Idee, zu der sie nicht Nein sagen konnten.« Sie klopft sich selbst anerkennend die Schulter. »Lorenz will die Kohle haben, weil er genauso untreu ist wie Constanze. Der braucht das Geld nämlich, um mit seiner Geliebten ein neues Leben zu beginnen. Er tut nur so eifersüchtig, in Wirklichkeit will er Constanze zurück, damit er an die Kohle kommt. Sobald er das Geld hat, wird er sie in den Wind schießen. Der nächste Wendepunkt wird also sein…? Na? Bingo! Wenn die Zuschauer kapieren, wie verlogen seine Eifersucht auf den italienischen Nebenbuhler ist.« Sie springt auf die Füße, direkt vor Coccos Pfoten, die eingedöst war und sich gewaltig erschreckt. »Echt klasse, Elena, was sich aus deiner Geschichte alles machen lässt! Erst dachte ich, sie wäre langweilig, und Mord aus Eifersucht und Habgier hat es schon tausendmal gegeben. Aber wie du siehst, lässt sich mit den richtigen Zutaten aus jeder Story ein Schocker machen.« Hochzufrieden begibt sie sich zur Küchentür, wo Gabriella steht und Rebecca anglotzt, als gehörte sie bereits zur Elite der Drehbuchautoren. »Will noch jemand behaupten, ich soll Schauspielerin werden? Allmählich dürfte doch allen Beteiligten klar sein, dass ich Autorin werden muss. Jemand anderer Meinung?«

Sie grinst in Gabriellas Gesicht und zwinkert mir zu, dann läuft sie, gefolgt von Cocco, in die erste Etage hoch. Ich wollte, ich könnte ihr nachgehen, um einen Blick auf Adam zu werfen. Aber was würde ich ihm antworten, wenn er mich fragte, ob Siegfried schon wieder ins Wohnmobil gezogen ist?

Der Gedanke ist so schrecklich, dass mir die Balsamicoflasche entgleitet. Die Bescherung auf dem Küchenboden überlasse ich Gabriella, um die auf meiner hellen Sommerhose muss ich mich selber kümmern. Ich laufe ums Haus herum, wo ich auf Siegfried treffe, der in der Nähe des Feigenbaums mit der Säge hantiert und sich dabei von zwei Gästen bewundern lässt, die es reizend finden, dass er die Pensionswirtin so unermüdlich unterstützt. Anscheinend haben sie gerade erfahren, dass sie den Ehemann derselben vor sich haben, und sind nun ganz und gar verzaubert von seinem selbstlosen Einsatz. Denn natürlich sind ihnen die häufigen Besuche eines bekannten Kriminalschriftstellers nicht entgangen. Wahrscheinlich denken sie gleichzeitig darüber nach, ob es dem betrogenen Ehemann zuzumuten sei, die Wahrheit zu erfahren.

Siegfried wird noch eine Weile mit ihrer Bewunderung zu tun haben, vorsichtshalber drehe ich aber trotzdem den Schlüssel um, bevor ich mich ins Schlafzimmer begebe. Noch bevor ich meine bekleckerte Hose ausziehe, greife ich unter meine schwarzen Stiefeletten und hole noch einmal die Hinterlassenschaften von Leo Beck hervor. Sein Handy ist eingeschaltet, der Akku beinahe leer, aber er reicht, um durch das Telefonregister zu scrollen. Gleich der dritte Eintrag – »Anwalt« – packt mich und nimmt mich in den Schwitzkasten. Die Telefonnummer, die dazugehört, hat eine Düsseldorfer Vorwahl. Ich kenne sie. Es ist der Telefonanschluss der Rechtsanwaltskanzlei Mertens. Ich starre die Nummer so lange an, bis sie vor meinen Augen verschwimmt.

Siegfried kennt den Mann also, der in das Wohnmobil eingedrungen ist, mit dem er gerungen hat und der dann so unglücklich gestürzt ist, dass er zu Tode kam. Was hat das zu bedeuten? Vermutlich hatte er beruflich mit ihm zu tun, sonst wäre die Nummer unter Siegfrieds Namen eingespeichert worden, nicht in dieser lapidaren Form. Anwalt! Einer, der eine Auskunft bei ihm eingeholt hat? Womöglich einer, der gar nicht von Siegfried, sondern von einem der Referendare empfangen worden war, weil es sich bei der Auskunft um etwas gehandelt hatte, was schon ein Jurastudent beantworten konnte. Oder hatte er ihn verteidigt? Dann ist es nicht auszuschließen, dass der Kontakt zu diesem Mann Jahre zurückliegt. Und dann wäre es kein Wunder, dass Siegfried den Mann nicht erkannt hat. Genauso wenig kann ich selber sagen, ob Leo Beck der kleine Dünne ist, den ich am Gardasee gesehen habe. Ich war voller Abscheu gewesen, hatte ihn keines Blickes gewürdigt. Dem Mann, den ich zusammen mit Siegfried in den Bettkasten gelegt habe, wollte ich ebenfalls nicht ins Gesicht sehen. Das wäre über meine Kräfte gegangen. Und so wird Siegfried es auch gemacht haben.

Ich merke, dass ich einen Tapetenwechsel brauche. Ich muss hier raus! Weg von der Locanda, weg von Siegfried, weg von Adam, weg auch von Rebecca und Marily Mattey. Ich muss allein sein, Zeit zum Nachdenken haben, Zeit, um mich ganz neu zu entscheiden. Ich sage nicht einmal Gabriella Bescheid, ich laufe einfach los. Die Gedanken rasen durch meinen Kopf, sie stolpern, wenn ich in einer trockenen Fahrrinne umknicke, laufen mir davon, wenn es abwärts geht und meine Beine fliegen, kommen ins Stocken, wenn mir die Puste ausgeht.

Ich stelle fest, dass ich ganz automatisch den Weg zu Adams Haus eingeschlagen habe. Kopfschüttelnd mache ich kehrt, winke Signora Curtis Schwiegersohn zu, der die Rebstöcke inspiziert, und begebe mich auf den Rückweg. Auf meine Fragen haben sich keine Antworten gefunden, sie pochen noch immer hinter meiner Stirn und schlagen bei jedem Schritt an die Überzeugung, die ich für Wahrheit hielt. Habe ich mich getäuscht? Hat Siegfried doch etwas mit den achthunderttausend Euro zu tun? Oder kann es Zufall sein, dass im Handy des Toten die Telefonnummer der Kanzlei Mertens notiert war? Hat Siegfried mich belogen? Ist er nicht hier, weil er um mich kämpfen, sondern weil er das Geld aus dem doppelten Boden des Kleiderschranks holen will? Hat er während des vergangenen Jahres verzweifelt darauf gewartet, dass er endlich erfährt, wo ich bin und vor allem, wo das Wohnmobil abgestellt worden ist? Und wenn das so ist – wie sieht es jetzt in Siegfried aus? Was hat es in ihm angerichtet, als er feststellen musste, dass das Geld nicht mehr da ist? Und was hat er vor, um doch noch zu seinem Ziel zu gelangen?

Ich stolpere und habe Mühe, auf den Beinen zu bleiben. Langsam und vorsichtig setze ich nun einen Fuß vor den anderen. Siegfried muss klar sein, wer das Geld, das er haben will, nun besitzt. Warum unternimmt er dann nichts, um es zu bekommen? Welche Pläne schmiedet er? Oder bin ich auf einer völlig falschen Spur? Ist es das Drehbuch, das mich auf eine Fährte lockt, wo es zwar Action und ausgefallenen Sex gibt, aber kein Fünkchen Wahrheit?

Der Mann, der mir entgegenkommt, reagiert nicht, als Signora Curtis Schwiegersohn auch ihm zuwinkt. Aber der wird sich nicht weiter wundern. Der deutsche Dichter hat hier Narrenfreiheit. Dass er durch den Weinberg läuft, ohne seine Umgebung wahrzunehmen, ist nichts Neues. Auch mich sieht Adam erst, als er nur noch zwanzig, dreißig Meter entfernt ist.

Dann aber bleibt er stehen wie vom Donner gerührt. »Wolltest du zu mir?«

Ich erkläre ihm nicht, dass ich natürlich von seiner Anwesenheit in der »Locanda Tedesca« wusste, dass wir schließlich vorhin noch zusammen am Küchentisch gesessen haben und ich einfach die Treppe hochgestiegen wäre, wenn ich das Bedürfnis verspürt hätte, ihn zu sehen. Aber ich gestehe ihm auch nicht, dass es mir so gegangen ist wie ihm, dass ich einfach in Gedanken losgelaufen bin, ohne zu merken, wohin mich meine Füße tragen.

»Adam, ich würde dir so gerne erklären …«

Doch er unterbricht mich sofort. »Bitte, erklär mir nichts, was du morgen vielleicht anders erklärst. Vergiss nicht: Solange Zweifel bestehen, steht es zwischen Lüge und Wahrheit unentschieden.«

Er schenkt mir ein kleines Lächeln, das mich gleichzeitig glücklich und unglücklich macht. Ich liebe ihn, diesen wunderbaren Mann, den ich belügen muss, um nicht alles kaputtzumachen, die Zukunft und die Vergangenheit gleich mit! Aber wie soll ich ihm das klarmachen?

Sein Lächeln verändert sich. Ich weiß sofort, dass er von

seiner Tochter sprechen wird, die in den wenigen Tagen zu seinem ganzen Stolz geworden ist. »Ich bin auf der Flucht vor Rebeccas Ideen«, sagt er, und sein Lächeln vertieft sich. »Sie produziert am laufenden Band neue. Ich komme gar nicht mit.«

Das glaube ich ihm sofort. Adam Nocke, der jeder seiner eigenen Ideen erst nach einer Wanderung durch den Weinberg traut, steht der Jugend und der fröhlichen Unbedachtheit Rebeccas hilflos gegenüber. Er ist es gewöhnt, jede Idee zu bedenken und von allen Seiten zu betrachten, ehe er sie in Erwägung zieht, Rebecca platzt einfach damit heraus und will, dass sie auf der Stelle gewürdigt wird.

»Jetzt ist ihr ein neuer Wendepunkt eingefallen. Nicht Lorenz, der Ehemann, steckt hinter dem Geld, sondern ein Freund von ihm. Ich habe ihr gesagt, dass man nicht einfach im dritten Akt eine neue Figur aus dem Hut zaubern kann, die alles zunichtemacht, was in den ersten beiden Akten angelegt worden ist. Das geht nicht! Aber der Diskussion mit ihr fühle ich mich nicht gewachsen. Soll ihre Mutter ihr das ausreden!«

»Währenddessen siehst du in deinem Haus nach dem Rechten?« Ich hoffe, dass Adam mich einlädt, bei ihm etwas zu trinken, aber er tut mir den Gefallen nicht.

»Die Telekom hat in der Locanda angerufen. Gabriella hat mir ausgerichtet, dass in der nächsten Stunde zwei Techniker bei mir auftauchen und meinen Telefonanschluss reaktivieren werden.«

»Du wirst also wieder telefonisch erreichbar sein.«

Adams Miene wird sorgenvoll. »Die Welt da draußen kann mich wieder von der Arbeit abhalten, meine Gedanken stören, meine Kreativität hemmen, meinen Ideenfluss mit dem Telefonklingeln zerschneiden … und nun will Rebecca auch noch, dass ich mir ein Handy zulege.«

Ich kann nicht anders, ich muss lachen. Was bisher niemandem gelungen ist, wird Rebecca geschafft haben, wenn sie in ihr Internat in Rom zurückkehrt. Ich bin mir absolut sicher.

Von der Strada della Chiana nähert sich eine Staubwolke. »Da sind sie schon«, sagt Adam. »Sogar pünktlich.«

Ich sehe ihm nach, wie er eilig auf sein Haus zuläuft, und würde ihm am liebsten folgen. Aber ich muss seinen Wunsch wohl respektieren. Ganz sicher muss ich mir sein, mich klar für ihn entscheiden können, zunächst abwägen, was schwerer wiegt, meine Liebe zu ihm oder die Liebe zu meiner Familie, zu der auch Siegfried gehört. Adam hat recht. Es dürfen keine Zweifel mehr bestehen.

Ich versuche, nicht daran zu denken, während ich zurückgehe. Auch an den heutigen Abend will ich nicht denken. Mein Plan steht fest! Besser, ich lasse ihn in meinem Kopf ruhen, statt stets von Neuem das Für und Wider zu bedenken, den Plan damit aufzuwirbeln und weitere Bedenken vom Boden zu lösen. Hoffentlich geht diesmal alles gut!

Die Rezeption ist verwaist. Ich höre Gabriellas Stimme, die in der Tiefe des Hauses mit Cocco schimpft, und knirschende Schritte, die am Haus vorbeigehen. Zwei Gäste in Wanderstiefeln!

Ich fahre den Computer hoch, rufe Google auf und tippe mit fahrigen Fingern den Namen Leo Beck und Düsseldorf ein, wobei ich es schaffe, mich bei diesen wenigen Buchstaben dreimal zu vertippen. Dann endlich werden die Suchergebnisse geladen, und ich sehe: Leo Beck ist bei Google bestens bekannt. Alles andere als ein unbeschriebenes Blatt.

Mir fällt die Kinnlade herunter, als ich die Überschriften überfliege. Wie gebannt starre ich den Namen an. Die Tagespresse hat sich ausgiebig mit ihm befasst, allerdings wurde in der Zeitung, auch in der Düsseldorfer Tagespresse, nie sein voller Name genannt. Leo B.! Das war das Äußerste! Er galt ja lediglich als Verdächtiger und war am Ende ein Mann, dem die Tat, die man ihm vorwarf, nicht nachgewiesen werden konnte. Aber hier, im Internet, wird ein deutlicheres Wort gesprochen. Der Verdacht, den der Filialleiter Martin Siegert immer wieder ausgesprochen hat, wird hier mit der gleichen Deutlichkeit geäußert. Leo Beck, der Bankräuber! Der Überfall in Düsseldorf war nicht der erste dieser Art. Ein bekannter Straftäter, der immer wieder straffällig geworden war! Ich merke, dass ich den Atem angehalten habe, und stöhne die Luft heraus. Der tote Mann in unserem Wohnmobil ist der Mann, den Martin Siegert für einen Bankräuber hält! Die Tat, die ihm vorgeworfen wurde, war in Düsseldorf tagelang das Thema Nummer eins. Alles sah danach aus, als wäre ihm der Überfall auf die Sparkassenfiliale nachzuweisen, aber durch unsichere, sich widersprechende Zeugenaussagen war es seinem Verteidiger gelungen, einen Freispruch aus Mangel an Beweisen zu erwirken. Vor allem die Tatsache, dass die Beute nie gefunden worden war, hatte erheblich dazu beigetragen, dass er nicht verurteilt werden konnte. Eine knappe Million Euro! Das könnten achthunderttausend Euro sein. Ich habe Diebesgut in meinem Wohnmobil gefunden, nun ist es heraus.

Leo Beck! Der kleine Dünne, der mir zum Gardasee gefolgt ist! Nein, nicht mir, sondern meinem Wohnmobil. Die achthunderttausend Euro hatte er unter dem doppelten Boden versteckt. Martin hatte recht gehabt. Dieser Mann war der Bankräuber, dem er sein Trauma zu verdanken hatte. Und ich? Ich habe meine Anteile an der »Locanda Tedesca« mit gestohlenem Geld bezahlt. Mit Geld, das der Sparkasse gehört, den Sparern oder der Versicherung, die für den Schaden aufgekommen ist. Jedenfalls ganz bestimmt nicht mir!

Und schon springt mich der nächste Gedanke an. Siegfried kannte Leo Beck gut. Er war sein Verteidiger, er hat ihn häufig gesehen, die beiden müssen sich vertraut gewesen sein. Hat

Siegfried seinen früheren Mandanten wirklich nicht erkannt? War es tatsächlich so dunkel, dass er an einen Einbrecher glaubte? Ja, das ist möglich, auf dem Hof der Locanda, vor allem in dem Winkel, in dem das Wohnmobil steht, ist es tatsächlich sehr finster. Aber dann, als der Mann vor ihm lag… spätestens in diesem Augenblick muss Siegfried klar geworden sein, um wen es sich handelte. Warum hat er es nicht gesagt? Warum hat er mich im Unklaren gelassen?

Als ich die Schritte eines Gastes höre, schließe ich die Seiten wieder und öffne scheinheilig das Mail-Programm. Als der Gast an die Rezeption tritt, hat er eine Pensionswirtin vor sich, die gern bereit ist, ihm den Weg nach Montalcino zu beschreiben.

Als ich wieder allein bin, lehne ich mich zurück und lausche auf die Stille da draußen. Erst als ich jemanden lachen höre, setze ich mich wieder aufrecht hin. In den Zeitungen hat es nie ein Bild des Bankräubers gegeben, der Kathys Mann derart in Angst und Schrecken versetzt hat, dass er seitdem traumatisiert ist. Nur das Foto des Opfers war durch alle Blätter gegangen. Martin Siegert, der Filialleiter, hatte Ängste ausgestanden, die ihm noch nach der Flucht des Bankräubers ins Gesicht geschrieben standen. In einem Interview hatte er gesagt, wie schrecklich es für ihn sei, dass dieses Verbrechen ungesühnt bleiben würde.

Mir fällt Rebeccas neue Idee ein: ein Freund des Ehemannes steckt hinter dem ganzen Betrug! Lieber Himmel, kommt dieses Drehbuch dem wirklichen Geschehen immer näher? Martin war zwar nicht Siegfrieds Freund, aber durch meine Freundschaft mit Kathy gehörte er zu unserem Freundeskreis. An meinem fünfzigsten Geburtstag war ihm anzusehen gewesen, wie schwer es ihm fiel, Siegfried unvoreingenommen zu begegnen. Rechtsanwalt Mertens war es gewesen, der dafür gesorgt hatte, dass Leo Beck nicht verurteilt worden war.

So jedenfalls hatte ich sein Verhalten interpretiert. Aber was, wenn Martin uns etwas vorgespielt hat? Wenn sein Trauma eine Inszenierung war, um uns von der Wahrheit abzulenken? Wenn es stimmte, was damals in ganz Düsseldorf getuschelt wurde, dass der bis dahin unbescholtene Martin Siegert mit dem Bankräuber unter einer Decke steckte? Wenn das so war, dann hatte er seine Rolle gut gespielt. Kathy hat mir erzählt, dass ihr Mann zusammengebrochen ist, als diese Meldung zum ersten Mal durch die Zeitung geisterte. War auch das nur eine erbärmliche Show gewesen?

Ich gehe in die Küche, um den Teig für das Brot anzusetzen, das ich morgen früh backen will. Die Arbeit wird mich ablenken von der Vergangenheit und von dem, was mir am Abend bevorsteht …

Am frühen Abend kehren die Gäste einer nach dem anderen fußmüde zurück, auch Adam erscheint, aber er wirft nur einen kurzen Gruß in die Küche und steigt gleich die Treppe in die erste Etage hoch. Die Tür von Marily Matteys Zimmer ist zu hören. Ich beauftrage Gabriella, stilles Wasser hochzubringen, und merke, dass ich mich am liebsten zu den dreien an den Tisch setzen würde, um dabei zu sein, wie mein Leben gedreht und gewendet wird. Aber vielleicht geht es schon gar nicht mehr um mein Leben, sondern nur noch um das irgendeiner Fünfzigjährigen, die abgehauen ist. Womöglich dreht es sich da oben nur noch um Constanze Weidenfeld. Dieser Gedanke beruhigt mich ein wenig.

Kurz darauf erscheint Signora Rondinone mit ihrem Hund bei mir, der die lästige Gewohnheit hat, auf seine Artgenossen mit Aggression und fletschenden Zähnen zu reagieren. Der Signora ist zu Ohren gekommen, dass die »Locanda Tedesca« nun einen Wachhund besitzt, und so beschloss sie, dass Cocco dabei helfen soll, ihre hochbeinige, kräftige Promenadenmischung an die Existenz anderer Hunde zu gewöhnen. Irgendjemand hat ihr weisgemacht, dass es nur eine Sache der Geduld sei und dass sie die Angriffslust ihres Hundes so lange ertragen müsse, bis sein Wille, andere Hunde zu zerfleischen, gebrochen ist. Das erfuhr ich allerdings erst nach und nach. Hätte ich geahnt, dass der Besuch von Gabriellas Mutter nicht der Pflege nachbarlicher Beziehungen dienen soll, hätte ich sie und vor allem Carlo nicht ins Haus gelassen.

Die arme Cocco bekommt den Schreck ihres Lebens, als sie ahnungslos die Treppe herunterkommt, um nachzusehen, ob der Besuch verbellt – in ihrem Fall verwinselt –, angeknurrt oder freundlich begrüßt werden soll. Entsetzt flüchtet sie hinter meine Beine, als Carlo an seiner Leine zerrt und zu verstehen gibt, dass er Cocco mit großem Vergnügen zum Nachtisch verspeisen würde. Mein Hund, Adams Geschenk, das Lebendige, das uns verbindet, ist in Gefahr! Obwohl ich schnell feststelle, dass Carlos Leine kurz genug ist, bin ich aufs Höchste besorgt. Aber es stellt sich heraus, dass Cocco am Florenzer Flughafen einiges gelernt hat, wenn sie es auch zwischenzeitlich vergessen durfte, weil sich alle Tricks, um zu überleben, in der »Locanda Tedesca« als überflüssig erwiesen haben.

Cocco erinnert sich schlagartig und gründlich und zeigt, dass sie zu verteidigen gedenkt, was sie seit Kurzem besitzt. Sie fiept wie ein abgerissener Keilriemen, Carlos Versuch, sie zu übertönen, ist jedoch von Erfolg gekrönt. Während Signora Rondinone und ich noch versuchen, unsere Vierbeiner zu mäßigen, versiegt der Signora schon die Kraft in der rechten Hand, die Leine entgleitet ihr, und Carlo beweist, dass es noch sehr viel Geduld brauchen wird, bis sein Wille gebrochen ist. Warum mein Zimmermädchen sang- und klanglos verschwunden ist, wird mir in diesem Augenblick ebenfalls klar.

Carlo stürzt sich auf Cocco, die pariert den Angriff mit dem Mut der Verzweiflung und springt Carlo an, was diesem scheinbar zum ersten Mal passiert. Derart überrascht ist er, dass er ein Kunststück vollführt, von dem bisher niemand wusste, dass er es beherrscht. Carlo selbst am allerwenigsten. Er macht einen Salto rückwärts, landet auf der Kante eines Korbes, der voller Eier ist, die morgen weich gekocht oder zu Rührei verarbeitet aufs Frühstücksbuffet kommen sollen. Ich sehe, dass mehr als ein Dutzend Eier zerbrochen auf dem Boden liegen, die Cocco gern auflecken würde, was Carlo jedoch vereitelt. Er hat sich nach dem überraschenden Salto schnell wieder erholt und stürzt sich erneut auf Cocco, die wohl einen Moment lang gehofft hat, man könne sich auf eine gerechte Verteilung der zerbrochenen Eier einigen. Da aber Carlo zu keiner Einigung bereit scheint, sucht Cocco ihr Heil in der Flucht. Natürlich erst, nachdem sie in der Eiermatsche ausgerutscht und mit ihr auf dem Bauch durch die Küche geschliddert ist. Carlo hält das wohl für eine Spielregel und macht es wie Cocco, bevor er, mit einem Stück Eierschale auf dem Kopf und dem abgerissenen Henkel des Eierkorbs am Hinterlauf, zur Verfolgung ansetzt. Das Rennen über Treppen, durch Flure und durch jedes Zimmer, dessen Tür offen steht, gestaltet sich besonders packend, weil die Hunde mit ihren glitschigen Pfoten selbst überrascht über die Haken sind, die sie schlagen, und die Richtungsänderungen, die sie nicht beabsichtigen. Signora Rondinone und ich laufen schreiend hinterher, kollidieren mit zwei bestürzten Gästen, die das Theater auf den Flur gelockt hat, woraufhin Cocco ein neues Ziel entdeckt, nämlich das Doppelbett, aus dem die beiden sich kurz vorher erhoben haben. Und dass Carlo dorthin folgt und Cocco in dem weichen Kissen sogar beinahe zu fassen bekommt, war zu erwarten. Weitere Türen öffnen sich, das Gekreisch mehrt sich, die Aggression der Hunde ebenfalls. Mittlerweile scheinen sie beide vergessen zu haben, warum sie durch die Locanda jagen, wer das Opfer und wer der Angreifer ist. Die

Sache hat sich verselbstständigt. Ich habe keine Zeit, mich um die Beschwerden zu kümmern, kann auch keine Erklärung abgeben, als Siegfried auftaucht und nach dem Grund für die Aufregung fragt, und nur nicken, als ich höre, dass Marily Mattey unter diesen Umständen nicht in der Locanda bleiben will.

Die Jagd der Hunde geht aufgrund totaler Erschöpfung auf beiden Seiten gottlob irgendwann zu Ende, sie lassen sich am Halsband packen und zerren nur noch ganz schwach, als ihnen die Leinen angelegt werden. Signora Rondinone lobt ihren guten Einfall, ihren Hund mit Coccos Hilfe zur Raison gebracht zu haben, und scheint tatsächlich zu glauben, dass Carlo, wenn er wieder bei Kräften ist, so friedfertig bleibt, wie er sich jetzt aufgrund von purer Erschöpfung gibt.

Ich bin fix und fertig, unfähig, etwas zu dem zu sagen, was mir von Rebecca übermittelt wird: »Wir fahren zu Adam und machen da weiter. Hier bekommt man ja keine Ruhe. La Mamma will für uns kochen, und da wir Vino rosso trinken wollen, wird sie wohl auch bei Adam übernachten. Du brauchst dir also keine Sorgen zu machen, wenn sie heute Abend nicht wieder auftaucht.«

Ich mache mir ganz andere Sorgen, wenn Marily Mattey in Adams Haus übernachtet, aber natürlich verkneife ich mir jede Äußerung. Nicht nur deswegen, weil ich noch immer atemlos bin, auch deshalb, weil mir bewusst wird, wie vorteilhaft es ist, wenn heute Abend niemand im Hause ist, der hier nicht unbedingt sein muss. Je geringer die Gefahr ist, dass wir belauscht, überrascht, ertappt oder auch nur unterbrochen werden, desto besser. Ich nicke, völlig entkräftet, alles ab, was mir vorgetragen wird, auch Siegfrieds Angebot, den Henkel des Eierkorbs wieder zu befestigen, der noch immer an Carlos Hinterlauf hängt. Mit ihm hat der Hund eine Menge Staub aufgewirbelt, den ich Gabriella in Gegenwart ihrer Mutter unter die Nase halte.

Signora Rondinone greift sich erschüttert ans Herz. Sie ist der Meinung, dass eine junge Frau sich beizeiten verheiraten und eine gute Hausfrau werden sollte. Und deshalb verdonnert sie ihre Tochter zu Überstunden, die es mir ersparen, selber zum Schrubber zu greifen, um die Spuren der Antiaggressionstherapie zu beseitigen.

Als die Nachbarin mitsamt dem schwer angeschlagenen Carlo das Haus verlassen hat, trägt Siegfried den reparierten Eierkorb in die Küche, in der ich mir gerade einen Prosecco eingieße. Feierlich stellt er den Korb auf die Anrichte. »Zu Hause hast du ständig Handwerker beschäftigt. Dabei hätte ich gern alles selber repariert. Mir macht das Spaß.«

Ich könnte ihm entgegenhalten, dass er früher keine Zeit für diese Arbeiten hatte, dass es Wochen gedauert hätte, bis ein Abfluss wieder frei oder ein Haken an der Wand war, doch ich bin zu schwach für eine solche Debatte.

»Das sind Erfolgserlebnisse anderer Art«, sagt Siegfried zufrieden und betrachtet den Eierkorb wie ein neugeborenes Kind. »Schneller und direkter als in der Juristerei.«

Das hört sich für mich so an, als würde er sich gern als Hausmeister mit einem unbefristeten Arbeitsvertrag in der »Locanda Tedesca« einstellen lassen. Aber ich antworte auch darauf nicht, für derartige Diskussionen habe ich nun wirklich keine Nerven. Ich lasse mich auf einen Stuhl sinken und kippe den Prosecco hinunter. Siegfried setzt sich zu mir, als wäre er bereit, mir jeden Trost zu spenden, der mir helfen könnte. »Ich weiß zwar nicht, was du vorhast«, beginnt er vorsichtig, »aber sicherlich ist es besser, wenn wir es auf morgen verschieben. Du bist ja völlig durch den Wind.«

Mir kommt es so vor, als hätte auch ich ein Antiaggressionstraining nötig. »Bist du von Sinnen? Willst du warten, bis der Kerl zu stinken beginnt?«

»Pscht.« Siegfried legt einen Finger auf meine Lippen.

»Nicht so laut. Wenn das jemand hört!« Er lauscht ins Haus hinein, wo jetzt jedoch alles ruhig ist. »Nun erzähl mal. Was hast du vor?«

Ich bin wirklich froh, dass Adam nicht im Haus ist. Und so sehr ich sonst Rebeccas Anwesenheit schätze, nun bin ich dankbar, dass nicht die Gefahr besteht, sie könne plötzlich neben mir auftauchen, weil ihr schon wieder eine neue Idee gekommen ist. Constanze Weidenfeld wird dabei erwischt, wie sie eine Leiche verschwinden lässt, und gerät anschließend unter Mordverdacht? Solche und ähnliche Wende- und Höhepunkte im Drehbuch könnten mich heute Abend aus der Fassung bringen.

So aber kann ich mich gut vorbereiten, vor allem mental. Da Siegfried so freundlich ist, mich in meiner Wohnung allein zu lassen, kann ich mir sogar ein Bad gönnen. Ich muss gute Nerven für meinen Plan haben, den ich nach wie vor für genial halte. Wenn er funktioniert, werden wir Leo Beck ein für alle Mal los sein. Wenn nicht… nein, daran will ich gar nicht denken.

Ich strecke mich im Schaumbad aus, schließe die Augen und spüre, wie sich ein paar Schaumflocken auf meine Stirn setzen. Morgen, wenn alles überstanden ist, werde ich Siegfried fragen, wann er wieder nach Düsseldorf zurückzukehren gedenkt. Und wenn er dann eine Entscheidung von mir verlangt…

Noch immer greift, wenn meine Gedanken an diesem Punkt ankommen, die Angst nach mir. Was, wenn ich die Entscheidung treffe, in Chianciano zu bleiben? Wenn ich die »Locanda Tedesca« zu meinem Leben, zu meinem Besitz mache? Aber wovon? Habe ich mal wieder vergessen, dass das Geld, das dafür nötig ist, nicht mir gehört? Dass ich es nicht behalten darf?

Und dann meine Familie! Würden Friederike und meine Söhne sich von mir abwenden? Würden sie nichts mehr mit dieser wetterwendischen, verführbaren Mutter zu tun haben wollen? Würde ich Maximilian nie kennenlernen dürfen? Was gibt es, für das sich dieser Verzicht lohnt?

Adam! Andererseits ... wie gut kenne ich ihn eigentlich? Von seiner Affäre mit Charlot Kaiser habe ich sehr spät erfahren, von seiner Tochter ebenfalls und von deren Mutter rein zufällig. Was mag es noch in seinem Leben geben, wovon ich nichts weiß? Und werde ich auch irgendwann zu den Frauen gehören, von denen er zu sprechen vergisst? Adam weiß nicht, wie attraktiv er ist, er setzt nicht ein, was er hat, und versteht nicht, warum sich Frauen in ihn verlieben, denen ein Techtelmechtel mit Richard Gere nachgesagt wird, die in der Verlagslandschaft einen großen Namen haben oder ... die sich getraut haben, in ein Wohnmobil zu steigen und gen Süden zu fahren. Adam ahnt nicht, was er in einer Frau weckt, wenn er so kindlich und schwach ist, dass sie sich stark und emanzipiert fühlen kann. Es wird immer eine geben, die sich in ihn verliebt. Jüngere und Attraktivere als ich ...

Von draußen dringt das Geräusch der Säge herein. Siegfried ist noch immer mit den Beinen für das knarrende Sofa beschäftigt. Wieder fällt mir Rebeccas Idee ein. Der Freund des Ehemannes steckt hinter dem Geld! Und dann das große M im Display von Siegfrieds Handy. Ganz sanft grummelt der Ärger in mir. Martin hat Siegfrieds Fähigkeiten als Anwalt verwünscht, als Leo Beck dadurch seiner Strafe entging! Ist es anständig, wenn er sich dieser Fähigkeiten bedient, sobald er selbst einen guten Anwalt gebrauchen kann? Nein, anständig ist das nicht. Es sei denn, er hat es insgeheim begrüßt, dass Leo Beck nicht verurteilt werden konnte ...

Ich angle nach dem schnurlosen Telefon, das immer in meiner Reichweite liegt, solange Gabriella allein an der Rezeption ist. Kathys Telefonnummer ist eingespeichert. Das Freizeichen ertönt nur zweimal, dann ist sie am Apparat.

»Schön, von dir zu hören. Gerade habe ich noch zu Martin gesagt: Ich muss unbedingt Helene anrufen. Gedankenübertragung! Gruß von Martin! Er macht sich auf den Weg zu seiner Mutter. Das Sonntagnachmittagsprogramm!« Es sprudelt aus Kathy heraus wie immer. Manchmal frage ich mich, wie Martin diesen Redeschwall aushält. Oder trägt er längst Ohrstöpsel, ohne dass es Kathy aufgefallen ist? »Stell dir vor, heute Nachmittag habe ich auf deinen Enkel aufgepasst. Friederike musste zum Zahnarzt. Für sie ist es ja nicht einfach, jemanden zum Babysitten zu finden. Ach, der Kleine ist so süß!«

Kathy schildert mir das Lachen meines Enkels, seine Angewohnheit, jedem Menschen, der ihn auf den Arm nimmt, an die Nase zu greifen, schildert Friederikes Bemühungen, in den Beruf zurückzufinden, und weiß sogar zu berichten, dass mein Schwiegersohn befördert worden ist. Wieder mal bin ich Zaungast meines Lebens, wieder merke ich, dass ich nicht mehr dazugehöre. Als Kathy anfängt zu klagen, weil Martin noch immer nicht mit ihr über sein Trauma redet und nun nicht einmal mehr bereit ist, weiterhin den Psychologen aufzusuchen, hake ich ein: »Sag mal, Kathy, weißt du eigentlich, wer der frühere Besitzer meines Wohnmobils ist?«

Für Kathy muss diese Frage aus heiterem Himmel kommen. Sie kann nicht ahnen, wie eng der Bezug dieser Frage zu Martins Besuchen beim Psychologen ist. »Ja, warum?«

Ich fahre aus dem Badewasser. »Du kennst den Vorbesitzer?«

»Aber ja doch, die Vormanns! Eigentlich müsstest du die auch kennen. Rosi Vormann arbeitet ehrenamtlich in der Pfarrbücherei.«

Ich erinnere mich an nichts, gebe es aber vorsichtshalber nicht zu, um Kathys Redefluss nicht zu hemmen.

»Ich weiß es auch noch nicht lange. Stell dir vor, Rosi hatte ein Krösken...«

»Was hatte sie?«

»Ein Verhältnis! Und was meinst du, wo sie den Kerl immer getroffen hat?«

Ich ahne es, komme aber nicht zum Antworten. Stattdessen schmiege ich mich wieder ins warme Wasser und lasse Kathy reden.

»Bingo! In dem Wohnmobil! Das war auf irgendeinem Bauernhof in einer alten Scheune untergestellt, wenn es nicht gebraucht wurde. Keine schlechte Idee, oder? Jedenfalls billiger als ein Hotelzimmer.« Kathy kichert.

»Aber ihr Mann ist trotzdem dahintergekommen?«

»Der Bauer muss es ihm gesteckt haben. Der hatte wohl mitgekriegt, was da abging.«

»Und dann?«

»Der Vormann hat das Wohnmobil auf der Stelle verkauft. In dem Ding wollte er nicht mehr Urlaub machen. Kann man ja auch verstehen. Mit Rosi hat er sich dann aber irgendwann versöhnt. Wie man hört, funktioniert die Ehe wieder.«

»Kennt Martin die Vormanns auch?«

»Klar! Vom Tennisclub. Warum fragst du?« Gut, dass Kathy nie darauf besteht, dass ihre Fragen beantwortet werden! »Vor dem Banküberfall hat Martin manchmal mit dem Vormann Doppel gespielt. Aber seitdem hängt er ja nur noch zu Hause rum und hat an nichts mehr Spaß. – Sag mal, Helene, liegst du eigentlich in der Wanne? Das klingt so.«

Ich bestätige es, lasse mir von Kathy sagen, dass sie es auch gern so gut hätte wie ich, die ich mich im Schaumbad aalen könne, während sie jetzt zum Unkrautjäten in den Garten müsse. »Was ist eigentlich mit Siegfried?«, fällt ihr dann noch ein. »Ist er immer noch bei dir?«

Diese Frage klingt, als würde sie von einer Komplizin

gestellt. Siegfrieds Komplizin? Ich sehe es vor mir, wie die beiden beim Kaffee, während sie die Koi-Karpfen in Kathys Garten beobachten, überlegen, ob es zum gewünschten Ziel führt, wenn Siegfried endlich aufhört, auf mich zu warten, sondern zum Angriff übergeht und mal wieder Ansprüche an mich stellt.

»Jetzt weißt du, wo sie lebt«, mag Kathy gesagt haben. »Endlich! Also nutz das Wissen. Aber bedräng sie nicht, dann erreichst du nur das Gegenteil. Sei nett zu ihr, damit sie merkt, was sie an dir hat.«

Meine Antwort fällt entsprechend knapp aus. »Ja, er ist noch hier. Er bringt die Pension auf Vordermann. Was der schon alles repariert hat!«

»Ich sag ja, der Mann ist ein Schatz! Überleg dir gut, Helene, ob du ihn allein nach Düsseldorf zurückschickst.«

Ich verspreche, es mir zu überlegen, dann entlasse ich Kathy zum Unkrautjäten und drehe den Heißwasserhahn auf. Bald ist mir wieder so warm, dass ich nachdenken kann, ohne zu frieren. Martin Siegert kannte also den Mann, dem früher mein Wohnmobil gehörte. Kurz darauf durchfährt mich die Erkenntnis, als hätte jemand eiskaltes Wasser in meine Wanne gelassen. Vielleicht war Martin der Mann, mit dem Rosi Vormann eine Affäre hatte! Dann besaß er womöglich einen Schlüssel für das Wohnmobil, und es war ihm möglich, den Kleiderschrank mit einem doppelten Boden zu versehen, um dort die Beute aus dem Bankraub zu verstecken. Lieber Himmel, wie einfach es plötzlich ist, die Angelegenheit zu durchschauen! Ja, so muss es gewesen sein. Wie muss Martin geguckt haben, als Siegfried mir zum Geburtstag genau das Wohnmobil schenkte, in dem er früher seine Schäferstündchen genoss. Deswegen war er während der Feier so angespannt. Aber vermutlich war er auch erleichtert und hat sich über sein Glück gefreut. Er würde erfahren, wo das Wohnmobil abgestellt wurde, und eine Gelegenheit finden, sich das Geld zurückzuholen. Damit konnte er sich sicherlich beruhigen. Innerlich hat er frohlockt, dass das Wohnmobil nicht an jemanden in Buxtehude oder Hintertupfingen verkauft worden war, wo es mitsamt der Beute auf Nimmerwiedersehen verschwunden wäre. Dass ich mich am nächsten Tag hinters Steuer setzen und gen Süden fahren würde, konnte er ja nicht ahnen. Das wusste ich in diesem Augenblick selber noch nicht…

Ich tauche unter, wische mir dann den Schaum aus dem Gesicht und fange an, mir die Haare zu waschen. Je länger ich über diese Lösung des Falls nachdenke, desto sicherer werde ich, dass ich auf dem richtigen Weg bin. Alles greift ineinander, Motivation, Indizien, Fakten, Beweise. Es gibt keinen Zweifel mehr für mich. Würde Martin nach Leo Beck suchen, wenn dieser nicht wieder auftauchte? Ich versetze mich in seine Situation und komme zu der Ansicht, dass Martin vermutlich froh sein wird, glimpflich aus der Sache herausgekommen zu sein. Dass er der Geliebte von Rosi Vormann war, hat vermutlich niemand erfahren, und seine Komplizenschaft mit Leo Beck wurde niemals aufgedeckt. Nur auf die Beute muss er verzichten. Kein Wunder, dass er so deprimiert ist. Und dass er die Besuche beim Psychologen eingestellt hat, kann ich nun auch verstehen. Der kann ihm sicherlich nicht helfen.

Wusste Martin von Leos Plan, nach der Verbüßung seiner Gefängnisstrafe nach Chianciano zu fahren, um sich das Geld zu holen? Martin konnte ihm genau sagen, wo das Wohnmobil steht. Nein! Ich greife mir an den Kopf, weil mir einfällt, dass ich nun einem Denkfehler aufgesessen bin. Martin kann unmöglich noch mit Leo Beck Kontakt haben. Seit er mit Kathy in Chianciano zu Besuch war, muss er wissen, dass es den doppelten Boden im Kleiderschrank nicht mehr gibt. Ich sehe ihn noch vor mir, wie er sich das Wohnmobil anschaute, wie er jeden Schrank öffnete und Kathy in Sorge war, er könne den Wunsch haben, sich auch ein Wohnmobil anzuschaffen. Und dann fallen mir auch wieder die beiden Scheinwerfer ein, die mich verfolgten, als ich Adams Haus verließ. Das war jemand, der herausfinden wollte, wo ich wohne und wo das Wohnmobil abgestellt worden war. Also niemand, der von Martin Siegert bereits alle notwendigen Informationen bekommen hatte! Wollte hier ein Komplize den anderen übers Ohr hauen?

Ich steige aus der Wanne und trockne mich ab. Martin Siegert! Dieser blasse, unscheinbare Mann! Unglaublich, welche kriminellen Energien in einem Menschen stecken, dem man es nie zugetraut hätte! Ich halte inne, weil mir plötzlich ein Gedanke kommt. Martin muss wissen, wer das Geld jetzt besitzt. Wird er versuchen, es zurückzubekommen?

Gabriella habe ich nach Hause geschickt, ich mache mich an der Rezeption zu schaffen, ordne Papiere, hefte Rechnungen ab, räume dann die Küche auf und bereite das Frühstück für den nächsten Morgen vor. Siegfried ist immer einen Meter hinter mir. Wenn ich mich umdrehe, steht er vor mir und lässt sich zur Seite schieben, weil er mir im Wege ist, wenn ich in den Vorratsraum gehe, bleibt er in der Tür stehen und wartet auf meine Rückkehr in die Küche.

»Lass uns noch mal in Ruhe alles durchgehen«, bittet er mich ein ums andere Mal. »Gibt es nicht eine bessere Lösung?«

Ich werde allmählich nervös. »Fällt dir eine ein?«

»Wir könnten in irgendeine einsame Gegend fahren und ihn dort ablegen.«

»Tolle Idee! So einsam ist die Toskana nicht, dass eine Leiche nicht gefunden wird. Ganz abgesehen von der Gefahr, dass wir von einem Wanderer oder Naturliebhaber beobachtet werden könnten. Und irgendeiner erinnert sich immer, dass er am selben Tag ein Wohnmobil gesehen hat. Eins mit einem deutschen Kennzeichen! Was glaubst du, wie viele Düsseldorfer Wohnmobile hier rumfahren? Ich kenne nur ein einziges.«

»Aber wenn Signor Rondinone etwas bemerkt! Wenn die Totengräber morgen stutzig werden?«

»Dann weiß trotzdem niemand, wer für diese… Grabbeigabe gesorgt hat.«

»Man wird es herausfinden! Wenn die Polizei ins Spiel kommt, reichen Finger- und Fußspuren aus, um uns zu überführen.«

Ich baue mich vor Siegfried auf und nehme zufrieden zur Kenntnis, dass er zurückweicht. »Signora Venerando ist dick, der Mann, den wir zu ihr in den Sarg legen werden, ist klein und dünn.«

»Sechzig, siebzig Kilo bringt auch ein schlanker Mann auf die Waage.«

Ich will jetzt nichts mehr von seinen Einwänden hören. »Wenn du nicht willst, gibt es nur eine Alternative: Du gehst zur Polizei und stellst dich. Ob man dir zwei Tage nach dem Tod des Mannes noch abnehmen wird, dass es sich um einen tragischen Unglücksfall gehandelt hat, weiß ich allerdings nicht.«

Siegfried knickt ein. »Also gut, wir machen es so.« Und leise, als traute er sich nicht, es zu sagen, ergänzt er: »Dass du das auf dich nimmst, Lenchen. Nur für mich.« Siegfried greift nach mir und will mich an sich ziehen. »Wir beide… wir ergänzen uns immer noch. Wir passen einfach zueinander, Lenchen. Wir gehören zusammen. Merkst du das nicht auch?«

Ich entziehe mich ihm, obwohl mir seine Nähe nicht unangenehm ist. Sein Körper, sein Geruch, die Kraft seiner Hände, das alles ist mir noch vertraut, vorübergehend vergessen, aber keine schlechte Erinnerung.

Ohne zu antworten, ziehe ich zwei Paar Gummihandschuhe aus einer Schublade, die Gabriella beim Putzen benutzt, um den Lack ihrer Fingernägel zu schonen. Siegfried steckt sie in seine Hosentasche, ohne ein Wort zu sagen. Dann setzen wir uns in die Küche, essen Bruschette und Salat und sehen dem Uhrzeiger dabei zu, wie er die Minuten vergehen lässt. Siegfried macht den Versuch, den Lauf der Zeit mit Erzählungen von Maximilian zu beschleunigen, aber er hält nicht lange durch. Am Ende sitzen wir schweigend da, trinken einen Espresso nach dem anderen, lauschen auf die allmählich verklingenden Geräusche im Haus und starren das Fenster an, hinter dem es immer dunkler wird.

Als nichts mehr zu hören ist, stehe ich auf. »Es ist soweit. Wir können es riskieren.«

»Sollen wir nicht besser noch warten? Gegen zwei Uhr liegen die Rondinones im Tiefschlaf, dann ist es vielleicht ungefährlicher.«

»Ich liege dann normalerweise auch im Tiefschlaf. Für das, was wir vorhaben, bin ich aber lieber auf Zack. In spätestens einer Stunde geht bei mir die Kurve runter.«

Ich will es endlich hinter mich bringen! Siegfried dagegen will das Schreckliche hinausschieben. Aber nun nickt er ergeben. »Also gut.«

Wir ziehen uns dunkle Jacken über, schließen sie bis zum Hals, ich stülpe mir sogar die Kapuze über und fühle mich prompt wie ein Gangster auf Abwegen. Beide tragen wir schwarze Hosen und weiche Turnschuhe, damit wir uns nicht durch laute Schritte verraten. Auf dem Hof bleiben wir stehen und lauschen noch einmal intensiv. Alles ist ruhig. Hinter keinem Fenster brennt Licht. Die Gäste, die zurzeit in der »Locanda Tedesca« wohnen, machen Wanderurlaub. Sie gehen früh schlafen, weil sie müde sind und am nächsten Morgen zeitig wieder loswandern wollen. Zum Glück gehen die

Fenster der Gästezimmer allesamt nach Westen raus. Selbst wenn ein Gast mit Schlafstörungen im Dunklen am Fenster stehen sollte, wird er Siegfried und mich nicht sehen.

Die Wohnmobiltür knarrt, doch in der Locanda bleibt alles ruhig. Der Bettkasten dagegen öffnet sich lautlos. Der Geruch, der mir entgegenschlägt, ist widerlich. Nun sieht Siegfried ein, dass wir keinen Tag mehr warten dürfen. Nach einem Blick des Einverständnisses ziehen wir unsere Gummihandschuhe über. Ich greife nach den Füßen des Toten, Siegfried unter seine Achseln.

»Eins, zwei, drei …«

Wir hieven ihn aus dem Bettkasten und legen ihn davor ab. Kurzes Verschnaufen, dann geht es weiter. Ich bewege mich rückwärts, bis ich die Tür berühre, dann lasse ich die Füße wieder los, öffne die Tür, steige aus dem Wohnmobil und ziehe nach einem sichernden Blick in die Umgebung die Füße des Toten zu mir heran. Siegfried bringt ihn in eine sitzende Position, dann springe ich zur Seite und lasse die Leiche vornüberfallen.

Siegfried liegt ein wütender Kommentar auf der Zunge, aber meine Entgegnung wäre auch nicht von schlechten Eltern gewesen. Sollte ich mir den Toten etwa in den Arm und an die Brust drücken lassen?

Wir nehmen die Leiche wieder auf, um sie zu dem Weg zu tragen, der vom Grundstück der Locanda auf die Strada dei Vigliani führt. Dort wird es brenzlig. Am Ende der Straße, tief unten im Tal, gibt es eine Handvoll Häuser, deren Besitzer diesen Weg nehmen, um nach Chianciano hineinzufahren. Wenn wir die Leiche auf diesem Weg bis zum Eingang von Rondinones Grundstück tragen, werden wir auf der einen Seite die hohe Böschung der »Locanda Tedesca« haben, auf der anderen eine Wiese mit Olivenbäumen. Dann müssen wir aufpassen! Sobald wir die Lichter eines Autos ausmachen, müssen wir uns mitsamt der Leiche in den Graben werfen, den es zwischen dem Weg und der Wiese gibt. Er ist nur flach, wird aber ausreichen, um uns nicht von den Scheinwerfern eines vorbeifahrenden Autos erfassen zu lassen. Es kommt dann nur darauf an, rechtzeitig und schnell zu reagieren.

Vorsichtig nehmen wir den Toten auf, um ihn am Rand der mannshoch bepflanzten Böschung entlang zur Hofeinfahrt zu tragen. Sollte jemand in der Locanda zum Getränkeautomaten gehen und aus dem Flurfenster sehen, werden wir den Schutz der Dunkelheit haben, wenn wir uns nah bei den Büschen halten. Niemand wird erkennen, was sich in der Nähe der Böschung abspielt.

Wieder kommandiert Siegfried leise: »Eins, zwei, drei!«

Er greift unter die Achseln des Toten, ich nehme seine Füße. Erstaunlich, wie leicht er sich anheben lässt.

Doch dann, noch bevor wir den ersten Schritt machen, plötzlich ein Geräusch, das nicht zu dieser späten Stunde passt. Die Nächte in Chianciano sind immer laut, das Zirpen der Zikaden ist wie ein mächtiges Rauschen, das jede Nacht erfüllt. Aber nun ertönt etwas, das uns das Blut in den Adern gefrieren lässt. Schritte! Die Schritte eines Menschen! Sie bewegen sich nicht die Strada dei Vigliani entlang, sie knirschen auf dem Kies der Hofeinfahrt. Wer immer das ist, er wird in wenigen Augenblicken vor uns stehen!

Ich heule wie ein Schlosshund. So lange, bis Siegfried wütend wird. »Schluss jetzt! Wir müssen endlich etwas unternehmen. Der Kerl liegt da unten am Fuß der Böschung. Findest du, dass er da noch lange liegen bleiben sollte?«

Nein, das finde ich nicht. Aber im Moment fühle ich mich wie in einem Sturm, der mich wegreißt und wieder herantreibt, hochwirbelt und zu Boden wirft. Ich weiß nicht mehr, wo oben und unten ist.

Wo ist eigentlich Franziska geblieben? Typisch, dass sie sich gerade jetzt vom Acker macht, wo ich sie so nötig hätte! Was soll ich ohne sie anfangen?

Der Moment war entsetzlich, in dem die Dunkelheit einen Riss erhielt, durch den jemand trat, in dem ich … Adam erkannte. Die Füße des Toten rutschten mir aus den Händen, sie fielen zu Boden, und Siegfried stöhnte auf, weil ihm nun auch der Oberkörper entglitt. Eigentlich müsste ich ihm dankbar sein, weil er die Geistesgegenwart besaß, dem Toten einen Stoß zu versetzen, damit er den Abhang hinunterrollte. Tatsächlich entdeckte Adam uns erst, als der verblichene Leo Beck nicht mehr zu sehen war.

Bei der Vorstellung, was Adam stattdessen zu sehen bekam, fange ich schon wieder an zu heulen. Siegfried und ich vor dem Wohnmobil, erhitzt, aufgeregt, schuldbewusst. Siegfried versuchte, die Situation mit einem freundlichen Gruß zu entschärfen, und ich trieb es noch schlimmer, indem ich flötete: »Hallo, Adam! Wie nett! Machst du noch einen Abendspaziergang?«

Natürlich erreichte ich genau das Gegenteil von dem, was ich wollte. Adam starrte erst mich an, dann wanderte sein Blick zu Siegfried. Wie er die Situation beurteilte, war nicht schwer zu erraten.

»Nein, Adam! Das siehst du ganz falsch!«

Ich machte einen Schritt auf ihn zu, aber er wich sofort zurück. »Schon gut, Elena! Ich dachte, wir sollten noch mal reden, deswegen bin ich gekommen. Ich wollte dir sagen …« Er schloss kurz die Augen, als müsste er einen heftigen Schmerz verdrängen, dann ergänzte er mutlos: »Ach, ist auch schon egal.«

Damit drehte er sich um und ging. Ohne ein weiteres Wort! Und ich ließ ihn gehen! Ohne ein Wort! Als ich ihm endlich nachstürzen wollte, hielt Siegfried mich zurück. »Bist du verrückt? Da unten liegt eine Leiche! Die muss so schnell wie möglich weg!«

So stehen wir jetzt am Ende der Hofeinfahrt und spähen nach rechts, wo sich ein schwacher Schatten bewegt, ich immer noch schniefend, Siegfried beinhart wie ein ganzer Kerl. Es kommt mir vor, als könnte ich erkennen, wie traurig Adam von dannen trottet. Entmutigt, niedergeschlagen und schrecklich enttäuscht. Das alles nicht nur, weil er glaubt, mich verloren zu haben, sondern auch, weil er mich für feige und unehrlich hält. Ich glaube zu wissen, was er mir sagen wollte. Wird er mir die Gelegenheit geben, es anzuhören? Irgendwann? Dann, wenn das hier überstanden ist?

Siegfried greift nach meinem Arm, unterbricht meine schweren Gedanken und zeigt auf die reglose Gestalt, die auf dem Weg liegt. »Los! Der Nocke ist weit genug weg. Wir müssen uns um den da unten kümmern.«

Doch gerade, als wir einen Fuß auf den Weg setzen, können wir es hören. Motorengeräusch! Nicht von unten kommt ein Wagen, sondern von der anderen Seite. Von Chianciano nimmt er den Weg in die Strada dei Vigliani. Vielleicht wieder jemand, der sich nicht darum schert, dass der Weg durch den Weinberg für Kraftfahrzeuge gesperrt ist?

»Um Gottes willen!«

Der Wagen nähert sich, ich fahre herum und haste die Hofeinfahrt zurück. Dass uns nur niemand sieht!

Siegfried folgt mir auf dem Fuße, Augenblicke später stehen wir auf der Böschung und spähen in der Finsternis nach dem Toten, der irgendwo da unten liegen muss, von hier nicht zu erkennen.

Sekunden später sehen wir ihn wieder. Die Scheinwerfer

eines Autos erfassen ihn. Er liegt mitten auf dem Weg, und der kleine weiße Wagen hält nicht an, sondern springt durch ein Schlagloch auf ihn zu. Ein schreckliches Geräusch ist die Folge. Ein Schlag, ein Poltern, das Klirren von Glas, quietschende Bremsen.

»Oh mein Gott«, flüstert Siegfried.

Was folgt, kommt mir vor wie die Stille des Todes. Nichts ist zu hören, selbst die Zikaden scheinen das Zirpen eingestellt zu haben. Lautlosigkeit im Angesicht eines schrecklichen Geschehens!

Dann das Geräusch einer Autotür, Schritte und eine weibliche Stimme, die einen Laut des Erschreckens von sich gibt. Wieder Stille, aber nur kurz, schon sind schnelle Schritte und das Schlagen einer Autotür zu hören. Mit jaulendem Motor setzt der Wagen zurück, denn der Weg ist zu schmal zum Wenden. Bis zur Hofeinfahrt der Sargtischlerei Rondinone fährt er rückwärts, dann wendet er und jagt in entgegengesetzter Richtung davon. Die Karosserie hämmert, die vielen Schlaglöcher scheinen die Fahrerin nicht zu kümmern.

Erst als das Motorengeräusch verklungen ist, setzen wir uns in Bewegung. Siegfried kommt als Erster bei dem Toten an. Er beugt sich über ihn, richtet sich aber schnell wieder auf und schüttelt den Kopf. »Fahrerflucht! Schade, dass man keine Anzeige erstatten kann.« Er weist auf die vielen Glassplitter. »Der Scheinwerfer ist hin. Die Frau müsste man erwischen, wenn sie den Wagen reparieren lässt.«

Ich weiß, dass er sich in etwas anderes flüchtet, weil das eigentliche Problem einfach zu monströs ist, zu schrecklich, um sich damit abzufinden. Es kann uns egal sein, ob die Frau für ihre Tat büßen muss. »Wir können froh sein, dass sie Fahrerflucht begangen hat. Sonst hätten wir jetzt ein echtes Problem.«

Siegfried steckt die Hände in die Hosentaschen. »Wieso?

Was Besseres konnte uns doch gar nicht passieren. Wenn er morgen früh gefunden wird, ist er das Opfer eines Verkehrsunfalls geworden.«

Ich betrachte den gewieften Strafverteidiger kopfschüttelnd. »Meinst du wirklich, die Polizei merkt nicht, dass er schon vorher tot war? Tote bluten nämlich nicht mehr. Das merkt auch der dümmste Carabiniere.«

Endlich rührt sich auch Franziska wieder. Vorsichtig applaudiert sie mir, als traute sie meiner wiedergefundenen Energie noch nicht so recht. *Genial, Elena! Du bist selbst in dieser Lage ausgefuchster als dein Mann.*

Siegfrieds Miene wird betreten. »Also weiter wie geplant?«

Ich schlucke die Panik herunter, die mich befällt, als ich wieder nach den Füßen greife und sehe, was die Autoreifen mit den Beinen des Toten angerichtet haben. »Schnell! Bevor mir schlecht wird!«

Die Rondinones gehen früh schlafen, das weiß ich. Gabriella tritt ihren Dienst in der »Locanda Tedesca« ja schon gegen sieben an, ihre Mutter erhebt sich, wenn der Hahn kräht, was er zu meinem Bedauern schon beim ersten Sonnenstrahl und sehr ausgiebig tut, und der alte Rondinone wird von seiner Frau aus den Federn gescheucht, sobald der Espresso fertig ist. Kein Wunder, dass die Familie zeitig zu Bett geht.

Allerdings fällt mir ein, dass ich schon oft, nicht erst seit dem Abend, an dem Siegfried ein Auto aus dem Hof der Carabinieristation stahl, den Eindruck hatte, dass Gabriella sich später heimlich wieder erhebt, um sich ins Nachtleben von Chianciano zu stürzen. Hoffentlich hat nicht ausgerechnet heute der verheiratete Sohn des Kurdirektors Zeit, und Gabriella kommt gerade in dem Moment heim, wenn wir eine Leiche in die Sargtischlerei ihres Vaters schleifen.

Ich bin am Ende meiner physischen und psychischen

Kräfte, als wir den Toten vor dem Eingang ablegen. Siegfried ist anzusehen, dass auch er am liebsten die Leiche liegen lassen und so schnell wie möglich das Weite suchen würde.

Erschöpft lehne ich mich an die Wand der Werkstatt, weil ich Luft schnappen muss, ehe es an die letzte Etappe unseres Vorhabens geht. Franziska scheint ins Koma gefallen zu sein, was mich nun wirklich nicht wundert.

»Was ist, wenn die Tür verschlossen ist?«, fragt Siegfried flüsternd.

Ich rapple mich hoch und versuche, Zuversicht zu versprühen. »Signor Rondinone gibt den Angehörigen die Möglichkeit, jederzeit zu einem Verstorbenen zu gehen. Es ist ja nur ein Tag Zeit. In Chianciano werden die Toten immer am Tag nach ihrem Ableben beerdigt. Die Tür muss offen sein.«

»Wann ist die Beisetzung der dicken Signora?«

»Morgen früh um neun.«

»Dann ist der Sarg jetzt womöglich schon zugeschraubt.«

»Hoffentlich. Wie sollen wir sonst unseren Freund in die Arme der dicken Signora legen, ohne dass es Gabriellas Vater auffällt?« Ich merke, dass ich das Absurde dieser Situation nur mit Sarkasmus ertragen kann.

»Wenn der Sarg zugeschraubt ist, wie kriegen wir ihn dann wieder auf?«

»Was man zuschrauben kann, lässt sich auch wieder aufschrauben.«

»Bist du sicher? Außerdem … wenn Signor Rondinone den Sarg schon zugeschraubt hat, dann gibt es keinen Grund mehr, den Angehörigen den Zugang zu ermöglichen. Es könnte also sein …«

Mir gehen die Nerven durch. »Herrgott, Siegfried!«, zische ich. »Dann schau schon nach, ob abgeschlossen ist oder nicht.«

Ich zeige auf die Tür, hinter der Signor Rondinone seine Särge aufbewahrt und im Bedarfsfall von Interessenten besichtigen lässt. Dahinter ist der Raum, in dem die Toten aufgebahrt werden, ehe sie ihren letzten Weg antreten, wiederum dahinter befindet sich ein Raum, den er sein Büro nennt. Dort führt er auch die sogenannten Trauergespräche mit den Hinterbliebenen. Wenn es soweit ist, trägt seine Frau immer eine große weiße Blume aus Plastik in den Raum und stellt eine Kerze auf, damit alles hübsch feierlich aussieht und die kreischende Säge, die zu jeder Tageszeit hereindringt, vergessen werden kann.

Ich lasse mich an der Wand zu Boden sinken und starre auf die schwache Lampe, die das Anwesen der Rondinones in diffuses Licht taucht. Ich kann nicht mehr! Ich bin fix und fertig! Nur gut, dass Carlo in der Nacht ins Haus geholt wird. Auch wenn seine Wachhundqualitäten noch genauso schwach ausgeprägt sind wie sein Sozialverhalten, würde er uns hier in die Quere kommen. Aber zum Glück trauen ihm die Rondinones noch nicht. Trotz seines Antiaggressionstrainings würde er sich in der Nacht eher aufmachen, um irgendwo einen Artgenossen zu zerfleischen, als seine Familie zu beschützen. Das fehlte noch, dass er hier auftauchte und nicht nur die Rondinones, sondern auch sämtliche Gäste der »Locanda Tedesca« aus dem Schlaf bellte.

Das Wohnhaus der Rondinones liegt im hinteren Teil des Grundstücks, alle anderen Gebäudeteile dienen der Schreinerei und den Räumen, die Signora Rondinone ihr Bestattungsunternehmen nennt. Der Hof ist zum Glück nicht, wie in der »Locanda Tedesca«, mit Kies ausgestreut, sodass unsere Schritte kaum zu hören sind. Hier gibt es nur das, was es schon seit Jahrzehnten gibt, festgetretene Erde, von Fahrrinnen durchzogen, mit grünen Rändern, wo das Gras eine Chance zu wachsen hat, und sogar zwei Kletterrosen an der Hauswand, die Schmutz und Lieblosigkeit trotzen.

Siegfried erscheint vor mir. »Die Tür ist abgeschlossen.«

»Was?« Ich fahre in die Höhe, mache einen Schritt vor, stoße an die Leiche und pralle zurück.

Siegfried fängt mich auf. »Aber der Schlüssel steckt draußen.« Er bückt sich, greift wieder unter die Achseln des Toten und nickt zu seinen Füßen. »Bald ist es geschafft.«

Wieder versuche ich, nicht daran zu denken, was ich in Händen halte. Nur das Nächste im Blick haben, nicht an das Gegenwärtige denken!

Siegfried hat die Tür weit geöffnet, wir können den Toten hineintragen, ohne ihn davor ablegen zu müssen. Erst neben einem lackschwarzen Sarg, anscheinend Signor Rondinones Prunkstück, lassen wir ihn zu Boden und richten uns auf. Geschafft!

Siegfried ist ins Schwitzen gekommen, zieht seine Jacke aus und wirft sie über einen Hocker. Ich lasse mich auf einen anderen sinken. »Ich kann nicht mehr.«

Siegfried legt mir eine Hand auf die Schulter. »Bald haben wir es hinter uns.«

Er macht Anstalten, in den nächsten Raum zu gehen, um sich den Sarg von Signora Venerando anzusehen, da stutzt er und bleibt wie angewurzelt stehen. Und auch ich höre es. Der Schweiß auf meinem Rücken wird eiskalt auf meiner Gänsehaut. Die Tür vom Wohnhaus der Rondinones war zu hören. Jemand hat uns bemerkt!

»Schnell!« Siegfried greift nach den Füßen des Toten und schleift ihn hinter den schwarzen Sarg, dann zieht er mich hinterher, die ich wie gelähmt dasitze und nicht glauben kann, was uns geschieht. Widerstandlos lasse ich mich neben dem Toten zu Boden drücken und kann nichts anderes tun, als den Atem anzuhalten und zu versuchen, nicht vor Angst ohnmächtig zu werden.

Dann jedoch werden meine Lebensgeister jäh aus dem Koma zurückgeholt. »Deine Jacke!«

Siegfried legt einen sportlichen Elan an den Tag, den ich ihm nicht zugetraut hatte. Mit einem Satz springt er in die Höhe, mit zwei weiteren Sätzen ist er bei dem Hocker angekommen, reißt die Jacke an sich und ist auch schon wieder bei mir. Und das alles beinahe lautlos!

Kaum hockt er wieder neben mir, da öffnet sich die Tür. Sie knarrt leise, Schritte scharren über den Boden. »Ohé?« Mir schießt durch den Kopf, wie merkwürdig es doch ist, dass jemand, der einen Eindringling in seinem Haus vermutet, darauf hofft, dass dieser auf Zuruf reagiert. »Ohé?«

Das Licht der Hoflaterne fällt in den Raum, die Gestalt von Signor Rondinone sperrt es aus, dann bewegt er sich in den Raum hinein, und das Licht kehrt zurück. Er steht still, scheint zu lauschen, dann verzichtet er zu meiner Erleichterung darauf, die Lampe anzuknipsen, durchquert den Raum und auch den nächsten. Erst in seinem Büro schaltet er das Licht an. Ich höre eine Schranktür knarren und das Klappern eines Schlosses. Dort bewahrt Signor Rondinone wohl eine Geldkassette auf, die in einem jugendlichen Arbeitslosen Begehrlichkeiten wecken könnte. Dass jemand in sein Sarglager eindringen oder sich an Donatella Venerandos sterblichen Überresten vergreifen könnte, kommt ihm zum Glück nicht in den Sinn. Als er feststellt, dass seine Geldkassette noch da ist, wo sie hingehört, löscht er das Licht im Büro wieder und kehrt zurück, ohne in den beiden anderen Räumen für Helligkeit zu sorgen. Er kennt den Weg im Schlaf.

Mir wird schlecht vor Erleichterung, als er sein Sarglager verlässt und die Tür hinter sich schließt. Gott sei Dank! Das ist gerade noch mal gut gegangen!

Dann aber packt mich die Übelkeit erst richtig, und mit der Erleichterung ist es schlagartig vorbei. Denn ein Geräusch dringt an meine Ohren, das so schaurig ist wie der Schrei einer Eule um Mitternacht oder der Ruf des Moorgeistes. Es ist nicht zu überhören, dass sich draußen ein Schlüssel im Schloss dreht.

Wir sind wie erstarrt, Siegfried genauso wie ich. Erst als Signor Rondinones Schritte verklungen sind und die Haustür ein zweites Mal zufällt, stößt Siegfried hervor: »Er hat uns eingeschlossen.«

Siegfried springt auf, läuft zur Tür, drückt die Klinke herunter und rüttelt daran. Vergeblich! Er hat recht, die Tür ist abgeschlossen. »Verdammt!«

Er geht in die Knie und schaut durchs Schlüsselloch. Bei dem Schloss handelt es sich um eins, das schon zu Zeiten des Vaters von Signor Rondinone in der Tür gesteckt hat. Kein Sicherheitsschloss, sondern eins mit einem großen Loch und einem resoluten Schlüssel, der zu groß für eine Hosentasche ist.

»Dieser Idiot! Der Schlüssel steckt! Wieso schließt der ab, wenn man draußen nur den Schlüssel umdrehen muss, um hier reinzuspazieren?«

Diese Frage kann ich ihm nicht beantworten. Wahrscheinlich hat Signor Rondinone es schon immer so gemacht.

Ich rapple mich hoch und steige mit einem großen Schritt über die Leiche, die ich einfach nicht mehr vor Augen haben will. »Lass uns erst mal nach Signora Venerandos Sarg gucken. Danach schauen wir, wie wir hier wieder rauskommen.«

Aber Siegfried behauptet, er könne keinen Handschlag tun, wenn er nicht wüsste, was danach passiere, und läuft in Signor Rondinones Büro. »Hier gibt's ein Fenster«, höre ich ihn rufen.

Ich kenne das Fenster, denn ich war schon einmal in dem Büro, als ein Gast der »Locanda Tedesca« einen tödlichen Herzinfarkt erlitt und seine schockierte Gattin Hilfe bei der

Überführung der Leiche brauchte. Das Fenster ist klein und sehr hoch. Vielleicht soll verhindert werden, dass Neugierige in den Raum gucken, wenn Signor Rondinone gerade ein Trauergespräch führt. Jedenfalls befindet sich die untere Kante des Fensters ungefähr auf Scheitelhöhe eines normal großen Menschen.

Ich höre, dass Siegfried Möbel rückt, und ahne, dass er versucht, den Schreibtisch unters Fenster zu schieben. Ich will ihm gerade folgen, um ihm zu sagen, dass dieses Fenster nur eine verglaste Öffnung ist, ohne Schloss, ohne Griff, ohne die Möglichkeit, es zu öffnen. Wenn wir dort entkommen wollen, müssen wir die Scheibe einschlagen. Das würde Lärm machen und Signor Rondinone womöglich erneut auf den Plan rufen.

Aber als ich Siegfried folgen will, werde ich von einem Lichtsignal zurückgehalten. Was war das? Es kam von dort, wo Siegfrieds Jacke liegt. Leider muss ich nun noch einmal über die Leiche steigen, dann habe ich die Jacke in der Hand und kann sie mir genauer ansehen. Das Handy steckt in der Brusttasche, und das Futter ist dünn. Es lässt ein Leuchten durch.

Ich weiß, dass ich es nicht tun dürfte, aber ich ziehe das Handy heraus und stelle fest, dass eine SMS eingegangen ist. Eine Nachricht von M!

»Verdammt, wie kriegt man dieses Fenster auf?«, flucht Siegfried leise, aber vernehmlich.

Martin schickt Siegfried eine SMS? Um diese Zeit? Was hat das zu bedeuten?

Gewissermaßen bin ich dankbar, dass Siegfried in diesem Augenblick zurückkommt und mir die Chance nimmt, eine Indiskretion zu begehen. Erst recht bin ich dankbar dafür, dass er mir die Zeit lässt, das Handy in seine Jacke zurückzustecken.

»Ich brauche einen Hocker. Dieser verdammte Schreibtisch

lässt sich nicht bewegen. Altes, schweres Ding!« Seine Stimme ist immer lauter geworden. Sein Fluchtgedanke scheint seinen Wunsch, unentdeckt zu bleiben, an Intensität zu überholen.

»Da leuchtet was in deiner Jacke«, sage ich leise und halte sie ihm hin. »Eine Nachricht.«

»Was interessiert mich jetzt irgendeine Nachricht?«, flüstert Siegfried gereizt zurück, zieht das Handy aber trotzdem hervor und schaut nach der SMS. »Die italienische Telefongesellschaft mal wieder. Sie wollen, dass ich eine Auslandsflatrate wähle. Das bieten sie mir täglich aufs Neue an. Idioten!«

Er steckt das Handy zurück, wirft die Jacke auf die Erde, schnappt sich einen Hocker und geht zurück in das Büro. »Der Sarg ist übrigens geschlossen«, wirft er über die Schulter zurück. »Ich hoffe, wir können ihn wieder aufschrauben.«

Ich kenne meinen Mann schon sehr lange. Wenn er lügt, dann merke ich das sofort. Seine Stimme hat dann einen besonders gleichgültigen Ton, mit dieser Sprechprobe würde er an keiner Schauspielschule angenommen. Außerdem habe ich gesehen, dass die Nachricht von M kam, nicht von der italienischen Telekom. Was kann Martin ihm mitteilen, was ich nicht erfahren soll?

Ich schaffe es nicht, gegen meine Indiskretion anzukämpfen, sie ist stärker als die Überzeugung, dass ich mich nicht in Siegfrieds Angelegenheiten mischen darf. Aber … ist Martin Siegert nicht auch meine Angelegenheit? Ich entscheide mich schnell. Ja, wenn Kathys Mann der Komplize von Leo Beck ist, der hier tot zu meinen Füßen liegt, dann geht es mich sehr wohl etwas an, wenn er an meinen Mann mitten in der Nacht eine SMS schickt.

Ich greife so schnell nach dem Handy und öffne die SMS, dass ich meine Meinung nicht mehr ändern kann. »Du musst mir helfen! Ich habe Mist gebaut!«

Verblüfft lasse ich das Handy sinken. Etwa schon wieder

eine Geschwindigkeitsübertretung? Was denkt Martin sich eigentlich? Siegfried kann ihn doch nicht ständig rauspauken, wenn er Mist gebaut hat! Andererseits … warum kann Siegfried mir nicht verraten, dass Martin ihm eine SMS geschrieben hat? Warum diese Lüge?

»Schau nach«, höre ich Siegfrieds Stimme viel zu laut, »wo Signor Rondinone sein Werkzeug aufbewahrt. Wir brauchen einen kräftigen Schraubenzieher.«

»Ist gut«, gebe ich ebenso laut zurück und sorge für Geräusche, die Siegfried darin bestätigen sollen, dass ich seinem Wunsch nachkomme. Ich scharre mit den Füßen, stoße an ein Stück Holz und lasse eine Schranktür knarren, ohne den Blick von Siegfrieds Handy zu nehmen. Im Nu habe ich den SMS-Verkehr zwischen M und meinem Mann geöffnet.

»Wir müssen vorsichtig sein.«

»Es ist nicht so einfach, mich zu entscheiden.«

»Ich brauche Zeit.«

Und dann: »Ich muss in die Toskana. Melde mich, wenn ich angekommen bin.«

Toskana? Ich starre dieses Wort an. Martin ist nicht in der Toskana. Als ich am Nachmittag mit Kathy telefonierte, verließ er gerade das Haus, um seine Mutter zu besuchen. Nein, diese Kurznachrichten können nicht von Martin Siegert sein. Also hat Siegfried heute Vormittag auch gelogen. Der Anruf von M kann nicht von Martin gekommen sein. Hinter diesem Großbuchstaben steckt jemand anderes.

Ich höre Siegfried stöhnen. »Verdammt, das Fenster ist nicht zu öffnen. Wir werden es einschlagen müssen, wenn wir abhauen. Aber erst dann!«

Rebeccas Idee jagt durch meinen Kopf. »Der Ehemann tut nur so eifersüchtig, in Wirklichkeit hat er selbst eine Freundin. Er will nur seine Frau zurück, damit er an das Geld kommt.«

Ich höre, dass Siegfried von dem Hocker herunterspringt. So

schnell ich kann, laufe ich an Donatella Venerandos Sarg vorbei auf die Tür zu, die in das kleine Büro führt. Ich sehe Siegfrieds Fuß, seinen Arm und erlaube mir keinen Augenblick des Zögerns. Laut, viel zu laut ziehe ich die Tür ins Schloss und drehe den Schlüssel um, der zum Glück auf der richtigen Seite steckt.

Franziska ist derart von den Socken, dass sie nichts von sich gibt. Wie erstarrt ist sie. Aber in dieser Verfassung ist sie kerzengerade, kein bisschen biegsam, sie hält mich aufrecht, sie sorgt dafür, dass ich nicht nachgebe.

Was folgt, ist ein Moment der Stille. Verblüffung! Dann rüttelt Siegfried an der Klinke. »Bist du verrückt geworden, Lenchen? Mach auf! Mach sofort die Tür auf!«

»Schrei nicht so laut, sonst wird Signor Rondinone noch einmal aufgeweckt«, zische ich durchs Schlüsselloch.

Siegfrieds Stimme ist jetzt ganz nah. Auch er hat sich zum Schlüsselloch hinabgebeugt. »Lenchen, was soll das?«

»Warte einen Moment, dann sage ich es dir.«

Ich höre selbst, wie eiskalt meine Stimme ist. Und das muss auch Siegfried mitbekommen haben. Er protestiert mit keiner Silbe.

Jetzt nur nicht nachgeben! Du bist auf dem richtigen Weg! Mach weiter, Elena!

Ich gehe in den großen Raum zurück, lehne mich an einen Eichensarg und wähle die Handynummer neben dem M. Das Gespräch wird sofort angenommen. Ich sage kein Wort. Die angerufene Person sieht im Display, wer dran ist, auch sie meldet sich nicht mit ihrem Namen. Siegfried und diese andere Person sind einander anscheinend vertraut.

»Gut, dass du sofort zurückrufst. Mir ist heute Abend was Schreckliches passiert!«

Die Stimme kenne ich. Ja, die kenne ich gut! Eine klare, wandelbare Stimme, die Stimme einer Schauspielerin, die auch im Privatleben keine Endung verschluckt.

»Ich brauche juristischen Rat.«

Nun wird mir noch etwas klar. Schlagartig! Ich sehe das kleine weiße Auto vor mir, mit dem Marily Mattey in den Hof der »Locanda Tedesca« gefahren kam, und das Auto, das vor ein paar Stunden einen leblosen Menschen überfuhr.

Franziska sorgt dafür, dass ich mindestens zwei Meter groß werde.

»Den juristischen Rat bekommen Sie später«, gebe ich zurück und wundere mich kein bisschen, dass es am anderen Ende still bleibt. »Kommen Sie sofort in die Sargtischlerei Rondinone. Das ist das Anwesen direkt hinter der ›Locanda Tedesca‹. Fahren Sie durch den Weinberg, das kümmert heute Nacht keinen Menschen.«

»Was … wieso …« Marily Mattey findet nur langsam zu ihrer Sprechtechnik zurück.

»Ich weiß, dass ein Scheinwerfer Ihres Autos kaputt ist, aber für die kurze Strecke wird der andere wohl reichen.«

Das sitzt! Marily Mattey wird auf der Stelle klar, dass sie beobachtet worden ist. »Elena? Was wollen Sie von mir? Geld?«

Diese Frage kommt so unerwartet, dass ich lachen muss, obwohl mir weiß Gott nicht nach Lachen zumute ist. »Ich will, dass Sie herkommen und einen Schlüssel umdrehen, damit ich dieses Haus verlassen kann. Haben Sie das verstanden?«

»Ich fahre da nicht noch mal hinauf. Nicht diese Straße.«

»Sie können ganz beruhigt sein. Der Mann, den Sie überfahren haben, liegt dort nicht mehr. Und jetzt beeilen Sie sich bitte! Und bringen Sie Adam mit.«

Gut! Richtig gut! Franziska ist begeistert.

Nun fängt die Mattey sogar an zu stottern. »Was für eine Tür? Was für einen Schlüssel?«

»Die erste Tür auf der linken Seite, der Schlüssel steckt«,

erkläre ich ihr. »Das Auto fahren Sie am besten auf den Hof der Pension, den Rest gehen Sie zu Fuß. Schön leise! Die Rondinones haben einen leichten Schlaf!«

Ich beende das Telefongespräch, um nicht noch mehr Fragen beantworten zu müssen.

Donnerwetter! Franziska schnappt nach Luft. *Das hätte ich dir nie zugetraut.*

Marily Mattey wird jetzt wissen, dass sie besser tut, was ich sage. Denn ich weiß, dass sie Fahrerflucht begangen hat. Das ist schon für jeden x-beliebigen Autofahrer ein ganz schlimmes Vergehen. Für jemanden, der gerade sein Comeback plant, ist es eine Katastrophe.

Ich weiß nicht, ob Siegfried mein Telefonat mitbekommen hat. Möglich ist es. Denn er ist erstaunlich ruhig, als ich zu der Tür zurückkomme. Derart ruhig, dass ich vorsichtig frage: »Bist du noch da drin?«

»Wo soll ich denn sonst sein?«, fragt er aufgebracht zurück.

»Du hättest ja auch die Scheibe einschlagen und flüchten können. Allerdings würde Signor Rondinone dann morgen früh erschrecken, wenn er den Toten hinter dem schwarzen Sarg liegen sieht. Er hat ein schwaches Herz. Wer weiß, was dann passiert!«

Siegfried hat für meinen Spott kein Verständnis, was ich durchaus nachfühlen kann. »Was willst du?«

»Hören, wie lange du Marily Mattey schon kennst.«

»Du weißt doch selbst, dass sie eine Weile in Düsseldorf gastiert hat.«

»Und da hast du dich mit ihr … angefreundet? Donnerwetter, das ist ja mal ein guter Fang!« Während ich rede, tropfen immer mehr Erkenntnisse in mein Gehirn. »Brauchtest du deswegen viel Geld? Einer Frau wie Marily Mattey muss man schon was bieten.« Ich lausche, aber auf der anderen Seite der Tür bleibt es totenstill. »Du wusstest vermutlich von

Anfang an, dass Leo Beck wirklich der Bankräuber war. Trotzdem hast du ihn rausgepaukt.« Ich warte auf die Frage, wer Leo Beck sein soll, aber sie bleibt aus. Siegfried hat sich also damit abgefunden, dass ich Bescheid weiß, und macht keinen Versuch, sich rauszureden. »Was hat er dir geboten, wenn du die Beute versteckst? Die Hälfte? Tja, vierhunderttausend, die man bei der Scheidung nicht mit der Ehefrau teilen muss ... das ist schon ein schöner Batzen.« Jetzt tropft es nicht mehr, jetzt regnen die Erkenntnisse geradezu auf mich herab. »Martin war gar nicht der Liebhaber von Rosi Vormann! Leo Beck war es! Der hatte die achthunderttausend in dem Wohnmobil versteckt, in dem er sich regelmäßig mit Rosi traf. Da das niemand wusste, kam auch niemand auf die Idee, dass dort viel Geld versteckt war. Bis auf den Tag, an dem der Bauer den betrogenen Mann über die Eskapaden seiner Frau aufklärte ...« Ein Sturzbach von Gefühlen prasselt nun auf meinen Kopf. »Deswegen habe ich das Wohnmobil geschenkt bekommen. Leo Beck wusste, dass es zum Verkauf stand. Das Geld wäre für ihn verloren gewesen, wenn es irgendein Fremder gekauft hätte.« Ich fange an zu lachen, kichere leise und gluckse, als amüsierte ich mich köstlich, dabei ist dies nur eine andere Art des Weinens. Ich weiß, dass es sich für Siegfried so anhören muss, als schnappte ich über. Und so ähnlich ist es auch. »Wie konntest du, Siegfried? Du bist doch kein Betrüger!«

Seine Stimme kommt sehr leise, aber gut hörbar zurück. »Man wird schnell einer, wenn man erpresst wird.«

»Erpresst?« Ich brauche eine Weile, bis ich verstehe. »Leo Beck hat gemerkt, dass du eine Affäre mit Marily Mattey hast? Damit hat er dich gezwungen, das Geld für ihn zu verstecken? Du hättest gar nichts von der Beute abbekommen? Du wolltest nur dafür sorgen, dass niemand etwas von dir und Marily Mattey erfuhr?«

»Ich wollte unsere Ehe retten.«

Dieser Satz ist falsch, das merke ich genau! »Ich glaube dir kein Wort. Marily hat dir klipp und klar gesagt, dass sie sich keine Negativschlagzeilen erlauben kann. Wenn rausgekommen wäre, dass sie ein Verhältnis mit einem verheirateten Mann hat, dann wäre es aus gewesen zwischen euch. Davor hattest du Angst.«

Ich höre ein Geräusch, als schlüge Siegfried mit der Faust auf den Boden. »Warum bist du auch auf die blöde Idee gekommen, mit dem Wohnmobil loszufahren? Wie konntest du? Du warst nie so eine Frau, die mit dem Kopf durch die Wand geht! Warum ausgerechnet an deinem fünfzigsten Geburtstag?«

Ich bin nun ganz ruhig. »Denk mal an das Telefongespräch am Tag vor meinem Geburtstag. Das habe ich zufällig mitbekommen! Du musst es mit Leo Beck geführt haben, das ist mir jetzt klar.« Ich zitiere, was mir im Gedächtnis geblieben ist: »Alles vorbereitet, es kann nichts mehr schiefgehen. Nach der Party ist genug Zeit, um die Sache zum Abschluss zu bringen.« Und dann die Sicherheit, mit der Siegfried gesprochen hatte! Er würde es sein, der das Ziel ansteuert, und er bestimme natürlich auch, wann. »Dieses Gespräch hat mir mal wieder gezeigt, welche Rolle ich in unserer Ehe spielte. Mit mir konnte man es machen! Ich würde niemals aufbegehren! Ich habe ja immer alles hingenommen!« Aber dann hatte ich den beiden einen Strich durch die Rechnung gemacht. Ich war in mein Wohnmobil gestiegen und abgehauen. »Dumm von mir, dass ich mich auf diese Fernsehdokumentation eingelassen habe. Dadurch wusstest du, dass ich am Gardasee war, und kanntest sogar den Namen des Campingplatzes. Leo Beck hat dann versucht, das Geld zurückzuholen.« Nun durchfährt mich ein Gedanke, eiskalt wie Stahl und genauso schneidend. Ich führe meinen Mund so nah ans Schlüsselloch, dass ich nur ganz leise sprechen muss. »War es wirklich ein Unfall, Siegfried? Oder hast du Leo Beck umgebracht?«

Siegfrieds Stimme schwankt, als er antwortet. »Nein, Lenchen, das habe ich nicht. Ich schwöre es beim Leben unseres Enkelkindes. Ich hatte keine Ahnung, dass er kommen würde.«

Ich richte mich auf und nicke, obwohl Siegfried es nicht sehen kann. Ja, das glaube ich ihm. Siegfried ist kein Mörder. Bisher war er auch kein Betrüger. Aber wenn man die Chance hat, eine schöne und sogar berühmte Frau für sich zu gewinnen… ich kann verstehen, dass er dafür einige Prinzipien hat fahren lassen.

Donnerwetter! Franziska ist beeindruckt. *So viel Verständnis? Nobel, nobel!*

Das Geräusch eines Motors schneidet in die Nacht, ein Auto kommt die Strada dei Vigliani herauf. Ich kann dem Klang folgen, höre, dass der Wagen abbremst und das Motorengeräusch seinen Verlauf ändert. Der Wagen ist in den Hof der »Locanda Tedesca« eingebogen. Kurz darauf erstirbt der Motor. Marily und Adam kommen!

Siegfried fleht mich an, ihn zu befreien, aber ich weiß, dass er auf dem Weg durchs Sarglager schon versuchen würde, die Einsichten, die jetzt ganz klar hinter meiner Stirn stehen, zu verrücken. Von der Strafe, die man ihm aufbrummen wird, soll er jetzt schon die erste Stunde absitzen.

Ich bleibe mitten im Sarglager stehen und starre auf die Füße von Leo Beck, die hinter dem schwarzen Sarg hervorragen. Gütiger Himmel, man wird Siegfried vor Gericht stellen und verurteilen! Ob es ihm gelingen wird, den Richter davon zu überzeugen, dass Leo Beck durch einen Unglücksfall zu Tode kam? Ich kenne einige Staatsanwälte, die sich ein Vergnügen daraus machen werden, Siegfried Mertens' Aussage zu zerpflücken, bis sie unkenntlich geworden ist. Trotz allem ist jetzt nichts als Mitleid in dem Teil meines Herzens, der immer noch Siegfried gehört und durch unsere Kinder immer ihm gehören wird. Ich stehe an der Tür, lausche aber nicht auf die Schritte, die sich bald nähern müssen, sondern auf Siegfrieds Stimme, die mir bis hierher gefolgt ist.

»Lass mich raus, Lenchen! Bitte! Wir finden einen Weg, der auch dein Schaden nicht sein wird.«

Er will mich bestechen? Mit den achthunderttausend Euro? Dabei war mir nie so klar wie in diesem Augenblick, dass sie mir nicht gehören und ich sie niemals behalten darf.

»Ich tue, was du willst. Nur lass mich endlich raus! Wir müssen den Sarg aufschrauben. Den Toten bekommen wir nur gemeinsam hinein! Bitte, Lenchen! Schnell!«

In diesem Moment höre ich die Schritte, auf die ich warte. Ein Stein, der sich unter einem Fuß löst und die Böschung herunterrollt, raschelndes Gras, schlagende Zweige, tuschelnde Stimmen. Adam und Marily kommen!

Sacht klopfe ich an die Tür, hinter der ich sie erwarte. Doch im selben Moment macht ein hässliches Geräusch meine Hoffnung zunichte. Lautes Scheppern, Metall auf Stein, rhythmisches Klappern, in einer rollenden Bewegung entstanden, und verhaltenes Fluchen. So laut und durchdringend, dass es auch an Carlos Ohren gekommen ist. Er bellt hinter der Haustür los, so laut, dass vermutlich auch die Gäste der »Locanda Tedesca« geweckt werden. Es kann nicht lange dauern, bis Signor Rondinone mit einem Küchenmesser und die Signora mit der Nudelrolle erscheint, dazu Carlo mit dem festen Willen, in alles zu beißen, was ihm nicht gefällt.

Nun poche ich laut und heftig gegen die Tür, und auch Siegfried fleht nicht mehr leise, sondern fordert mit dröhnender Stimme: »Lass mich endlich raus! Sonst…« Den Rest verschluckt er gottlob.

Ich höre Marily schimpfen, aber mir wäre ohnehin klar gewesen, dass es Adam sein musste, der nach allen Seiten gewittert, aber dabei nicht vor seine Füße gesehen hat. Er lässt Conrad Petersen, seinen Protagonisten, tollkühne Verfolgungsjagden bestehen und raffinierte Nachstellungen mit Bravour erledigen, selbst ist er aber nicht in der Lage, ein paar lautlose Schritte zu machen.

»Ich bin hier!«, rufe ich, so laut ich kann. Auf die Rondinones brauche ich jetzt keine Rücksicht mehr zu nehmen.

Und nun mischt sich eine weitere Stimme ein. Vor Erleichterung kommen mir die Tränen.

»Hierher, Rebecca!«

Ich vertraue zwar auf Adams guten Willen, ich glaube auch, dass Marily Mattey, schon aus eigenem Interesse, alles tun wird, um uns vor Carlo und seinen Eigentümern zu schützen, aber nur Rebecca traue ich zu, dass es ihr gelingt und sie schleunigst das einzig Richtige tut.

Ich irre mich nicht. Rebecca ist es, die den Schlüssel umdreht und die Tür aufreißt. Und sie ist es, die ruft: »Weg hier!«

Adam hüpft noch auf dem linken Bein und hält sich den Fuß, Marily Mattey macht sich an der falschen Tür zu schaffen, aber nun begreifen beide, dass es sinnvoll ist, ihrer Tochter zu folgen.

Als wir die Hofeinfahrt hinunterlaufen, wird jedem von uns klar, dass Rebecca keinen Augenblick zu früh gehandelt hat. Das Martinshorn weht herbei, das Blaulicht flackert schon den Berg herauf. Signor Rondinone hat die Polizei verständigt, statt sich persönlich auf Verbrecherjagd zu begeben.

»Was ist mit Siegfried?«, keucht Marily Mattey, während wir die Strada dei Vigliani hinunterhasten.

»Später«, gebe ich zurück. »Nur so viel: Er hat es verdient, erwischt zu werden.«

Dass wir ihn nicht allein, sondern in Gesellschaft einer Leiche zurückgelassen haben, behalte ich zunächst für mich. Ich kann noch nicht beurteilen, wie wichtig es Marily Mattey ist, dass Siegfried so wenige Haare wie möglich gekrümmt werden. Ist er ihr so wichtig wie sie ihm? Mir wird, als die Hofeinfahrt der »Locanda Tedesca« in Sicht kommt, schlagartig klar, dass es viele Flaschen Vino rosso benötigen wird, um das zu klären. Eine werde ich für mich allein nötig haben, wenn ich herausbekommen will, wie wichtig Siegfried noch für mich ist und wie wichtig ich für ihn. Vermutlich braucht Adam zusätzlich noch eine Flasche Grappa für sich allein, bis er durchschaut hat, dass seine Erkenntnisse dieser Nacht allesamt auf einem Irrtum beruhen. Die Hoffnung, dass er zu diesem Schluss kommen wird, jagt mit mir die Straße hinab, stolpert mit mir durch jedes Schlagloch und biegt schließlich mit mir in die Hofeinfahrt der Locanda ein. Wir sind gerade oben auf der Böschung, direkt neben dem Wohnmobil, angekommen, als wir den Polizeiwagen erkennen können, der mit quietschenden Reifen in das Anwesen der Rondinones einbiegt.

Ich drehe mich um und gehe schweigend ins Haus, Adam, Marily und Rebecca folgen mir ohne ein Wort. Stumm nehmen sie in der Küche Platz und haben noch kein Wort gesprochen, als ich mit Vino rosso und Grappa aus der Vorratskammer zurückkomme.

Ich bin die Erste, die redet, und ich sehe Marily Mattey dabei an. »Wie ist das gelaufen mit Siegfried und Ihnen? Und wie stehen Sie jetzt zu ihm?«

»Ich habe ihn kennengelernt, während ich in Düsseldorf gastierte.« Marily Mattey spielt die Rolle ihres Lebens! Natürlich die Hauptrolle! »Ich hatte keine gute Zeit damals. Mit meiner Karriere ging es bergab. Seit ich vierzig geworden war, gab es keine Filmangebote mehr. Noch Jahre vorher hätte ich gelacht, wenn man mir das Angebot gemacht hätte, eine Rolle in einem Boulevardtheater zu übernehmen, nun musste ich froh sein, dass ich wenigstens das bekam. Angebote vom Film gab es keine, nicht mal das Fernsehen wollte mich haben. Fünf Jahre vorher hatte ich das Angebot ausgeschlagen, eine *Tatort*-Kommissarin zu spielen, damals konnte ich mir Arroganz noch leisten. Fernsehen? Nein, danke! Später, nachdem mein letzter Film ein Flopp geworden war, machte mir niemand mehr ein solches Angebot. Heute wäre ich glücklich darüber.

Nach der Premiere des Boulevardstücks in Düsseldorf gab es eine Party, wie immer. Zum Glück waren nicht nur Leute aus der Branche da, auch einige interessante Menschen aus der Stadt. Ärzte, Architekten, Rechtsanwälte. Siegfried war in Begleitung eines Mandanten gekommen. Ein TV-Produzent, der eine Plagiatsklage mit ihm durchfechten wollte. Eigentlich habe ich das Gespräch mit ihm nur angefangen, weil ich einen Verehrer loswerden wollte, der mir schrecklich lästig geworden war. Siegfried war charmant, aufmerksam und vor allem: Ich konnte mit ihm über andere Dinge reden als über Film und Theater. Ich war das ganze Branchengequatsche so richtig leid.

Das war der Zeitpunkt, wo ich am liebsten einen netten Mann geheiratet hätte, der mir ein sorgloses Leben bieten konnte, in einem schönen Haus, in dem ich Blumen arrangieren durfte, mit einem Garten, in dem ich Rosen schneiden konnte. Dummes Zeug, ich weiß. Aber so war nun mal meine Verfassung zu jener Zeit. Das Theaterstück in Düsseldorf hatte viele Vorstellungen, war erfolgreich, die Spielzeit wurde immer wieder verlängert, aber irgendwann war sie dann doch vorbei. Und ich hatte kein weiteres Angebot vorliegen. Nun, ich habe einiges auf der hohen Kante und wusste, dass ich eine Weile finanziell durchhalten würde, aber ein neues Engagement brauchte ich trotzdem. Zum Glück musste Rebecca nichts von meinen Sorgen wissen. Ihr Vater zahlt ja alles, was sie braucht, mehr als den Unterhalt, zu dem er verpflichtet ist. Für das Internat in Rom kommt Adam auf, ohne zu murren.

Aber zurück zu Siegfried… Ein Mann wie er gehörte bisher nicht zu meinem Beuteschema, aber da machte ich mittlerweile Abstriche. Berühmt und steinreich musste ein Mann nicht mehr sein. Es reichte, wenn er mir gefiel und gut situiert war. Siegfried sprach von einem Ferienhaus in Nizza, deswegen hielt ich ihn für angenehm vermögend. Ich nahm ihn mit in mein Hotelzimmer und war am nächsten Morgen keineswegs überrascht, als er mir gestand, dass er verheiratet sei. Männer wie er sind immer verheiratet. Ich hätte es bei einem One-Night-Stand belassen, aber er rief mich täglich an, ließ nicht locker… und schließlich steckten wir bis zum Hals in einer Affäre. Es war nicht einfach, sie geheim zu halten. Siegfried war in Düsseldorf bekannt, mir liefen immer noch die Reporter hinterher, aber wir haben es hinbekommen, nicht erwischt zu werden. Und dann eine Woche Urlaub in Siegfrieds Ferienhaus in Nizza. Ein Traum! Seiner Frau hatte er erzählt, er habe einen wichtigen Mandanten dorthin eingeladen, um einen Prozess vorzubereiten, der sehr viel einbringen würde. Mir schien, dass Siegfried vermögend genug war, um eine faire Scheidung durchzuziehen. Danach würde immer noch genug Geld da sein für ein sorgenfreies Leben.

Wir fingen also an, Zukunftspläne zu schmieden. Aber während dieser Zeit fiel mir auf, dass er sich veränderte. Es kam mir der Verdacht, dass er bisher eine Rolle gespielt hatte, dass er sie nun nach und nach ablegte und zu dem Mann wurde, der er wirklich war. Ein Macho! Bis dahin hatte ich noch nie ein Verhältnis mit einem Mann gehabt, der zu Hause eine Frau hatte, die nie berufstätig gewesen war. Eine Hausfrau! Lieber Himmel, solche Frauen gibt es doch gar nicht mehr. Das habe ich jedenfalls gedacht. Und Siegfried hat mich immer in meiner Ansicht bestätigt. Hausfrauen sind langweilig, ihr geistiger

Horizont schrumpft mit jedem Jahr, das sie zu Hause herumputzen und -kochen.

Aber in Nizza fiel mir auf, dass er es völlig normal fand, wenn ich für ihn kochte und die Betten machte. Ich war davon ausgegangen, dass er eine Zugehfrau beschäftigte, aber das hielt er für überflüssig. Mir kam irgendwann sogar der Verdacht, dass er sich keine leisten konnte. Nicht einmal eine Spülmaschine gab es. Und Siegfried kam sich, wenn er mir beim Spülen half, sehr generös vor. Gleichzeitig versicherte er mir, wie stolz er auf mich sei, wenn er mich auf der Leinwand und auf der Bühne erleben dürfe. Mir schien, er wollte beides haben. Hausmütterchen und Karrierefrau.

Mir ging auf, dass sein Frauenbild nicht klar war, er steckte noch dort, wo die Männer Ende der Sechziger herumirrten. Gleichberechtigung? Ja, gerne, solange es mir keine Arbeit macht! Mir wurde von Tag zu Tag mehr bewusst, dass Siegfried nicht in meine Zukunft passte, wie ich sie mir wünschte. Mittlerweile hatte ich auch meine berufliche Depression so weit überwunden, dass ich wieder kämpfen wollte. Kämpfen um neue Rollen! Den Traum vom Blumenarrangieren und Rosenschneiden hatte ich begraben. Ich war nie von einem Mann finanziell abhängig gewesen und wusste nun, dass ich es niemals sein wollte. Außerdem fing Siegfried an zu sparen. Er war nicht mehr so großzügig wie am Anfang unserer Beziehung. Ganz allmählich wurde er so, wie man in schlechten Liebesfilmen einen Ehemann darstellt, der mal ein feuriger Liebhaber gewesen war.

Dann gab es einen Knall. Siegfried wurde von seiner Frau verlassen. Sie hatte sich zu einer Spritztour aufgemacht, aus der ein längerer Urlaub wurde, und dann war sie in der Toskana geblieben und nicht wieder zurückgekehrt. Mit einem Mal war nicht mehr die Rede davon, dass er sich so bald wie möglich scheiden lassen und mit mir neu beginnen wollte. Es ging ums Geld, sagte er. Zunächst müsse er einen größeren Betrag zur Seite schaffen, damit dieser nicht in das gemeinsame Vermögen einfloss. Ich habe ihn nicht gefragt, worum es ging, ich wollte es gar nicht wissen. Aber mir gefiel es nicht, dass seine Frau übers Ohr gehauen werden sollte. Ich war froh, dass er mir das Haus in Nizza zur Verfügung stellte. Dort habe ich gewartet, bis Rebeccas Nachricht kam, dass sie die Ferien bei Adam verbringen wolle.

Rebecca in der Toskana und Siegfried auch! Was für ein Zufall! Er hatte sich entschlossen, endlich seine Frau zur Raison zu bringen und die Scheidung mit ihr zu besprechen. Die finanzielle Angelegenheit würde er klären können, sagte er und war sehr zuversichtlich. Er müsse nur zunächst so tun, als wolle er sich mit ihr versöhnen. Wenn er wieder ihr Vertrauen hätte, würde alles einfacher. Wir haben uns auf der Piazza Italia getroffen, als ich in Chianciano ankam, und sind dann gemeinsam zur ›Locanda Tedesca‹ gefahren …«

Meine Flasche Vino rosso ist leer. Ich hatte ja auch eine Menge runterzuspülen. Der erste Gedanke, der mir kommt, ist, dass ich wirklich nach Nizza hätte fahren sollen. Was hätte Marily Mattey geguckt, wenn ich dort aufgetaucht wäre!

Sie selbst hat nur ein Glas getrunken. Für das, was ich jetzt alles richtigzustellen habe, wird sie auch eine Flasche brauchen.

Ich komme nicht mehr dazu, weil Stefano auftaucht. Mit geht mein Rotweinvorrat zur Neige. Stefano hat vor einer Leiche gestanden, hat meinen Mann verhaftet und sich überdies mit Carlo anlegen müssen, der kurzzeitig seine Aggression gegen Hunde auf Polizeibeamte erweitert hatte. Den schrecklichen Ereignissen dieser Nacht ist nur mit reichlich Rotwein beizukommen, genau aus diesem Grunde ist Stefano erschienen. Und natürlich, um seiner Pflicht als Carabiniere nachzukommen, der einer Gattin mitzuteilen hat, dass ihr Mann schwer verletzt ist. So was braucht ein Glas Rotwein extra.

»Er hat das Fenster des Büros eingeschlagen und daraus zu entkommen versucht. Aber das Fenster ist sehr hoch angebracht und außerdem klein. Trotzdem wollte er sich hindurchzwängen, aber die Glassplitter am Rand haben ihm Gesicht und Arme ganz schön verkratzt.« Er habe so heftig geblutet, dass Carlo zum Untier geworden wäre, wenn Signora Rondinone ihn nicht im Haus eingesperrt hätte. »Wir haben deinen Mann ins Krankenhaus gebracht«, sagt er zu mir und versucht, bedauernd dreinzublicken.

»Und Leo Beck?«, frage ich zaghaft.

»Der ist auf dem Weg in die Gerichtsmedizin.« Stefano grinst schief. »Da hat er es ruhiger.«

Ich sehe Marily Mattey an, die sich soeben damit abfindet, dass Vino rosso in einem Fall wie diesem die einzig wirksame Medizin ist und man sich gelegentlich darüber hinwegsetzen sollte, dass Alkohol schlecht für den Teint ist. »Wollen Sie Siegfried im Krankenhaus besuchen? Oder soll ich?«

»Sie!«, kommt es wie aus der Pistole geschossen zurück. »Ich wollte die Beziehung sowieso beenden.«

Armer Siegfried! Nun tut er mir wieder leid. So kann es gehen, wenn man das Schicksal zwingen will, einen Fehler zu korrigieren, der nicht wieder rückgängig zu machen ist. Anscheinend hat ihn der Verlust am Aktienmarkt nicht nur viel Geld, sondern vor allem einen wichtigen Teil seines Selbstbewusstseins gekostet. Nun verstehe ich mit einem Mal, warum er unbedingt das Haus in Nizza behalten wollte, obwohl es selten benutzt wurde und es viel sinnvoller gewesen wäre, die beiden Eigentumswohnungen zu behalten, die immerhin Geld eingebracht hätten.

»Ich habe ein Ferienhaus in Nizza.« Dieser Satz hat eine

ganz andere Wirkung als: »Ich habe zwei Eigentumswohnungen in Frankfurt.«

Siehste? Man soll sich eben um sein Selbstbewusstsein kümmern, mit ihm reden und sich beraten lassen! Es gibt einfach zu wenige Menschen, die auf ihr Selbstbewusstsein hören!

Da bin ich nun fast dreißig Jahre mit diesem Mann verheiratet und habe dennoch keine Ahnung, was ihm wirklich wichtig ist.

Aber nun müssen wir beide zahlen. Er dafür, dass er das Glück zwingen wollte und auch dafür, dass er mich betrogen hat und einen finalen Betrug plante, den ich ihm niemals zugetraut hätte. Aber auch ich muss zahlen, dafür, dass ich Augen und Ohren verschlossen habe, als ich achthunderttausend Euro im Gepäck hatte, und dafür, dass ich mir die Freiheit kaufen wollte. Vielleicht bin ich nicht besser als Siegfried. Beide haben wir das Geld über unser Schicksal entscheiden lassen. Kein Wunder, dass wir verloren haben.

Mir fällt erst gar nicht auf, dass Stefano in die Innentasche seiner Uniformjacke greift und einen Kuli auf den Tisch legt. Er ist schwarz, von eleganter Form und guter Qualität und trägt den Aufdruck »Kaiser-Verlag«. Stefano sagt nichts, sieht Adam nur unverwandt an, während alle anderen zu reden aufhören und zwischen dem Kuli, Adam und Stefano hin und her blicken.

Adam kraust die Stirn, dann greift er in seine Jackentasche. Erst danach kann er es glauben. »Das ist mein Kuli!«

Stefano nickt nur und schiebt Adam sein Schreibgerät mit einer nachdrücklichen Geste hin. »Ja, ich habe ihn gleich wiedererkannt.« Nun sieht Stefano mich an. »Dein Mann muss ihn an sich genommen haben.«

In meinem Kopf wird eine große Blockade errichtet, die ich nicht einreißen kann. Selbst Franziska steht hilflos da und sieht zu, wie sich Faktum für Faktum aufeinanderschichtet, sich mit Vorurteilen verbindet und schließlich einen Stacheldraht aus Zweifeln aufgesetzt bekommt. Ich begegne Stefanos Blick, in dem ich mit einem Mal eine ganze Geschichte lesen kann. Und dann begreife ich ihren Sinn, entdecke ihr Ende in seinen Augen, und im selben Moment fällt die Mauer in meinem Kopf in sich zusammen. Franziska kann sich mit einem beherzten Sprung gerade noch retten und zappelt aufgeregt herum.

Obwohl mir scheint, dass ich nun begreife, frage ich trotzdem vorsichtshalber: »Wo hast du ihn gefunden?«

Stefano antwortet nicht, und mir wird nun gleich das Nächste klar. Er möchte nicht aussprechen, was er getan hat, weil er hofft, dass seine Dienstverfehlung nicht zu beweisen ist, wenn er sie nicht zugibt. Nicht mit Worten. Er nickt nur, als hätte ich nicht gefragt, sondern eine Mutmaßung ausgesprochen.

Nun rede ich ohne Fragezeichen. »Siegfried hat dem Toten Adams Kuli zugesteckt.«

Adam fährt zusammen. »Was?«

Diesmal bin ich es, die nicht antwortet. Und augenblicklich verschwindet das Fragezeichen in Adams Gesicht. Er weiß, was er in dem Drehbuch längst formuliert hat: Siegfried hat den verzweifelten Versuch unternommen, dem Liebhaber seiner Frau den Tod Charly Andreassons respektive Leo Becks in die Schuhe zu schieben.

Ich sehe, wie Adam sich Stefano zuwendet und ihm einen Blick schenkt, den er noch nie für ihn aufbringen konnte. Dankbarkeit und Anerkennung hätte ich erwartet, aber in Adams Blick liegt noch viel mehr. Eine Wertschätzung, die mir sagt, was ich ohne Adams Blick vielleicht erfolgreich hätte verdrängen können: Stefano liebt mich wirklich. Niemals hätte ich für möglich gehalten, dass der Aufreißer der deutschen Touristinnen dazu fähig ist, eine Frau so zu lieben, dass er bereitwillig auf sie verzichtet, damit sie mit einem anderen glücklich werden kann.

Stefano sieht mich nicht an, als er zu mir sagt: »Wir haben übrigens den Wagen wiedergefunden, den blauen Golf, der allein im Weinberg stand. Wie er aus der Carabinieristation gestohlen werden konnte, ist mir schleierhaft. Ich vermute, ein Kollege hat ihn widerrechtlich benutzt und ihn dann in Sarteano abgestellt und vergessen.«

Ich starre Stefano an, aber er reagiert nicht auf meinen Blick. »Was habt ihr mit dem Wagen gemacht?«

»Verschrottet«, kommt es zurück. »Dieses alte Ding! Es lohnt sich nicht herauszufinden, wem er gehört.«

Rebecca, die nichts davon weiß, dass es für mich einmal einen Mann für die eine oder andere Nacht gegeben hat, versteht unser Augenspiel nicht. Sie knüpft an das Gespräch an, von dem uns der Kuli weggelockt hat. »La Mamma braucht keinen reichen Lover mehr, sie hat ja wieder eine Filmrolle in Aussicht«, sagt sie und legt so viel Tadel in diesen Satz, dass ihre Mutter zusammenzuckt. »The show must go on.«

Adam sitzt da, vornübergeneigt, mit hängendem Kopf, die Ellbogen auf die Oberschenkel gestützt, die Hände zu einer Mulde geformt, in der der Kuli liegt.

Ich streife seinen Arm und mache den Versuch, ihm die Sache mit Leo Beck, mit dessen Leiche und deren Irrfahrt zu erklären. Aber meine Zunge kommt ins Stolpern, und Adam winkt ab. »Ich glaube, ich weiß, was passiert ist. Zumindest in groben Zügen. Die Einzelheiten kannst du mir morgen erklären. Vielleicht will ich sie aber gar nicht hören.« Nun blickt er wieder auf, sieht erst Stefano und dann mich an. »Du kannst das Geld nicht behalten.«

Das ist mir mittlerweile auch aufgegangen. Morgen werde ich Cora anrufen, ihr sagen, dass sie ihre Anteile behalten oder einem anderen verkaufen muss, und anschließend wohl einen Offenbarungseid leisten, weil ich die zweihunderttausend Euro, die ich für meinen Anteil an der Locanda hingeblättert habe, nicht zurückzahlen kann.

Mein Traum von der Unabhängigkeit ist geplatzt. Ich kann nicht mehr wählen, ich bin gezwungen, die Toskana zu verlassen und zurückzukehren. Was Siegfried am Aktienmarkt verloren hat, habe ich in der Toskana durchgebracht. Ich bin ruiniert!

»Seht ihr?«, sagt Rebecca hitzig zu ihren Eltern. »Meine Idee ist doch die beste. Ein Happy End ist am ehesten möglich, wenn der toskanische Liebhaber steinreich ist. Dann kriegen die einen, was sie verdienen, und die anderen können glücklich sein. Wir müssen das Drehbuch noch einmal umschreiben.«

Wochenthema Brisant – Freitag

FILMPREMIERE IN KÖLN/URTEILSVERKÜNDUNG IM FALL MERTENS

Wie das Schicksal so spielt, fallen zwei spektakuläre Termine dieses Jahres in dieselbe Woche. Über Siegfried Mertens, früherer Rechtsanwalt und Notar in Düsseldorf, wird heute das Urteil gesprochen, gleichzeitig hat der neue Film mit Marily Mattey Premiere. Gut informierte Kenner der Branche sagen, es gäbe viele Parallelen zwischen den beiden Geschichten. Zufall? Der Drehbuchautor Adam Nocke behauptet es. Er ist inzwischen der Lebensgefährte der früheren Ehefrau des Angeklagten und erklärt, er habe sich lediglich von dem Schicksal Helene Mertens' inspirieren lassen. »Eine fünfzigjährige Frau bricht aus ihrem Leben aus!

Alle anderen Ähnlichkeiten sind rein zufällig und nicht beabsichtigt.«

Ob man das glauben kann? Wie zu hören ist, plant Siegfried Mertens eine Klage gegen die Filmgesellschaft wegen Verletzung von Persönlichkeitsrechten. Sein erster Versuch, eine Unterlassungsklage, war ohne Erfolg geblieben.

Der Film wird mit Spannung erwartet und verspricht, ein großer Erfolg zu werden. Wenn sich diese Annahme bewahrheiten sollte, wird die Filmgesellschaft die Schadenersatzansprüche der Familie Mertens wohl leicht erfüllen und trotzdem einen großen Gewinn erwirtschaften können. Marily Matteys Comeback scheint jedenfalls zu gelingen. Selten ist über einen Film schon vor der Premiere so viel geredet worden wie über *Der Mann ist das Problem*.

Wochenthema Brisant – Sonnabend

Unser Reporter sprach direkt nach der Premiere mit dem Drehbuchautor Adam Nocke!

Wochenthema: Glauben Sie auch, Herr Nocke, dass der Erfolg des Films speziell in Düsseldorf und Umgebung vor allem darin liegt, dass Siegfried Mertens in dieser Woche sein Urteil erwartet?
Nocke: Das hat damit nichts zu tun. Es ist die Geschichte, die erfolgreich ist. Ein Beitrag zur Emanzipation der Frau. Ein nach wie vor aktuelles Thema.
Wochenthema: Nicht ein längst überholtes Thema? Die Frau ist heutzutage gleichberechtigt, ein Film über das Leben einer Frau, die sich von ihrem Mann unterdrückt fühlt, ist eigentlich nicht mehr zeitgemäß.
Nocke: Das große Interesse beweist, dass viele Frauen eben oft nur scheinbar emanzipiert leben. Im Übrigen geht es nicht nur um einen Beitrag zur Emanzipation, jedenfalls nicht nur,

es geht vor allem um den Kriminalfall. Sie haben gerade einen Krimi gesehen, kein Gesellschaftsstück.

Wochenthema: Ein Kriminalfall, der erstaunliche Ähnlichkeiten mit dem Fall Mertens aufweist, in dem morgen früh die Plädoyers gesprochen werden. Zufall?

Nocke: Dürrenmatt sagte: »Je planmäßiger die Menschen vorgehen, desto wirksamer vermag sie der Zufall treffen.«

Wochenthema: Und dass Sie heute mit Helene Mertens, der Exfrau von Siegfried Mertens, zusammenleben, ist auch Zufall?

Nocke: Ich lebe nicht mit ihr zusammen. Ihr gehört eine Pension in Chianciano, die sie allein führt. Ich lebe weiterhin in dem Haus, das ich seit Jahren bewohne.

Wochenthema: Aber Sie bestreiten nicht, dass Sie mit Frau Mertens liiert sind?

Nocke: Nein. Das ist richtig.

Wochenthema: Frau Mertens musste das Geld zurückgeben, das aus dem Banküberfall stammte, den Leo Beck begangen hat. Um dessen Tod geht es bei dem Prozess. Haben Sie Ihre Lebensgefährtin finanziell unterstützt?

Nocke: Dazu gebe ich keine Auskunft. Meine finanziellen Verhältnisse gehen niemanden etwas an.

Wochenthema: Wollen Sie etwas dazu sagen, dass Ihr Großvater ein bekannter Brauereibesitzer war, der sein großes Vermögen einem Familienmitglied hinterließ, das nie beim Namen genannt wurde?

Nocke: Gestatten Sie mir, mit einem Zitat von Hemingway zu antworten: »Man braucht zwei Jahre, um sprechen zu lernen, und fünfzig, um schweigen zu lernen. Ich bin nun über fünfzig …«

Wochenthema: Vielleicht können Sie etwas dazu sagen, dass Sie eine Tochter mit Marily Mattey haben? Als Rebecca Mattey geboren wurde, ist viel gerätselt worden, wer der Vater ist.

Nocke: Nun wissen Sie es. Ich bin sehr stolz auf meine Tochter. Sie hat an dem Drehbuch für den Film mitgearbeitet, obwohl sie noch sehr jung ist. Die besten Ideen stammen von ihr. Ich werde sie dabei unterstützen, eine gute Drehbuchautorin zu werden.

Adam lässt das Blatt sinken. »Diese Schmierfinken! Ich bin froh, dass Charlot sich besonnen hat. Es ist mir lieber, demnächst wieder Bücher zu schreiben. Wenn ein Drehbuch einen solchen Wirbel verursacht, will ich damit nichts zu tun haben. Ich mag's gern gemütlich.«

Er zieht sich einen Stuhl heran und legt die Füße darauf. Ich würde es ihm gern verbieten, aber da er der Besitzer der »Locanda Tedesca« ist, muss ich ihm wohl zugestehen, dass er sich hier benimmt, als wäre er zu Hause. Genau das ist er ja!

Adam grinst, er kennt meine Gedanken. »Nun hast du dich also schon wieder in die Abhängigkeit eines Mannes begeben.«

Ich lache zurück. »Von wegen! Ich werde dir jeden Cent zurückzahlen. Versprochen! Und wenn ich dafür hundert Jahre brauche!«

Er zieht mich auf seinen Schoß und schert sich nicht darum, dass ein erstaunter Pensionsgast in die Küche schaut. »Wir müssen die Locanda noch ein wenig auf Vordermann bringen. Wenn deine Kinder dich hier besuchen, muss alles tiptop sein.«

Ich hatte Maximilian im Arm nach der Premiere in Köln, habe seine weiche Haut gespürt, seinen Duft noch in der Nase, ich habe in seine großen staunenden Augen geblickt, habe mir seine Spucke von der Wange gewischt und still gehalten, als er meine Nase so fest drückte, dass mir die Tränen kamen. Im selben Moment war ich verloren. Ich weiß jetzt, warum Adam seine Tochter zunächst nicht kennenlernen wollte.

»Manchmal wünsche ich mir, Siegfried würde mitkommen, wenn Friederike mich mit ihrer Familie besucht. Er ist frei, der Richter hat ihm geglaubt, die Anklage wegen Totschlags war nicht erfolgreich, die Untersuchungshaft wurde auf die Strafe angerechnet.«

Adam schüttelt den Kopf. »Er wird nicht mitkommen. In der Toskana hat er alles verloren. Pietro Metastasio hat gesagt: Oft verliert man das Gute, wenn man das Bessere sucht.«

»Siegfried hat einfach zu viel gewollt.«

Franziska hat wieder mal das letzte Wort! *Sein Selbstbewusstsein hat nichts getaugt. Sei froh, dass du mich hast!*

Ich danke meiner Freundin Gisela Tinnermann, die dieses Buch als Erste gelesen hat, für ihre klugen Anmerkungen und Bedenken.

Und ich danke der Familie Köck-Perugini, deren Haus in Chianciano mir als Vorlage für die Locanda Tedesca dienen durfte. Grazie, ihr Lieben, für den herrlichen Sommer bei euch!